我的老千生涯

腾飞·著

III

鹭江出版社

图书在版编目（CIP）数据

我的老千生涯Ⅲ/腾飞著. —厦门：鹭江出版社，2009.10

ISBN 978 - 7 - 5459 - 0116 - 0

Ⅰ. 我… Ⅱ. 腾… Ⅲ. 长篇小说—中国—当代 Ⅳ. I247. 5

中国版本图书馆 CIP 数据核字（2009）第 141729 号

我的老千生涯Ⅲ

腾　飞　著

责任编辑／许赃甦

特约编辑／王业云

出　　版／鹭江出版社

地　　址／厦门市湖明路 22 号

邮　　编／361004

电　　话／0592 - 5046666　0591 - 87539330

　　　　　010 - 62376499（编辑部）　　010 - 65921349（发行部）

印　　刷／北京同文印刷有限责任公司

规　　格／787 毫米 ×1092 毫米　1/16

印　　张／15. 5

字　　数／248 千字

印　　次／2009 年 10 月第 1 版第 1 次印刷

书　　号／ISBN 978 - 7 - 5459 - 0116 - 0/I·34

定　　价／32. 00 元

（如有印装错误，请寄印刷厂调换或致电鹭江出版社）

〉引子

　　以前写了很多抓千的故事，事实上，我做老千那些年，除了通过破解赌局暗号捡漏之外，还经常跟人合伙做局骗人，在全国各地抓过不少凯子。之前，总觉得写我出千骗人的事情有点自毁形象，又一想，我有啥形象啊，不就一臭老千嘛，上了网也不见得能高尚到哪里去。这么一想，就释然了。做局的过程大多雷同，只是被宰杀的对象和手段不同而已。我说几件自己如何骗人上钩的事情，让大家对老千有个全面的了解。

　　另外我想，这次别光写我自己，也写写我那些哥们儿的事。虽然他们的事跟我做老千没多大关系，但我还是希望大家能看看，从侧面了解一下，老千所处的是多么灰暗的生活圈子，围在他们身边的都是些什么样的人。

　　关于这本书就交代这么多，最后我还是提醒大家：远离贪念，因为贪念是老千最好的利用工具。

〉目录

1 〉蛊惑仔小艾

前面的两本书基本上都是我在回忆，这一本也还是回忆。在回忆我自己的经历时，我还想起了许多朋友。要不是写书，我都快要把他们给忘记了，因为我已经跟他们的大多数都断了联系。现在还偶尔有联系的，只有很少的几个人，小艾就是一个，我去监狱探视过他几次。

在我前面的两本书中，我都提到过小艾，他是一个有名的混混。读过的人一定还记得，我曾经帮小艾为他的朋友二牛破了别人的千术，然后我们一起为二牛讨回了被骗去的一大笔钱，帮他出了一口恶气。现在想起来，那个二牛的憨样子还好像就在眼跟前一样。每次去监狱探视小艾回来，我的心情都很郁闷，除了二牛那次我为他出了点力，我几乎就没为他做过什么事了。而他却帮过我很多次忙，我感觉亏欠着他。

小艾年纪很轻就进了两次监狱。我一想到他第一次在监狱里受的那些不是人受的罪，一想到他这一次还要在监狱里度过 12 年的光阴，我心里边就像是被什么东西重重地压着一样，难受得很。

所以，在讲我自己跟人合伙做局的事情以前，我要卖个关子，先讲讲小艾的悲剧。

我和小海、三元一起做过不少局，"杀"了不计其数的"猪"，在各个地下赌场里捡漏，打发时光。后来，我所在的城市里，没什么人愿意和我赌了，地下

1

赌场的人看到我，都拿几千块钱给我，像打发要饭的似的，客客气气把我送走。再后来，通过一个大人物，我认识了本地最有势力的人物之一——健哥，在他的宾馆里帮他看场子，防止有人出千。在健哥这里，我认识了小艾。他和我一样，走上了一条畸形的人生路。

初中的时候，小艾就长得很高了，那是满街刀棍的年代。那时候，我们那里的警察都不咋管事，满街都是打架斗殴的，小青年们互相攀比谁有名。那时候跟现在不一样，名气是靠打架打出来的。谁要是认识了哪个特别能打的名人，那简直是了不得。街上游手好闲的小青年常常没事找事，别人不经意看了他一眼，他也会认为那人是挑衅，二话不说，过去就打人一顿。本来路上走得好好的，这些人故意过来撞人家一下，人家稍有不满，立马就蹿出好几个人，揍路人一顿。那时候的小青年就以此来显摆自己能打。遇到这类情况，提当地的所谓名人（打架出名的人）可以免受皮肉之苦，只要说：我认识谁谁谁（名人的名字），那是绝对好用的。小艾就在这样的环境里读完初中。

小艾个子高，从不惹事，基本是很乖的小孩，所以经常被社会上的小痞子欺负。那些小痞子总以为把大个子打趴下是一件很拽的事情，因为这样也可以出名，也可以吓唬一些胆小的家伙，甚至可以威胁人家给他们上供。小艾最开始被打了，就默默忍受着。大家看他好欺负，就经常来欺负他。据小艾后来说，那个时候，他的脸上总挂着讨好的笑，但是不顶用，还是照样挨揍。直到有一天，他被人揍急眼了，胡诌说："王强是我姐夫。"打他的人听了，马上道歉，还请他去玩电游打台球，希望小艾能原谅他们。

当时小艾一句自保的话给他惹来巨大的麻烦，甚至改变了他的一生。这个王强是他们那片打架最厉害的人，只要说出他的名字，没有人敢不给面子。他打架以下死手著称，手底下哥们儿多，也都是些愣头青，他可以动员 100 人集体斗殴，所以那一带的小混混都很认他。

小艾真的有个姐姐，很漂亮，当时读高中，后来考上了军校，成了一名军医。

从那以后，小艾就找到了护身符，谁要来惹他，他就把"王强是我姐夫"这句话搬出来，屡试不爽。可是人家王强连他是谁都不知道，小艾也曾专门去街头打台球的地方远远"瞻仰"了一下王强。那时候，王强是他心目中的英雄，他还曾站在他们玩台球的地方为王强加油。奈何人家对于站在桌子边上看眼的人很是反感，小艾去了几次，都是被人家踢几脚，乖乖滚开的。

后来不知道怎么事情就传到了王强的耳朵里，那小子最初还迷糊呢，自己什么时候出了个小舅子？王强是个混混，整天无所事事，没有正经工作，闲得难受啊，就想去看看小艾的姐姐。一看，长得真好看，真是水灵，立刻就像蚊子见到血一样，盯了上去。从此，王强没事就跑到小艾姐姐读书的学校去骚扰她，放学了尾随人家。那个年代时兴在大街上尾随漂亮妹妹，搭个讪啊，没话找话啊，我们这里也叫泡妹儿。

小艾的姐姐很反感王强，却不敢得罪他，结果天天上学放学都胆战心惊的。王强公开放话：小艾是我小舅子，谁敢欺负小艾，就给他好看。从此就没人敢来欺负小艾了。

事情的发展让小艾始料未及。王强得寸进尺，天天去泡小艾的姐姐，小艾的姐姐自然看不上王强这类混混。一次，王强不知道在哪里搞到几张李谷一演出的门票，那时候，那东西可是紧俏得很。王强给小艾送去几张门票，小艾给了姐姐一张，这样他们就在剧院里坐到了一起。晚上王强非要送小艾姐姐回家，小艾姐姐死活不同意。王强恼羞成怒，耍起无赖，说小艾姐姐不识抬举，当时就给了小艾的姐姐好几个嘴巴子，还扬言不跟他好，就怎么怎么样。小艾的姐姐当场拒绝了他。

小艾又倒了霉，天天至少挨一次打。最早小艾是随便人打，看别人来找他碴儿，他就先抱着头，你们随便打，不喊疼，不还手，就像一段木头一样，爱怎么打就怎么打。别人打完了，他站起来问人家：打完了没？打完了的话我就走了，没打完的话，继续。这样被打了多少次小艾自己都不记得了，最后当地的小混混们也都打疲劳了，甚至都有点佩服小艾了。小艾呢，只要见到这些地痞，立刻抱头蹲下，那意思是：请打。那些地痞后来也都懒得打他了，谁愿意总去打这样的一个人呢？

这个事情并没有就此结束，他的姐姐每天都被那个王强骚扰着，小艾和王强终于发生了冲突。

小艾和王强第一次起冲突是在电影院门前。那次，他和姐姐一起去看电影，正好遇到了王强领着一帮哥们儿在那里闲溜达。那个时候，小艾读初三，个子很

3

高了，但是很瘦。王强一看到小艾的姐姐就上来纠缠，小艾护着他姐姐，小艾的姐姐也没给王强好脸色看，还吐了他一脸吐沫。于是王强就带着人打小艾。小艾可能被人欺负久了，终于爆发。当时被人打倒无数次，又无数次爬起来上去打。奈何他体格太弱，而对方又人多，最后被打得实在爬不起来了，脸肿得像个馒头一样。他姐姐也被人抓着头发扇了好几个嘴巴子。那些人打完他姐弟俩扬长而去。

当天晚上回家，小艾的爸爸揍了他。第二天，小艾就跑出家门，算是离家出走了。他白天满街溜达，晚上随便找个地方睡觉，不敢回家，回家怕被打，也不上学了，因为他怕同学看到他被打得没有人样的惨状。

他也不是真的流浪。离开家的时候，他偷了家里几百元，自己买了条旅友烟，跑到没人的地方狂抽一阵。那个时候，这个烟是好烟，通过批条子才能买得到。他抽累了，又去地摊上买了把小斧头，放在书包里，到处打听王强家在哪里住。

打听到王强家的地址后，他就天天在王强家门口守着，晚上就去通宵电影院里住。

电影院一般在早上5点多钟散场，每次小艾被里面的人轰起来后，就直接去王强家的门口守着，一直等到王强出门。他看到王强出门，就跟在后面，偷偷把小斧头拿出来，上去劈头盖脸地砍。奈何那时候年纪小，又没经验，心理素质不过关，还没冲到人家面前，嘴巴里已经"啊啊啊"地叫了起来，可能是为自己壮胆或者打气吧。他这一叫，王强当然能反应过来了。小艾的蹲守换回来的还是一顿揍。他还是打倒了就起来冲锋，又被人打倒，直到王强把他打得像死狗一样躺在那里，实在动弹不了为止。

过了几天他稍微好了点，就又去王强家门口等着。王强呢，也学精了，出门前必定提根棒子，反正每次都把小艾打得屁滚尿流。一个初三的学生而已，能有多大的战斗力啊？哪里是一个混子的对手？即便这样，也把王强折磨坏了。每次出家门都小心翼翼的，生怕小艾从哪里忽然钻出来拿斧头砍他。根据小艾说的，他一共损失了6把斧头，直到最后实在买不起斧头了。

后来他在一个垃圾堆里找到一个没有把的锯子，自己找些破布缠绕缠绕，当做把儿，天天揣在腰上。被他搞了N次，人家也不是傻子，天天都有王强的哥们儿在王强家门口等着他出现，小艾去了只是自投罗网而已。那天他又去了，还是被人打倒在地。王强可能是实在没有耐心了，就按着小艾问："你小子服不服？"

小艾就说："服。"王强的哥们儿松开小艾，小艾立刻冲上去继续打。就这样小艾一直折腾了王强两个多月。

后来王强自己服了，他成天这样被小艾追着死缠烂打，确实挺闹心的。最后他们抓到小艾，就问小艾到底想怎样？小艾也说不出来想怎么样。王强就蹲在地上说："你随便打我，我肯定不还手，什么时候你觉得满意了你就可以了。"王强这么说，表明他已经对小艾无可奈何了。

但是小艾没有上去打一下，他对王强说："我打你有用吗？我要放你的血。"

王强说："那你就捅我一刀，我也认了。"

但是小艾最终没有动手，选择了离开。这件事情就算告一个段落了。

从那以后，小艾就天天找人打架。他找的都是打过他的人，今天打不过就明天去继续打，实在打不过，就天天等在人家门前或者那些人经常出现的地方，看到了一句话不说，拿块石头冲上去就砸。他自己也不记得挨了多少打。后来把大家都打怕了，谁见了他都远远走开。人要是不要命，鬼都怕。小艾就变成了这样的人。

天天打架，书念不下去了，小艾初中没读完就辍学了。他整天无所事事满街瞎溜达，搞得像个叫花子一样。他还不敢回家，但对王强的仇恨一天也没有忘记。拿他的话来说，他那时多么喜欢学校，可是王强破坏了他心中美好的愿望，还打了他的家人，他总是在找机会放王强的血。闲着没事他就坐在电影院边上的过街天桥上发呆，看着电影院门前来来往往的人。电影院门前是混子们最喜欢的聚集地点，小艾总是坐在那里神经病一样的自己笑，以后长大了他也这样。大家都说他挨打的时候，可能被人把脑袋哪个地方给打坏了。一个心里有仇恨的小混混是可怕的，小艾慢慢变坏了，晚上在电影院的通宵场看别人睡着了，就凑过去摸人家钱包，来解决自己没钱吃饭的问题。但是他最终没有加入小偷的行业，偷东西只是他当时解决温饱的一种手段而已。拿他的话说：人到了哪一步说哪一步的话。

有一天，他又在电影院门前瞎晃，看到王强带领几个人在打架。打架的原因很简单，他们就是看两个路过的小伙子不顺眼，上去就打人家。那两个小伙子一看不好，撒腿就跑，他们就在后面追。这一幕不知道刺激到了小艾的哪根神经，他犯了毛病，也跟着追了起来。但是他追的不是那两个逃跑的小伙子，而是王强。

他拔出总别在腰间的小锯子，追上王强后一声不出，对着王强的大腿、屁股、后腰一顿乱捅，直接就把王强放躺在大街上。其他追赶的人一看，都围了上来。小艾也豁出去了，谁靠近他就捅谁，又有两个被他捅倒。其他人一看，这小子简直是个疯子，都害怕了，跑得一个也不剩。地上只留下三个被放躺的人。小艾走到王强身边看了看，说："血放得还不够。"说完，对着王强的大腿又来了两下，才大摇大摆地走了。

这件事之后，小艾一下子出了名，这一带的混混，都知道他把王强给捅了。但是出名没多久他就被大家遗忘了，因为小艾消失了。他不是像侠客那样出手后自己悄然消失掉的，他是被动消失在大家的视线外的。那个时候，这样的事情要两方都不报案，没什么事，可是被放躺的三个人当中有一个小子的父亲是当地电力局局长。平时他跟在王强身边鞍前马后的，被捅了两刀，有一刀扎在大腿的大动脉上，差点就挂了。进医院好个抢救，还输了不少血。

于是警察找上了门，小艾被抓了起来，一关就关了4年。初中还没毕业，就进了监狱，小艾说的话叫：高中毕业——监狱高中。

2 〉头铺小艾

在那个年头，监狱外再狠的人，进去了也得被修理，除非监狱系统有人，或者里面有人罩着。小艾没有这两个条件，他不得不从监狱最底层拼起。就是监狱这4年（原本判了3年，在监狱里加了1年刑），锻炼了他的体格，提升了他打架的能力，也养成了他残忍的性格。

当时监狱里等级森严，每个号子里都严格区分出谁是老大、谁是老二，地位的象征就是睡觉的地方，最好的地方是号子里老大睡的地方。因此，号子里的老大也叫头铺，其次是二铺、三铺……因为一般新人进来都是最底层，所以他们都是睡在离马桶最近的地方，洗马桶的活也由他们做，吃饭的时候，菜里的好东西要给老大吃。

新人进了号子，不但要干最脏最累的活儿，吃最差的饭菜，还有其他必修课。首先是挨打。号子里打新人，不分任何缘由，不讲任何道理，就是打。这是给新人下马威。

打人也有讲究，跟千术的分法有点类似，分文打和武打两种。

文打就是看新人还算懂事，懂得点头哈腰，一般罚做几个高难度动作，就可以过关。判断是否懂事，标准是回答问题能否让头铺满意。头铺问话时，新人必须老实回答。问话的内容无所不包，开始还比较正经，比方会问：犯什么事进来的？判多久？后来就越问越邪了，比方说：玩没玩过妞？一个妞平均抽动几次？诸如此类无聊的问题。一般识相的都老实回答，以求过关。

武打就是看新人不像老实人，号子里的人一起上来使劲揍。号子里打人可不是乱打，他们很会打，基本不招呼脸，也不会打出伤来，他们用被子蒙住被打的人，使劲踢。被打的人不服气，去找管教，没人拦着。管教一看，身上没伤，说两句不痛不痒的话打发回去，回去继续挨打。那时的监狱里就这样，管教还指望号子里的老大维持基本秩序呢，所以只要不是很过火，他们对这样的事情基本是睁一只眼闭一只眼。这就是所谓的用犯人改造犯人的来历，叫帮助改造。

小艾先进了看押所，本地的，经过他父母的活动，在看押所期间没怎么挨揍。但是等法院最后判决下来，他就被转到一所监狱。小艾是在那所监狱里打出名声的。他被释放以后，投靠了一个老板，开始主事，他监狱的狱友来投奔他，为他效力。小艾手下本地的混混虽然多，但是他周围最得力的几个帮手，都是和他一起蹲过大狱的。小艾和他们吃住在一起，这样一来，遇到突发事件，小艾能迅速召集人手。这些人都很残忍，眼里只认得小艾和小艾的老板，其他混混，管他名声高过天去，他们都敢下死手。正是这些人，为小艾打出了名，这个城市里所有的混混都得给小艾面子。这是后话。

小艾刚转到监狱，老老实实接受号子里的各种规矩，但是老犯们认为他在回答问题的时候站得吊儿郎当的，不是标准的立正姿势，而且回答问题时声音不够响亮，因此被大家揍了一顿。那时候小艾还是个孩子，刚来到新环境，大家打他，他就乖乖挨揍，坚决不还手。

他那会儿很单纯，想着只要讨好这些老犯，让他们别打他，自己好老老实实坐完3年牢。所以他任劳任怨，吃饭的时候菜里有肉，别人强行夹走，他沉默；洗马桶洗得不及时，别人打他，他也承受；家里给他寄点钱被别人抢去买东西，他咬牙忍着。于是，号子里的人把他的沉默当成了软弱，谁想出气，谁想挠痒，谁要找人伺候，都去找他。后来发展到号子里有人气不顺，也打他出气。所有这些他都默默忍受着。

那年头号子里最吃香的人是经济犯。有了经济犯，就意味着这个号子里的人都可以吃到好东西了。号子里所谓的好东西就是方便面、火腿肠，或者是监狱里的加菜。这些东西在外面没人稀罕吃，但是在监狱里贵得要命，只有一家经销，爱买不买，就这个价钱，爱哪里告哪里告去。

小艾的号子里也有一个经济犯，岁数很大，其他老犯拼命压榨他，让他给众人买好东西吃，但是对他却不太好，动不动就打他。他的处境和小艾一样，也处于被人奴役的状态。那个经济犯总偷偷给小艾东西吃，一节火腿肠、一块面包什么的。在外面看见这些东西不亲，但在里面，能吃上火腿肠和面包，那是高级待遇。那会儿小艾正是长身体的时候，每天还要干高强度的体力活，牢里的饭哪里够他吃的啊，何况还时不时有人来抢呢。小艾父母给他往监狱里寄的几个钱早被老犯们给瓜分了，买的东西小艾一样没吃到。其他人都欺负他，只有这个经济犯冒着风险照顾他。小艾心里十分感动。

号子才多大个地方，偷送一次两次不被人家发现，次数多了，就被号子里其他犯人发现了，并报告给头铺。头铺听了，当晚就开始会审。号子里的会审，老大在上面坐着问话，他俩在下边跪着，其他的人都环伺周围，充当打手。这种会审，能有什么结果？他俩说错一句，人家就拳脚招呼。头铺问经济犯："你为什么要把好东西给他吃？你咋不孝敬我们？"经济犯说："小艾他还小，正是长身体的时候。所以多一口就给他吃了。"头铺一听就火了，叫三铺打经济犯。他们打人不打脸，将经济犯双手反剪，让他弯腰，弓身站在那里。三铺接到头铺吩咐，跳起来用肘部向下捶击经济犯的后背。这么一下得多狠啊，那个经济犯当时就趴地上了。

小艾对这伙人早就很窝火了，看到对自己很好的经济犯因为自己挨打，"嗷"的一声就冲了上去。当时他跪在地上，没有人按着他，平时都很听话，所以没人提防他。小艾冲上去打三铺，刚打了一拳就被人七手八脚地按在地上，一顿狂扁，扁完了还把他的脑袋按进马桶里去。小艾就是想反抗也反抗不了，被人打得七荤八素的。好虎架不住一群狼，说的就是这个意思，何况小艾那时候才多大啊。三铺在号子里地位崇高，打三铺就相当于犯上，这是号子里最大的忌讳。这些人都住一个号子里，一起出去干活，一起回来。除非确实有实力，可以一个人把所有人打倒，否则，在号子里就永远不要犯上。

　　号子里从晚上收工以后开始收拾小艾和经济犯，一直折腾到10点熄灯睡觉，把他俩好一顿修理。表面上看，小艾已经服气了，大家的气也都出够了，总算结束了。这些人白天劳累了一天，又折腾了整个晚上，不一会儿都进入了梦乡。

　　小艾哪里能睡得着，听着号子里此起彼伏的鼾声，他悄悄爬了起来，摸到了三铺睡觉的地方，抬起脚恶狠狠地对着三铺的脸踹了下去。三铺发出惊恐的叫声，无论是谁，睡梦中忽然被人死命踢打脸部，都是一件很恐怖的事情。其他人被三铺凄厉的叫声惊醒了，一看是小艾偷袭三铺，就都冲上来，一起把他制服，又是一顿暴打。小艾呢，就像一具死尸一样，随便他们打，一声也不吭。

　　二铺看到号子里竟然有这么不听管教的，还敢报复，打小艾打得特别凶狠。第二天天亮，大家看到三铺的脸被小艾踢得挂了彩。管教问起来，他们说是三铺晚上起夜自己撞墙上了。管教明知道发生了打架事件，但是希望他们内部处理，所以没多问。小艾被修理了，表面上好像真的服帖了，号子里又恢复了以前的秩序。

　　过了几天，还是在深夜，号子里传来二铺恐怖的声音。这次小艾对二铺下手了，他一只手抱着二铺的脖子，另一只手握成拳头，一拳一拳狠狠捣向二铺的脸。别人醒了去抓他打他拉他，他都不管，只顾朝二铺的脸上拳击：你们打你们的，我打我的，好像别人打的不是他的身体一样。结果不用说，小艾又被人打得不行了，一度休克过去。号里的人一看，以为把人打死了，吓坏了，拿水来浇小艾。小艾缓缓苏醒过来，一句话没说，呆呆地看着三铺。因为这一次是三铺出手最狠。三铺被他看得心里发毛，又使劲揍了小艾一顿。小艾呢，还是随便打，没反应。打完了，大家各自睡去，但是都害怕小艾晚上会突然袭击自己，都睡得不踏实。

又过了几天，还是在半夜，三铺又被小艾给袭击了。这次，小艾用脚猛踩三铺的脸。结果，小艾招致全号里人疯狂的报复，这次四铺对小艾下手比较狠。小艾呢，你们随便打，不说话，不还手，只是用仇恨的目光死死盯住四铺。大家一合计：这样不是办法，号子里晚上得有人守夜，轮流看着小艾。大概看了半个月，小艾是你看你的，我睡我的。你们只要不累就看着我好了，用他的话说："还有3年呢，早着呢。"

　　看了一段时间，号子里的人看小艾没啥动作，都有点麻痹了。又是在半夜，大家都呼呼睡觉，小艾成功地袭击了四铺。这次他直接抱着四铺的脑袋，一口咬在四铺的脸上，任大家如何撕扯，小艾就是不松嘴。好容易才把他俩分开了，四铺的脸上已经血肉模糊了。不用想就知道小艾会受到什么样的折磨，但是小艾硬是挺着。大家问他还敢不敢了，他不出声回答，还是那个死样子，随便打，打死了早解脱。谁打得狠，他就用仇恨的目光看着那人。

　　大家凑一起开了个会，想了个办法，每天分上半夜和下半夜，轮流看守小艾，看的同时也不要让小艾睡觉。小艾呢，你们不让我睡，我也不让你们大家睡。看别人睡着了，他也想睡，奈何看他的人不让他睡，折腾他。他便开始唱歌，他那破嗓子，唱歌像鬼哭似的。他这么鬼叫鬼叫的，号子里没人能睡得着。人家歌星唱歌要钱，小艾唱歌那是要命。当然了，他唱歌免不了又挨打。但是小艾的信条是：你们随便打，我照唱不误！

　　这样折腾了两个来月，小艾自己变得像鬼一样，号子里其他人也好不到哪里去，睡不好觉，一个个无精打采，面带倦容。号子里出了这么一个人，谁遇上都闹心。头铺实在没招了，便来找管教，把事情的原委和管教说了。管教把小艾带到值班室，用电警棍好一顿修理，小艾老实了几天。

　　号子里的人又一次放松了警惕，小艾又逮到了一次袭击的机会。这一次他袭击了头铺，用牙刷根直接在头铺脸上乱捣，结果小艾被打到休克。

　　只是那以后，号子里人人自危。晚上不让小艾睡，他就唱歌。打小艾，他不还手，随便打，咋打都行。看小艾的人不睡觉，看小艾睡着，就把小艾整醒。小艾醒了就唱歌，谁也别想好好睡。小艾逮到机会就睡，出去干活，走路，都在睡觉，吃饭也睡着吃，挖沟的时候躺沟里就能睡着。可见，他被折腾得倦到了极点。期间，他又在人家睡梦里成功袭击了几次。大家都惧了，只好两两一组轮流看着小艾，别人睡觉的时候，专门分出两个人来体罚小艾。

后来实在没办法，打也打疲了，从早忙到晚，哪能不瞌睡？但是小艾能睡，别人都醒着罚他站在墙边，做任何高难度的动作，他都能睡得着。别人打个瞌睡，他突然扯一嗓子唱一句，内容五花八门，随便一句话，都能当歌词。最搞笑的是"爹啊，我要死了"，都是用高音。一句流行歌曲，一句革命歌曲，一句京剧唱腔，整一个精神病做派，号子里的人被他折腾坏了。折腾时间久了，难免有松懈的时候。又是在半夜时分，看守他的人竟然睡着了。小艾逮着这次机会，成功袭击了五铺。因为前几次五铺那个小子打他时下手最凶。这次他是用脚踩，直接就把五铺的鼻梁骨踹折了。为此，小艾受到了全号子里人的教训和管教的教训，还被关了一个星期的禁闭。

在别人看来关禁闭是最叫人疯狂的事，一天看不到一个人，那寂寞的滋味会叫人疯掉。但是这一个星期的禁闭对小艾来说却是幸福的时刻。后来小艾说，当时他马上要坚持不住了，禁闭室成了他补觉的地方，整整 5 天，他呼呼大睡，期间就是到点了起来吃点东西。我想，这一星期，对于号子里其他的人何尝不是一种解脱呢？

禁闭结束以后，小艾又回到了号子里，其他人看他的目光都是仇恨里带着畏惧。小艾回来后，晚上该怎么睡怎么睡，白天该怎么干活就怎么去干活，但是号子里还是轮流换班值夜。小艾不招惹他们，他们也很少打小艾了。千万不要以为从此号子里可以过上安生日子了，因为小艾总是恶狠狠地盯着二铺。在紧张的气氛中一个月过去了，啥事都没发生。主要是值夜的人看得紧了，生怕再出什么事。一个月，绝对会叫人放松戒备的。又是在半夜，小艾趁着值夜的人睡着的时候，又一次成功袭击了二铺。

但是这一次，小艾只是被人拉开，没人动手打他，可能都怕自己会成为下一个目标吧。只有三铺上去打了他一个嘴巴，其他的人只是架着小艾。当然了，过后，小艾被管教铐在值班室的暖气管上好一顿暴打。

小艾默默承受了。号子里的人都成了惊弓之鸟，没人敢主动打小艾了，没有人敢去他碗里抢菜了，五铺六铺甚至主动帮小艾刷马桶。晚上熄灯后，大家谁也不敢睡死，整个号子里笼罩着惊恐的气氛。可是小艾该怎么睡还是怎么睡，该怎么吃还怎么吃，好像周围的一切都和他没关系似的。一两个星期下来，号子里的人都蔫了，晚上睡不了踏实觉，就怕不定做啥美梦的时候被小艾袭击了呢。而小艾总是用仇恨的目光盯着三铺看，三铺被他看得发虚，态度发生了巨大变化，非但不打骂小艾，还主动拿烟给小艾抽。香烟在监狱里可是紧俏物资，一般是头铺二铺三铺才有的待遇，其他铺都是等着抽烟屁股，那也是美美的啊！但是三铺给小艾的时候，小艾没要，一声不吭地死死盯着三铺看。

于是三铺失眠了。

一个月下来，号子里的人都成了鬼，白天是强体力劳动，晚上还睡不踏实，换谁都得成了鬼。反过来看小艾，吃得香睡得香，倒成了精神头最好的一个。

三铺想了很久，做出决定。一次出工，三铺主动凑到小艾面前，拿出一整包香烟递给小艾，说了很多恭维话，央求着要和小艾和好。收工回去就把三铺让了出来，小艾没客气，接受了三铺的条件，之后，他不再用挑衅的眼神吓唬三铺了。三铺终于以自己的屈服换来了安稳觉。过了一段时间，二铺看三铺四铺都愿意围着小艾打转，就主动把二铺让出来给小艾，和三铺一样，他也用屈服换来了安稳觉。头铺虽然不乐意，但这是没办法的事，虽然一直假装很沉稳，其实心里也胆战心惊的，唯恐自己的头铺地位不保。

头铺的担忧很快成了现实。争夺头铺的冲突终于在一天晚上收工后爆发。那天，大家干了一天的活，累乏到极点，洗漱以后，头铺拿出香烟，二铺三铺四铺一人发了一根。剩下的人都得等这些人抽完了，再捡剩下的抽。小艾那时候是二铺了，分到一支烟，但小艾没点火，而是一把把头铺手里的烟抢了过来，啥话没说，给在场的人一人递了一根。大家不敢不接，接了又不知道该不该点火。小艾破坏了头铺定下的规矩，头铺肯定要维护自己的地位，于是跟小艾争吵起来，最后转变成两个人的对殴。

这一次对殴，号子里其他人没有一个出来拉架或帮忙的，只是小艾和头铺的战争，这个变化说明小艾在号子里的地位发生了巨大的变化。头铺那小子长得人高马大，打小艾就像打小孩一样，但架不住小艾耐力强呀，这场架一直从晚上9点多打到下半夜3点。据小艾的狱友说，这是监狱里头铺和二铺之间持续时间最长的一次战斗。为什么能打这么久呢？因为小艾屡败屡战，但就是不投降。最后头铺打得不耐烦了，一直压着小艾不让他起来。小艾呢，你爱压，压着好了，只要头铺一放手，他就往上冲，最后以小艾实在站不起来为结束。

但是，头铺也失眠了，他不敢睡。

小艾也没半夜起来趁他熟睡的时候打他，就是每天收工回来，点完名就对着头铺进攻，哪怕挠一把、咬一口，小艾就很满足。时间长了，小艾对头铺的进攻竟然成了每天必演的戏码。点完名，管教一消失，号子里其他人立刻让出地方，小艾总是一句话也不说，冲上去就打。头铺想和小艾好好谈谈，奈何小艾根本不谈，每天就是死缠烂打。再后来，三铺四铺看出了门道，开始帮小艾拉偏架。最后，小艾以其超凡的耐力和死缠烂打的战略，获得了头铺争夺战的胜利，也成了这个号子里人人敬畏的对象。这是小艾分到这个监狱里五个半月的事。这五个半月，对号子里的人来说，特别煎熬。

那时候小艾才是十几岁的毛头小子。小艾后来说起这事，平淡地说："要是现在进去了，一天全部搞定。"

3〉初入江湖

小艾做了头铺，号子里一切秩序都被打乱。当时监狱里奉行一套潜规则，在犯人财物的分配上，首先是监狱管教拿最多，其次分配给号子里的大佬。这些小艾从没想过，他没有想改变整个监狱的分配制度，只是把自己号里的配给制度做了改变：谁的东西就是谁的东西，愿意拿出来给大家分享了，别人才可以拿。人家不愿意，那就是人家自己的，自己的东西爱给谁给谁，不爱给别人自己留着，任何人不得强行抢夺。小艾上任，改变了以前所有人的东西归头铺支配的制度，获得了一点人心。

这个改革在自己的号子里获得了所有人的拥护，毕竟小艾是头铺，而且是自己夺了权的。二铺由原来的头铺担任，他不得不屈居第二，因为人心已失。论战斗力是他强，但是论持久战，他不行。

一个号子里换了头，是当时管教最为关心的事情，因为管教平时不怎么管犯人，基本上都是各个号子里的头铺管理着手下的犯人。而各个号子里的头铺，基本都是依仗监狱里各个大佬的保护。监狱里的大佬，一般都是本地很有势力的人，身边有很多愿意为自己卖命的老犯，管教也因为各种因素对这些大佬礼遇有加。监狱里做饭的、帮着登记物资的，都是这些大佬或者大佬的亲信。这些轻松又有油水的活儿，别人想都不要去想。

千万不要小看那时监狱里的犯人伙夫，能在监狱里帮厨房打杂的人，那可是了不得的人物。要么家里的后台硬，要么有绝对势力让管教和犯人买账。只有这两类人才能在监狱里得到如此美事。想想看，一般犯人一天三顿难得见到一块肉，伙房里做事的，总能吃饱肚皮，这是一种什么样的身份象征啊？

小艾后来又和大佬以及大佬的手下起了冲突，具体经过他没有详细和我说，他的狱友们说的也不多，只知道小艾最后通过搏杀，成了那些人的哥们儿。在搏杀期间小艾还因为伤人被增加了一年的刑期。

小艾刑满释放，完全变了一个人。经过监狱几年的重体力劳动锻炼，他长得很强壮。监狱里的环境，让小艾的气质发生了巨大的变化。原先他是个常常面带笑容的毛孩子，出来后，成了一个满脸横肉的家伙。他不知道从哪里学的功夫，脸上那块横肉竟然会自己抽动。发狠的时候，他脸上那肉就会动，看着很是吓人。眼角因为被人暴打，留了一道疤痕，给人的感觉是他总斜着眼看人，让人觉得很不舒服。

出了监狱，他没有工作，没有生活来源。他想出去赚钱，但是什么都不会做，只好在家里啃老，整天没事瞎溜达。溜达久了，他对金钱的重要性有了更深刻的认识，他渴望赚到大钱。都说监狱是改造人的地方，可以把坏人变成好人，但是小艾则相反，他在监狱里学坏了。他想赚钱，不是想通过正当的途径赚钱，他想到了敲诈。他选的对象是那个电力局长的公子，就是当初送他进监狱的电力局长的儿子。小艾会记仇，何况他正缺钱花，就想用那小子让他坐了4年牢做口实去敲几个钱花花。经过多方打听，小艾终于摸到了那小子的行踪，那小子还和王强混在一起。

从小艾捅了王强后，王强名声一天不如一天，很多小混混不再拿他当成一盘菜。那时候满街都是歌厅洗头房，那个电力局长的公子开了一个洗头房，王强帮忙看着场子，对付那些比较难伺候或者找事的人。小艾到处打听，可算掌握了他们的行踪。小艾去了一次，说所谓的洗头就是用洗发水先干洗头发，然后在脑袋上又揉又敲，洗头的小丫头抱着客人的脑袋，用胸部猛顶，顶出感觉了，就可以来一下。小艾洗完头没看到局长公子和王强，反倒是被人顶得难受，考虑到自己没钱支付这样的消费，也没十足的把握认准洗头房就是那个公子开的，便结账离开了。他说：被洗头妹顶得怪不好意思的。

后来他不知道从哪里打探到消息，那公子和王强正在一家饭店吃饭，小艾立刻杀到那家饭店。进了饭店里，他很快找到了王强他们的桌子，大概七八个人的样子，还有几个是平时跟着王强和这个公子混吃混喝的小混混。小艾一看到他们，"嗷"的一声，直接跳上了桌子。桌子上摆满菜肴，他跳上桌子，盘碗摔得稀里哗啦，菜和汤溅得到处都是。小艾可不管这些，他半蹲在一片狼藉的饭桌上，恶狠狠地盯着王强和那个公子。无论是谁，正吃着饭，有人忽然跳上饭桌，都得发蒙。这些家伙当时都傻了，还搞不清楚究竟是什么状况。小艾已经不是当年那个瘦瘦高高的中学生，他变成了一个膀大腰圆、满脸横肉、任谁见了都打怵的壮汉。王强仔细一看，眼前这个凶神恶煞一样的大汉依稀是小艾的样子。毕竟一个人的容貌再怎么改变，还是有以前的影子的，特别是对于王强来说，怎么可能忘记小艾呢。饭店的服务员都傻了，没有一个敢过来的。

小艾就蹲桌子上，斜着眼看着王强，问道："你他妈的天天大鱼大肉，吃得挺好的啊?"

王强一看是小艾，立刻就蔫了。小艾也不等他说话，端起一盘菜直接倒在王强的头上，接着居高临下就是一脚，一下就把王强踢倒了，然后跳下桌子大摇大摆地走了。

第二天小艾去了那家洗头房，找到那个公子，要钱。蹲了4年，要5万，说是青春补偿费。王强当时也在场，但是他看到小艾，早就矮了半截，过去的嚣张气焰都被压下去了，在旁边低声下气地说着小话。那个公子没办法，苦苦哀求，让小艾放他一马。小艾说："给我5万，以后坚决不再找你们任何麻烦。不给钱，以后就像影子一样跟着你们，反正我成天闲得难受，有的是时间跟你们耗。"王强和那公子见识过小艾的纠缠，花钱消灾，给了小艾5万。就这样，小艾掘到了自己人生的第一桶金，而他和王强以及那个公子的恩怨就这么一笔勾销。小艾说话算话，再没有找过他俩的麻烦。

小艾每天睡到太阳老高才出门，到处闲晃。慢慢地，身边围拢了几个小混混。他身边有了人，就到处去找能赚钱的买卖。他瞅准了电影院，闲着没事晚上带几个人去电影院溜达。以前他在电影院混过一段日子，知道如何辨别专门晚上在电影院通宵场里偷钱包的人。他专门找他们，收场地费，给钱就让他们在这里偷，不给钱遇到就打。最多的时候，他管理着30多个在电影院里偷钱包的小偷。

　　后来因为一个小偷犯了大事，结束了他收小偷管理费的买卖。那小偷晚上从一个睡着了的男人身上摸到一把枪，那小子胆子也大，居然把那枪摸跑了。那丢枪的是个刑警，晚上不知道怎么在电影院里睡着了，早上醒了一看枪没了，立刻就报警了。

　　刑警丢枪可不是小事，全市的警察都对准这家电影院。常在电影院混的小偷，电影院里验票的服务员基本都认得。结果，第二天晚上几乎所有来上班的小偷都被便衣给抓走了。虽然没牵涉到小艾，但是让小艾没了可以照看的生意。后来据说枪追回来了，但是从这个事情以后，电影院里小偷基本绝迹了。

　　后来小艾投靠了一家迪斯科舞厅，专门帮人家看场子。这家迪厅在一条小吃街尽头的一户地下室里，那时小艾过起了日夜颠倒的生活。有他在，很少有去闹事的，迪厅老板也很满意。直到有一天，小艾在那里打了一个人，惹了大麻烦。

　　那个人带了两个人来玩，可能喝高了往舞池里丢了个烟灰缸，当场就跟小艾的人打了起来。小艾带人把那哥们儿打个半死，然后把人拖出去丢在小区的角落里。这种事在舞厅里经常发生，一般挨打的都会自认倒霉。报案没啥用，警察和这些舞厅老板的关系可不是一般的到位。但是这次他们打错了人，那个人是当时这座城市里最大的混混的亲戚。这个大混混外号叫黑（土话读"赫"）子，听说自己的亲戚被人打了，当然会来找晦气。结果有一天夜里，几十号人冲进舞厅一顿乱砸，所有能砸的全都给砸个稀烂，小艾也被人乱棍打倒，躺在地上动弹不得。

　　黑子放出话来叫这个舞厅立刻停业，并要了不少钱，说不停业就天天来砸。老板到处托人游说，也不行，最后只好把这个地下室改成了通宵录像厅，据说赔了那人不少钱。小艾在家疗养了很多天才能动，可能被打坏了腿。那个阶段，他走路一瘸一拐的。

　　依照小艾的脾性，哪里能算完啊！他伤好了就整天想着报仇，但是那个黑子走到哪里，周围都有一群哥们儿跟着，报复的机会不那么好找。

小艾还没来得及实施报复计划，就被另一伙人打成了真正的精神病。某天，他没事在一家饭店里吃饭，喝多了，门口停了几辆武警的车。他在车边上吐了半天，把肚子里的东西都吐在人家车上了。那好像是武警一个领导的车，几个武警看到，非要他给擦干净了再走。小艾不肯，两方言语不合，就要动手，结果出来20多个小武警，围着小艾好一顿打，直接就把小艾打住院了。

　　小艾的父亲找到了武警队，最后武警赔了些钱，几个带头的武警提前退役。但是小艾确实被人打坏了，在医院里住了很久，出来以后就有点神经兮兮的。他整天穿着一套武警的制服（不挂衔的），脚上穿着武警靴，手里拿本《毛主席语录》，每天早早起来就在自己家阳台上大声背诵，搞得邻居都很害怕。他背诵完了就出来跑步，练习踢腿、压腿。

　　他对大街上的人不错，遇到人就微笑。他经常把自己家的被子叠得整整齐齐的，打成一个包，背在身上出去跑步。跑步的时候，手里还会提一根棍子，就像部队里跑5公里武装越野一样，因为经常有武警部队5公里拉练经过他家。他对拉练很是向往，看到那些武警都是背着背包拿着枪跑5公里，于是就模仿起来。跑累了，他就站在道边，拿出小红本子举在胸前，大声背毛主席的语录。

　　有时候高兴了，他就站在大道中间指挥交通。谁要敢不听他的指挥，那基本是倒霉了，他上去对着车拳打脚踢，拳头对着车头盖猛打，脚对车身猛踢。警察来处理过，但是没用。附近的警察都知道他的脑袋被武警打坏了。后来常路过那里的司机都知道，一定要按照他的指挥走，他叫走才可以走，红灯也必须要走。他要叫停，绿灯也不可以走。本来那个路口有个交警，但是没人听交警的，都改听小艾的指挥。不过小艾指挥交通很有条理，从不瞎指挥，除了有人不听他指挥，他去殴打车主引起塞车。自从他开始指挥交通，他家门口的路上再没出现过堵车的情况。

　　后来警察看这样也不是个事，就动员小艾父亲把小艾送进精神病院。住了半年，小艾从精神病院逃了出来。逃回来以后，他就不指挥交通了，也不整天拿着《毛主席语录》了。他整天满街溜达，看哪儿有卖好吃的，他就去拿着吃，也不给人家钱。他妈妈只好悄悄跟在他身后，看他拿了谁的东西，就跟上去给人家钱，还给人家赔着小话。小艾变得爱管闲事了，谁要在街上打架、吵嘴，他都要去管一管。他管闲事很有意思，先上去拥着人家说："算了算了，多大点事也要吵啊，一人让一步就完了，消消火啊，走吧走吧。"听他的劝，就能和平解决。谁要不听他的劝，那是要倒霉的。谁要说："你算干什么的？"他就动手把人家打趴下，他才不管谁有理谁没有理呢。小艾不知从哪里练的招式，一脚可以直接踢到别人脸上。谁要不听他的劝，他一脚招呼过去，百分之百踢到人家的面门。久了，附近的人都知道他是个精神病，谁要吵嘴了打架了，看到他来劝架，就立刻平息，比警察都好用，而警察对他也是无可奈何。

经过一年的恢复，小艾有点好了，基本像个正常人一样，整天就在街边溜达，早上起来去公园练太极拳。马路边哪个老大娘或者小孩过马路，他都要去搀扶，帮着过马路。街上有谁需要帮忙，他都能去帮一把。甚至人家工人施工挖马路，他都能脱了衣服帮人家干一小天。挖沟本就是他的强项，他在监狱里整天就是干这个的。

他这样折腾，把原先跟着他的小混混都吓跑了，他基本成了孤家寡人，附近的混混看到他都躲着他走。有个小混混不知道是出于讨好他的目的还是其他什么原因，一次遇到小艾，送给小艾50元钱让小艾零花。小艾好像一下开了窍，找到了来钱的门路。从那以后，他只要看到混混，就上去要钱用，没有人敢不给他。他也不多要，就要50，你就是给他100，他也要找回你50，不让找还不行。他要去哪家台球室，马上台球室的混混们跑得一个不剩。那时候台球室是混混们主要的消遣场所。还好，小艾不乱跟人要钱，他只和混混要钱。

就这样，小艾每天专门去堵混混们，跟他们要钱，不给就打。小艾下手非常狠，路边捡起什么都对着人家脑袋死命砸。附近的混混基本都被他打过，他们学了乖，每天身上带50元，遇到小艾就老实上缴。混混们都说他杀人不犯法，住过精神病院嘛。所以他们看到小艾，要么老实交钱，要么以最快的速度逃跑。

总这样也不是个办法，附近几条街，说不好什么时候就遇到了。不知道哪个混混和小艾攀上关系，给小艾出了个主意：每天点卯。小艾觉得这主意不错，就把所有的混混组织起来，要他们每天固定时间必须在小艾家门口等着，听候调遣、点名。只要来点名了就可以不拿钱，小艾点完名，要是没有什么事，就叫大家散去自己玩自己的，谁要是点名不到，小艾一天不吃饭，到处去找点名没到的人。

聚集在小艾家门口等他点卯的人有30多个，哪个混混敢不来啊？小艾家里的煤球啊，白菜啊，修个什么东西呀，换换煤气罐啥的，所有的活都叫这些人干了。小艾呢，只要你来点卯，我就不要你们的钱。不来点卯，每天50的零花钱照样给，还要挨一顿揍。这个固定点卯制，把他家附近的混混都愁坏了，不去的话后果很严重；去吧，谁能天天风雨不误去点卯啊？

后来几个精明的混混都认小艾的妈妈做干妈，因为小艾再昏也听他妈妈的话。小艾的妈妈一下多了好多干儿子，整天老太太出门都有人跟着伺候。偶尔点卯不来的，借口就是帮干妈跑腿去办事了，小艾对帮妈妈跑腿办事没来的基本不追究，所以这些混混就拼命讨好干妈。时间久了，点卯的人就不多了，但是不来之前基本都是先找干妈打个招呼。小艾的妈妈没有办法，只能帮大家瞒着，有这样的儿子，能怎么样呢？

有些混混总这样巴结小艾不是没有目的的，他们是在利用小艾。当他们在外面惹事的时候，摆不平了，或者被谁打了，就来怂恿小艾去帮他们报仇。小艾呢，也愿意充当这样的角色。他去帮人摆平事情的时候，都是找人家讲道理，先和人家磨磨叽叽反复讲不应该打架，不应该欺负人。对方知道他的，基本都能讲得通，和平解决，很爽快地赔礼道歉包赔损失就完了。遇上不认识他的，不愿意听他掰乎，小艾动手就打，把人家打到服了为止。要是对方人多没打过，他就会纠缠上对方，天天去打。后来混混们都知道他是个精神病，见他都躲得远远的。

这样的情况持续了一年多，小艾名声远扬。要说他真的是精神病吧，他还不惹大祸，不祸害正常人，很多时候还很讲理，有些理就是咱们正常人都讲不明白，他能讲明白。要说他没有精神病吧，他住过精神病院。而且很多怪异的行为说明他就是个精神病。警察都不处理他。

4 〉扬名立万

小艾最后成了令全城混混闻风丧胆的人物，是因为他成功地让当时最大的混混黑子低头。事情的起因是小艾为钉子户出头，和黑子的手下碰上了，最后导致他和黑子之间的对话。这次事件后，这个城市里所有的混混都知道了小艾的凶狠。

小艾和邻居相处很好，经常没事的时候一起坐着聊天。那天，小艾听街坊们说起附近的一个建筑工地，天天晚上干到 12 点左右。机器的轰鸣声、打桩声让大家无法安心睡觉。这一带居民找了很多部门去投诉，可这些部门都互相推诿，没有人来管这件事。小艾听了，决定管管这闲事。

他一个人，怎么对抗有钱有势的施工队呢？他有招，每天晚上吃完饭，带上坐垫，来到工地进出车的路口盘腿坐下，双手合十，一副老僧入定的样子。工人们谁也不知道他的底细，以为来了化缘的和尚，过去拽他，都被他打得落花流水。工头报警了，警察来了处理不了。毕竟工地扰民在先，而且派出所的警察知道小艾，拿他没有办法，劝了几句就走了。问题一点没解决，白天小艾也不去，就是到了晚上，跟打卡一样，按时到工地车子必经之路的路口挡着。工地的人没办法，小艾一来，只好停工。

建筑方找到了黑子，请黑子来管这个事。那天小艾照常在工地入口打坐，来了两辆没有车牌的面包车，从上面下来一群人，人手一把镐把子。这些人个个穷凶极恶，看见小艾，不管他是不是精神病，上去就是一顿暴打，把小艾打得像死猪一样动弹不得。他们看打得差不多了，就把小艾拖到马路边一丢，开车离开。小艾在马路边躺了一夜，直到第二天早上，一个晨练的老头发现他浑身是伤，躺在路边，把他送回了家。小艾在家躺了一个星期，那些平时听他调遣的混混们一个个都藏得无影无踪了。谁愿意为一个精神病出头呢？何况那些人是这些小混混们惹不起的人。这些混混们消息特别灵通，他们告诉小艾，事情是黑子的拜把兄弟带人做的。带头的人外号胖老四，长得又黑又壮，满脸络腮胡子。因为打架下手狠毒，大家都叫他黑老四。

又养了几天，小艾能下地走路了。他下地后做的第一件事就是报复工地，找工地的麻烦。他先去买了些冥钱，来到工地边，堆了个土堆，找块木头板，板上刻着：小艾之墓。他呢，在土堆旁边整整烧了一上午纸，马路上都是他撒的纸钱。工地的人很闹心，又报警，警察来了，才把他劝回了家。

小艾回家，马上收拾包裹，到火车站买了张车票就走了。他没告诉任何人他要去哪里。他不闹事，一切照旧，工地晚上施工一直干到半夜，邻居依旧抱怨，依旧无可奈何。小艾走后，仿佛什么事都不曾发生过一样。

小艾消失了整整3个月，就在大家都快把他遗忘的时候，他悄悄回来了。回来那天，他身穿棉布军大衣。他不是一个人回来的，还带了个小子。那小子是小艾最早蹲大狱的时候认识的，两个人在监狱里关系最好。这次小艾失踪，就是找他去了，小艾在他那里住了3个月，这次回来是为报仇的。

小艾回来以后，深居简出，很少在人前露面，不像以前那么招摇了。他俩每天下午出来到处溜达，到处打听黑老四。别说，还真让他们打听到黑老四的行踪，最近黑老四要去参加一个小兄弟的婚礼。

婚礼在一家酒店的餐厅里举行，餐厅在三楼。小艾和他的狱友去了，混在宾客里，毫无顾忌地大吃大喝。结婚的小子也是出来混的，来参加婚礼的人很乱很杂，几乎没人发现小艾和他的狱友混进来。他们一直吃到新郎和新娘出来敬酒，按照婚礼程序，先敬双方的父母，然后就是黑老四。黑老四西装革履地坐在首席，以新郎的领导自居，正端着酒杯等着新娘倒酒。

小艾和他的狱友趁乱挤到伴郎身后。他俩戴着老头帽，动手前把老头帽折回去的部分展开，挡着脸，就露出眼睛，变成了蒙面人，没人看得清他俩的脸。他们在黑老四接过酒杯仰脖喝酒的一瞬动了手。小艾从军大衣里掏出土枪，对着黑老四开了火。枪是他狱友自己做的，子弹是铁砂一类的东西，不会一枪致命。小艾开了几枪，黑老四当场就被打成蜂窝煤。周围的人骚动起来，现场很混乱。来参加婚礼的很多是在道上混的，这些人的反应是一流的，有的人立刻拔出刀要冲上来。小艾的狱友也从大衣里掏出一把双管的猎枪，这杆枪也是自治的土枪，可以单手拿着。小艾的狱友举着枪，挡在小艾身边，枪口对着那几个拿刀的小子。那几个不敢上前，让出一条路，小艾和他的狱友迅速离开餐厅，消失了。

再说黑老四，当下就被人送到医院急救。黑老四的手下没人想到是小艾做的，还以为是生意上的对手来寻仇的。小艾大闹婚礼后，根本没走远，就在酒店附近盯着，眼看着大家七手八脚把黑老四拉上了车，奔向医院，就和狱友尾随其后。黑老四被送进医院急救室，医生赶忙给他取打在肉里的铁砂，黑老四疼得哇哇叫。医生和护士都没有注意到急救室来了两个不速之客。

小艾和他的狱友撞门冲进急救室，他的狱友拿土枪对着在场的医生，让他们安静，停下手里的活，谁动就朝谁开枪。医生和护士吓得一动也不敢动。小艾拿起一把手术刀，在黑老四两个脚后跟狠狠剁了两刀，砍断了黑老四的脚跟腱。黑老四当时就疼昏过去了，急救室里的医生护士都被这两个凶残的家伙吓到了。砍完人，小艾和他狱友迅速离开医院。黑老四不用再被送一次医院，医生护士反应过来，赶紧给黑老四动手术。只是，他的跟腱被彻底砍断，就算神仙来了，也接不上了。从那以后，黑老四成了残废，得借助轮椅行动。小艾蛰伏3个月，仅带一个帮手，就干脆利索地把黑子的把兄弟给弄成残废，报了那日被打得像死猪一样在路边躺了一夜的仇。

整个行动，包括在医院，小艾和他狱友都是蒙面的，所以这个事情最后没人知道是谁做的。道上纷纷传扬说是黑老四得罪了什么人，那人出大价钱从外地请人把他干成了残废。小艾很谨慎，和狱友在外面租了套房子，彻底和家里断绝了来往。灭了黑老四以后，他消停了两个多月，要多低调有多低调。

报复黑老四只是小艾挑战黑子的第一次战役，小艾的目标远大，像当初在号子里一样，他要靠自己的坚忍和凶残让之前打压过自己的黑子低头。他先打听了黑子的势力范围和黑子的背景。

黑子和这个城市里势力雄厚的地产公司有关系，从这些房地产开发商手里赚一些钱。这些房地产公司从政府那里得到一片土地的开发权，在搬迁补偿上往往和这块地上的住户达不成协议，住户拒绝搬家，不接受开发商的条件。这时，开发商就会找道上人帮忙解决。黑子垄断了这个城市的这项业务，前些年，新闻里说某某地方出现了逼人搬迁的事，基本都是黑子在背后主使。黑子收了开发商多少钱，无从考究。开发商很认黑子，因为只要黑子的人一出面，住户都会老老实实搬家。

黑子做事手段很损，遇到钉子户，他先派人谈，也不是好好谈，而是摆出黑社会的流氓架势吓唬人家。谈不拢就离开，想方设法祸害钉子户。比如，他们在罐头瓶里灌满大粪，封住口，半夜从人家窗户丢进屋子里去，罐头瓶砸到家里，肯定会碎，瓶里的大粪飞溅出来，弄得哪哪都是。或者，半夜里派一群人去钉子户家，进屋就打。给他们这么折腾，没有敢不搬家的。黑子手下有100多混混，专门逼人搬家。他还派人去各个舞厅夜总会收份子钱，派人护场子。另外，黑子有一家很大的货运公司。

小艾想破黑子的财路。一般人想都不敢想，那可不是一件简单的事，对方人多势众，个个凶狠。小艾呢，就两个人，势力相差太过悬殊。但是小艾的思路和一般人不一样，他就用两个人去拼对方那么多人，而且是正面拼杀，不在背后下黑手。不知道他脑袋咋想的，换了我，打死我都不敢。但是小艾就这样做了，要不咋说小艾能出名而我默默无闻呢，差别就在这里。

当时有个开发商搞到一片新开发的土地，原住户可能是嫌补偿低，也可能想多赚一点，就是不搬家。对于这样的人，开发商打官司肯定会赢。但是打官司的周期很长，从判决到最后执行的时间也很长，开发商们等不起。对于开发商来说，时间就是金钱。正道解决不了，这家公司就请黑子介入解决，一度闹得很凶。最后大部分住户都屈服于黑子的淫威，搬走了。只剩三家，死活不搬，成了顽强的钉子户，靠吓唬不能让这三户人家屈服。他们家里的玻璃被砸了，就用木板钉上凑合住，彼此僵持着。

对于这样的事情，那些管事的部门一般都睁只眼闭只眼，只要不搞出人命就行，天知道他们得没得什么利益啊，所以黑子那些人可以大大方方进去乱搞。小艾不知道怎么就打听到了这件事，他马上开始行动。先找到这三家人去认亲，分别认了姑姑、表姐、舅舅。他才不管是否能说得通呢，反正没两天工夫，这三家就成了他的亲戚。不知道小艾怎么和人家谈的，直接就住到其中一家。那一家只留下父子俩在家守着，女人都去亲戚家住了，有人无偿参加对抗，谁都不会拒绝。

只要开发商派人来谈条件，小艾和他的狱友是坚决不参与，也不听，该吃吃，该喝喝，他们就是等着黑子的人来动硬的。期间开发商多次派人来谈，小艾就当他们不存在。后来开发商让步很多，但是仍然达不成协议，开发商放话出来说不谈了。看来是准备来硬的了，小艾天天守着就是为了等这个机会。

一天下午，来了好几十号人，后面跟着工人，带着拆房子的各种工具，连铲车都开来了，搬家公司也来了好几辆车，看样子是准备强行搬迁。小艾拎个凳子坐在门前，冷眼看着一群人把他们住的房子给包围了。周围都已经扒没了，只有这一家房子孤零零杵在那儿。来的人把铲车和搬家公司的车开到门口，摆好了阵式。

看到小艾木木地坐在门前，一个头目出来，那意思是要先礼后兵。那头目在小艾身边蹲下来，极力装出和善的样子，对小艾说："我不管你是房主请来的也好，还是他亲戚也好，今天搬也得搬，不搬也得搬。要是自己搬最好，原先开发商做的那些让步还都算事。不搬呢，就由我们来搬，我们这些兄弟都大手大脚的，叫他们搬起来估计会有很大的损失。而且要我们搬的话，原先开发商做的那些让步都不算事，一切都按照最早定的，和其他人一样一刀切。反正今天我们来就是要强行搬迁的，你看看是不是考虑一下自己动手搬了？"

小艾不听他的，就说一句话："你没资格和我说事，去把黑子叫来和我谈。"一句话把那小子噎个够呛。那小子有点糊涂了，因为吃不准小艾和黑子什么关系，急忙跑到一边挂电话给黑子。在电话里把小艾描述了半天，黑子没对上号，有些不耐烦了，就叫那小子让小艾报名头。小艾干脆一声不吭。来的人里有认识小艾的，悄悄议论说：这不就是那个精神病吗？

黑子在电话那头搞明白是个精神病在挡着，就告诉那小头目说："别管他是不是精神病，给打跑，该怎么搬还得怎么搬。"那头目听说黑子根本不认得小艾是哪根葱，就知道应该怎么做了。一招手，周围那些打手都围拢过来。

小艾站起来，示意大家等一下。他从怀里掏出一把砍刀。那些打手吓了一跳，以为他会冲上来，一个个把自己的家伙亮了出来。小艾眼里露出轻蔑的神情，根本没动地方，弯腰把自己左手放在凳子上，用砍刀一下就把自己的左手小指给剁了下来，接着把砍下来的小指拿起来，放进嘴里"嘎巴嘎巴"嚼了起来。小艾自顾自做着这些，面无表情，似乎那些打手不存在似的。那些打手都被镇住了，呆愣在那里，不敢动弹。

小艾咽下自己的小手指，抬头对打手说："谁要能照我的样子做一遍，我屁不放一个立刻搬。要做不出来，还想来强搬，那就从我的身上踏过去。我今天是杀一个够本，杀两个还赚一个。"全场鸦雀无声。那个头目合计自己做不到，看看其他人，众人都低了头，假装没看到头目看他们。遇到这样的人，谁能不服呢？有谁愿意第一个冲上来送死呢？那些混混只是跟着混钱花，在没有触及自己根本利益的情况下，谁也不会学小艾。

那个小头目看大家都不动，衡量半天，知道强搬会出人命，对着小艾举起大拇指，说："服了，哥们儿。"说着就带着众打手一溜烟都撤了。小艾这一次搞得黑子手下的人都服了。

但是小艾疼啊，俗话说十指连心，等黑子的人都走了，他赶紧进屋子，叫藏在屋里的狱友给他包扎。他疼得满脑袋大汗，满屋打转。他俩事先商量好了，他那个狱友守在屋里，如果对方来强的，他就冲出去放枪。小艾后来回忆说："我俩最少能宰了几个，那场面由不得他。"

小艾放话出去叫黑子来谈谈，但是黑子一直也没露面，黑子的手下也没再来。开发商后来实在没办法，只好起诉，历时近一年，才由法院把这三家钉子户给强制搬走。法院的工作流程，丁是丁卯是卯，什么事情都讲究时间到不到，所以折腾了快一年。这一年，损失了多少只有开发商自己能算得出来了。

小艾在这家钉子户守了一个月，不见黑子有什么动静，实在是坐不住了，因为他要挑战的目标是黑子，可他连黑子啥样都没见到，怎么能不憋屈呢？

这时候另一个人盯上了小艾，就是我那个哥们儿——健哥。他是开酒店的，有一家集桑拿、客房、餐厅、舞厅、酒吧于一体的酒店，颇有实力。他手底下有一些打手，早先因为黑子到他酒吧收取保护费与黑子有了嫌隙。那次小艾只身阻止黑子那些人的强制搬迁，名声大振。健哥听说小艾的事后，想拉拢小艾给他卖命，就用了各种办法接近小艾。小艾当时手头很紧，健哥有的是钱，小艾不用开口，健哥就给他钱花。看小艾住在寒酸的出租房，健哥就请小艾和他的狱友来酒店住。整天好吃好喝好招待。小艾和健哥就这样称兄道弟地交往了起来，从此，小艾算有了落脚点。

健哥跟小艾说，手下的小弟随便调遣。有了帮手后，小艾就更不安稳了，找黑子报仇的想法念念不忘，奈何一直碰不上。黑子消息灵通，知道他加入了健哥的集团，健哥的酒吧和舞厅，再没人来收看场费了。有段时间，小艾每天晚上总在酒吧里等着，合计黑子的人要是来收钱，怎么也得留点零件才让走。等了两个月，没有人来收保护费。小艾就想到黑子有个货运公司，想着去货运公司找黑子。小艾的所有心思都在找黑子晦气上，其他什么都没这事重要。一个人要是被仇恨左右了，那就是一个疯狂的人。

小艾的想法得到了健哥的大力支持，要钱出钱，要人出人。健哥因为小艾的加入，如虎添翼，很多混混慕名而来，加入健哥的麾下。健哥的势力一天天壮大，最后可以和黑子抗衡了。但健哥很低调，从不收取保护费或让手下人做强行拆迁之类的事情，他专心经营着自己的酒店。

健哥给小艾配了车。小艾每天开车出去转悠，没事就去黑子的货运公司附近溜达。黑子的货运公司在一个大院里，里面有好几家搞货运的公司。平时里面停了很多大货车，等着货运公司派活。小艾打听来打听去，问明了两件事：一是黑子平时根本不来，这里是一个叫阿涛的人在管理。二是这些货车并不是黑子或者是哪家货运公司所有的，都是个体的车，车主开车到货运公司来揽活。而货运公司接到货物，就和这些货车司机谈价格，属于临时雇佣的关系。

小艾问明白后，挨个去找货车司机谈话，希望他们不要拉黑子货运公司的货。司机们看来了一个愣头青，没头没脑地要他们不接黑子公司的生意，当面都是答应得很好，回头谁管他是老几啊？谁给钱就给谁拉货。这些货车司机常年跑外，本地谁混得好不好，脑子里一点印象也没有。他们不愿意多事，当场答应，一转头谁有货谁就是娘。

小艾找人谈了一圈，黑子的货该怎么发还怎么发，他的话一点作用也没起。小艾恼了，他要杀一儆百。那天一辆大货车拉了黑子公司的货物出发了，他跟了上去。车跑到了市郊结合的地方，小艾截住那辆大货车。那司机迷惑地坐在方向盘边上，看着小艾和另一个人从车上下来，搞不清楚发生了什么事。大货车上跟着个押车的小子，戒备地看着小艾。小艾跳到车踏板上拉开驾驶室的门，一把把司机拖下了车。那押车的想反抗，被小艾的狱友用猎枪给指着，一动也不敢动。小艾絮絮叨叨地和那司机说道理，讲了半个多小时没讲通，小艾就用砖头把货车的所有挡风玻璃都砸了，威胁那司机说："下次再敢拉黑子的货，连人都给你废了。"小艾让他告诉所有的司机，不可以再拉黑子的货，说完后扬长而去。

司机是否报警不得而知，就算报警，也无从查起。一来他不认识小艾，二来小艾的车牌是假的。很快几乎所有的货车司机都知道了这件事，人人胆战心惊，谁也不主动去黑子的货运公司找货了。但是这里很多司机都是流动的，有的外地司机刚到这里，根本不知道有这样的事，还是有不明就里的司机拉黑子的货，黑子的货物并没有积压。后来小艾又砸了几辆拉黑子货的大货车，再没有人敢拉黑子的货物了。

负责管理公司的阿涛发现生意日渐冷清，所有的司机都不接自己的货，便开始查找原因。他听说是小艾做的，但是没有直接证据。阿涛是黑子的拜把兄弟，很有势力。他放出话来，要找小艾谈谈。这次小艾却不出面了，你阿涛爱找谁谈找谁谈去。小艾断了阿涛的财路，阿涛肯定不干，见小艾避不见面，直接派人对小艾下手。

一天，小艾刚出酒店，从路边的车上冲下几个人，手里拿着刀，看见小艾，不由分说，挥刀就砍。小艾拼命抵抗，还是挨了好几刀。小艾也不傻，看对方人多，拔腿跑回酒店，等他提着土枪出来，人家早跑没影了。小艾被人砍了 4 刀，缝了好多针，也休养了好多天。

种种迹象表明，是阿涛指使人做的。小艾哪里能咽下这口气？伤好了以后，他天天去等阿涛下班，终于有一天阿涛被小艾给等着了。那天晚上，小艾跟着阿涛的车，一直跟到阿涛住的小区。阿涛在自己家楼下刚停好车，小艾和他的狱友冲了上去，绑架了阿涛。小艾不打阿涛，也不骂阿涛，就是让阿涛乖乖跟着自己走。小区边上有一家小发廊，小艾逼着阿涛进了发廊。

发廊里只有两个年轻女人，一个是理发师，一个是学徒工。小艾进去，就说借地方谈事，不准她们出门，那两个女的吓得直哆嗦。小艾把阿涛按在理发椅上，非要那个女理发师给阿涛剃头。谁敢动手呀？那女理发师苦苦哀求，让小艾放过她。小艾火了，自己操起剪刀给阿涛剃了个阴阳头：一半光光亮，另一半一根毛都没有动。剃完头，小艾对阿涛说："再敢对我下黑手我就弄死你。回去告诉黑子，他要有种就来和我小艾单挑。在这个城市里有他没我，有我没他。"说完就带着狱友走了，整个过程没有打阿涛一下。

黑子当时因为一起案子正被公安局天天追查，可能涉及人命，哪里有多余的精力跟小艾争高低。派手下的人去，他手下的哥们儿都怕小艾，都知道小艾是精神病，连自己的手指头都吃了，谁敢去啊？黑子是个能屈能伸的人物，被小艾搞得鸡飞狗跳，货运公司的生意都做不下去了，就想息事宁人。于是黑子在这座城里最大的酒店摆酒席赔礼。这可是道上最丢人的事，等于宣布自己认输了。

一般摆酒赔礼，基本都不会是鸿门宴。赔礼酒变成鸿门宴的话，摆酒的人以后就没法混了，在道上就有不仗义的名声了。反正我们这个城市是这样的，别的城市啥规矩我就不知道了。

酒席当天，小艾大摇大摆去了。黑子赔了礼，两人算是握手言和了。小艾不追究过去他挨打的事，谈话间说起建筑工地扰民的事儿。好像工程快要收尾了，依然每天施工到半夜。小艾言谈间表露出再这样下去，他就去祸害工地。黑子很讲究，让扰民工地的负责人给小艾赔了一些钱，防止小艾再去找那工地的事。

酒宴后，无论是名声上还是个人精神上，小艾都得到了补偿。从那以后，黑子和小艾算是井水不犯河水，各玩各的。

从黑子给小艾摆了酒席以后，小艾的名声出来了，遇到啥事，提小艾绝对好用。小艾为了废掉其他山头的老大，做过一些狠事，这座城市里再没人敢招惹他了。

次年，黑子被大案子牵扯进去，社会反响很大，被列为黑社会，直接被公安局打掉了。黑子逃到青岛躲藏，最后被抓了，后来判了死刑。原来跟在黑子手下的混混，那次没进去的，都跟了健哥。小艾的很多狱友也投奔小艾来了，帮着小艾打拼。小艾把他那些狱友集中起来，统一住在酒店里，统一管理。

5〉健哥来电

我本来不认识小艾，我干的是不能见光的买卖，唯恐被人知道底细，做人的原则是能多低调就多低调。小艾那时候要多高调有多高调，就怕人不知道自己的名头。我们俩是八竿子打不着的关系。三元倒是认识小艾，也不过是见面点头打个招呼而已。通过健哥，我认识了小艾。而我认识健哥，也蛮意外，因为在我的认知中，我和健哥，原本就是两个世界的人。

有一天，我在一个小烂局上赢了点小钱，和小海在街上晃荡。到了吃饭时间，路过一家日本铁板烧料理店，看门面挺不错，我俩以前没吃过铁板烧，就准备进去尝尝鲜。

进去溜达了一圈，听服务员说，没座位了，如果只有两个人，就坐散台。我有点赖皮，立刻骗服务员说我们五个人，那三位正在赶来的路上，就这样要了个包间。那家饭店是 168 元一位的自助餐，我厚着脸皮对服务员说："我俩先吃，先算两位的价钱，那三位的钱等他们人来了再说。"给我们操作铁板的是个丫头，长得很有韵味，她在铁板上爆炒大蒜片给我俩吃。我俩喝着小酒看着丫头在铁板前忙活着。期间领班过来问了好几次，我俩总说快到了，把人家敷衍走了，就继续狂吃。快吃完的时候，我的手机响了，是本地的手机号。接起来，电话里传来浑厚的男中音："喂，你好，你是老三吧？"我说："哦，是我啊，你谁啊？"那边说："我是健哥，你知道我吧？"健哥？吓我一跳，人家是谁啊？我是谁啊？他怎么可能给我挂电话？再说了，我俩根本没啥关系，他怎么可能给我挂电话呢？我合计着是哪个小子寻我开心，于是就说："什么？你是健哥？我还克林顿呢。"说完我就把电话挂断了，心想天知道哪个鬼杀的故意折腾我或者吓唬我玩呢。

　　吃完饭，我和小海厚着脸皮对领班说："实在不好意思，我那三个朋友临时有事来不了了，我俩得去和他们会合了。"说完逃出饭店。来到路边上，一边乐一边研究着去哪里玩。这时电话又响了，我一看，还是那个号码，我心说：谁这么无聊啊，折腾个毛啊？我就接起电话，不等那边说话，我拿腔拿调地问："小莱（莱温斯基）吗？我是林顿啊，你有什么事快说，我告诉你啊，我忙着呢，没时间和你逗着玩啊。"那边的人在电话里乐了，他也不恼，接着我的话茬说："林顿兄，我还是健哥，不是小莱。你的号码是五哥给我的，五哥你还记得吧？"

　　我一听他提到五哥，立刻反应过来应该是健哥本人打来的电话。五哥是本地响当当的大人物，在黑道上很有名声，曾让我帮他开赌场千政府官员。如果是他把我的号码给了健哥，那应该错不了。我将信将疑，不敢再开玩笑，毕恭毕敬地问："真的是健哥啊，真不好意思，我还以为谁故意逗我玩呢。健哥您说，有什么吩咐？"健哥约我次日一起喝茶聊天，具体什么事见面后再详细聊。我哪里敢不答应啊，忙不迭地说："好好好，没问题。"健哥嘱咐我次日上午10点到他的酒店，去了直接找服务员，服务员会带我去见他的。

　　接完电话，我脑子有半秒的空白，之后转着无数念头：健哥找我有啥事？我得罪谁了？要是五哥介绍的，应该不是得罪谁的事吧？五哥为什么把我申话给他呢？真的是五哥给的？不会是谁故意搞我玩吧？合计了半天，心里七上八下的，干脆给五哥挂个电话。五哥告诉我说确实是他把我介绍给健哥的，具体健哥找我什么事他也说不清楚，叫我放心去就是了，还说肯定是好事。

　　第二天刚过9点，我就到了健哥酒店门口，在外面转悠了半个小时，没敢进去。眼看到了约定的时间，只得硬着头皮走进酒店。跟服务员说我找健哥，服务员问我是不是老三，我说是，服务员带着我来到健哥的办公室。

健哥一看我就乐了，他是乐我昨天电话里的表现。后来彼此都熟识以后，他还总叫我"林顿"，不知道的人以为我真的叫"林顿"呢。健哥伸出手来，我惶恐地和他握手。他示意我在他办公桌对面的椅子上坐下来，给我倒了杯茶水，开门见山地说："听五哥说你是个老千，而且水平很不错？"

我有点尴尬，讪讪地说："我就是会玩几下子，糊弄点吃喝的钱。"

健哥看我有点不好意思，说："你别不好意思，我没别的意思。听五哥说起过你，我想和你合作，并没有什么恶意。"

原来进入冬季后，他的酒店客房生意不好，每天闲置出很多房间。他想把这些闲置的客房利用起来，召集人来赌钱抽头。他刚出社会的时候，也赌钱，也被骗过，知道一个局上如果有老千的存在，那赌局长久不了，所以他想找个懂老千伎俩的人帮着照看。他和五哥一起吃饭的时候随口说了自己的想法，五哥立刻想到我，把我的电话给了健哥。就这样，他才给我挂了电话，找我来谈谈。

知道事情的原委以后，我的心彻底放下来，悬了一夜呀！头天接到电话，差点被吓死，晚上觉都没睡踏实。

健哥说他能组织起很多人来玩，我们这里都爱玩押宝、斗鸡、牌九、瞪眼，所以我们商定就以本地的玩法为主，一天组织个几十人来参加。

这样的好事我能不答应吗？在健哥这儿看场，算是有个稳定的工作了，省得我到处找人上局了，折腾得够呛，好容易去了，还不知道人家带不带我玩呢。

6 〉初识小艾

正说着话，小艾从外面进来了。他看我和健哥喝茶聊天，很礼貌地和我打个招呼，说："你好。"我应了一句。小艾走到健哥跟前，他俩不知道嘀咕啥，嘀咕完了，健哥介绍说："这个是老三，这个是小艾。"我俩象征性地握了一下手。

当时我没拿他当一盘菜，不知道他就是本地叱咤黑道的小艾。看他的样子，还以为他是健哥手下打杂的，或者是个部门经理什么的。小艾和健哥嘀咕完没走，站在一边听我俩说话。他从我俩的谈话里，知道我是个老千，皱着眉头看着我，似乎要研究一下我这个老千哪里和别人不一样。

我和健哥谈了一起合作的条件、合作的方式，把所有细节都敲定了，谈得非常顺利。说好中午一起吃饭，相互再交流交流。当时还没到吃饭的时间，健哥提议说："老三啊，都说千术很神奇，你能不能给我做个简单的演示啊？"我一听，看起来健哥对我有点不放心，只有让他见识一下了。我很爽快地答应说："好的，这个没问题。"健哥吩咐小艾找一副扑克来，小艾应声就出去了。当时在我眼里，小艾是个应声虫的角色。

不一会儿，小艾回来了，手里除了一副没开封的扑克，还有一个羊角锤。他把扑克扔在办公桌上，站在办公桌旁，右手拿着羊角锤，在左手手心里一下一下地敲着。开始我对小艾的存在没有在意，一门心思应酬健哥。我撕去扑克外包装，抽出扑克，递给了健哥，让他把扑克洗开。健哥洗着牌，我问他："你要玩什么？"健哥以前玩过三公，说："三公你会吧？"说着把洗好的牌递给我。我点点头，他说："那就玩三公给我看。"

这时候小艾插话了，问我说："你要出千是吧？"

我说："是啊，健哥要看不是吗？"

小艾说："那好，我就在这里看着，如果你出千能被我看出来，我就拿这个锤子把你手指头的骨头给敲碎了。"开始我以为他开玩笑，可是看他的表情不对，他站在那里居高临下地盯着我看，他手里那个羊角锤亮晶晶的。他的表情和说话的语气，不像是在和我开玩笑。我心里合计：这叫啥事啊？

我看了健哥一眼，他好像没听见小艾说话一样，面带微笑看着我。当时说不怕是假的，健哥的名声，用东北话来说：罡罡的。不过我只是怕小艾，并不担心自己的手艺。我和他玩文事（文事就是以抓不到把柄的手段出千），他去抓鬼去。

我看看小艾，心里有了主意，笑着和健哥说："出千得有凯子，并不是所谓把把通杀全场，咱们让小艾当凯子好不好？"

健哥说："好啊，准备怎么玩呢？"

当时是我和健哥坐对面，小艾在我左手，玩三公一般都是一个庄家、三个散家。我坐庄的话，出门没人，也得发一家，算出门，健哥是天门，小艾是末门。我简单洗了几下牌，小艾眼睛眨都不眨，盯着我的手看。我心里说，再看一百次，你也看不出啥来。洗了几下我把牌丢在桌子上让健哥切牌，用切出来的底牌做色子。健哥漫不经心切了一下，切了个2，从出门发牌。

我把切完的牌拿在左手里，说："那咱们就抓末门当凯子了，末门是不是押点什么好呢？"

小艾吃不准我想让他押什么，问我："押什么好呢？"

我说："这样，你把锤子押上去，赢了锤子算我的。"

他一听，没反对，立刻就把锤子摆在自己门前，当成一个筹码。我依照顺序发了四家牌。小艾还想拿起自己门前的牌看，我笑着对他说："你不用看了，你的锤子归我了。"说着话我就把锤子拿起来放在我自己的门前。

小艾有点急了，说："我还没看几点呢，你自己也没看，你凭什么就认定我输了？"

我说："还用看啊，抓的就是凯子嘛。你家一个8一个2一个J（我们这里玩三公，花牌代表是10，在瞪眼里有时候代表是0，也有的代表是1，看玩的人之间如何约定）的瘟十，我就不用看了，我是庄家，瘟十也杀你。"

他不信，翻开一看，果然和我说的一样。他疑惑地看着我说："这把不算，再来一把。"

我说："好啊，你这把押什么？"

他把扑克抢过去自己乱洗了一通，问我："你说押什么？"

我把健哥放在桌子上的烟放在他面前，说："这个算你押的。"说完，我把扑克收回来，在手里倒腾了几下，让他切牌。

他切完了按着牌说："你这次慢点发。"

我说："好啊，我上次好像也不快嘛。"我用极慢的速度一家家派完牌，派完了顺手把他面前的烟拿回来放在我自己面前，说："这烟归我了。"

他第一反应是掀自己的牌看，他的牌是个5、5、10的瘟十。他抬起头，看着我，还是不能相信眼前发生的一切，说："不行，再来一把，我继续押。"说着话，他把健哥桌子上一台计算器摆在了自己门前，代表筹码。

这一次我正准备派牌的时候，他拦住我说："不用你发，我们自己抓。"

我说："好啊，自己抓吧。"健哥配合着去把出门的牌抓到一边放在桌子上，然后他自己抓了一张，小艾紧接着抓了一张，我抓一张。两圈还没抓完，我把他面前的计算器拿走。

他急了，说："没抓完呢。"因为他在我前面抓牌，他的手里的两张牌是4、5，他把牌亮在桌子上。

我说："那你以为还能给你去个10啊？"健哥还是微笑着不说话，把出门的抓走，自己抓走一张。小艾抓了最后一张死活不打开，用右手把牌按在桌子上，左手搭在右手上，一点点掀开牌角说："一副扑克里那么多10（大小王当时没拿出来，算J、Q、K的话一共是18张10），我就不信我抓不到。"

我笑着对他说："别看了，是个方块A，你还瘪十。"说话的工夫，他终于把牌掀开了，果然和我说的一样，是个方块A。

他使劲把牌摔在桌子上说："他妈的，见鬼了，真是个方片A，再来一把。"

健哥看他有点认真了，伸手拉了他一把说："行了，再来一把，你就得被老三把家底骗光了。走，咱们吃饭去。"小艾听健哥这么说，就不再坚持，冲我不好意思地笑笑。然后，我们三个人去了餐厅。

其实我骗他们的办法是最简单的，就在自己洗牌的时候，把一些牌洗成固定的顺序，放在那里等他们切牌。比如最后一把小艾的4、5、A（具体什么牌要看现场情况，随便找出你能看到的三张牌可以配成瘪十就可以了），我洗的时候就把这三张牌洗在最上面，抽拉牌的时候，在这三张牌两两之间分别洗进去三张牌。他们切完牌以后，我利用手法，改变发牌次序。如果切出来的是7，从天门发起，我就从底下带一张到最上面，把最下面一张牌发给天门，4发给末门。如果切出来是9，从我家发起，我就从下边带三张牌上来。总之，不管怎么发，都可以把4、5、A发到小艾家。这个手法很简单，却很实用，就是个洗牌的技巧。

酒桌上，小艾和我说："老三，我先自罚三杯，为了刚才言语的不周到。其实我是为了给你增加压力，并没有真要砸你的意思，就是想看看你在有人威胁的情况下，是不是会发挥失常。"

我半吹牛半认真地说："有人威胁？在任何一个赌局上玩，要是出千暴露了的话，那周围的人不都是威胁吗，怕的话谁去出千啊？"

他点头说："也是这个道理，那就算兄弟鲁莽了，先喝三杯给你老三道歉。"

说着话，自己倒酒，仰头连干了三杯。

我一看，这小子好酒量。但是我也没忘记损他几句，我说："你是不是好几天没喝酒了，叫酒给亏的，自己找理由喝酒啊？"

他一听，拍着我的肩膀说："老三，你说得太对了。"那天他总劝我喝酒，差点没把我给灌趴下。就这样，我俩开始交往了起来。

当然了，在健哥桌上赢的羊角锤、香烟，还有计算器都是说着玩的，并不是真的要赢走，只是后来小艾真的用这个羊角锤把一个出千的小子的指头给敲碎了。这件事让我后悔好几天，当时既然赢了，咋不把那个羊角锤提走呢？回家钉个钉子修理个啥的也蛮有用处的。

给小艾表演了一次千术后，他就对千术发生了极大的兴趣，没事就缠着我教他几下。他说他不赌，就是学着好玩。我想实心地教他几手，奈何他是个笨人，教了半天连起码的洗牌都练不好，最后只好放弃。

有一天，不知道他看了哪部港台的赌神电影，深受刺激。我一到酒店，他就风风火火找到我，拉我进一间空房间，非要叫我给他表演几下他在电影里看到的镜头。按照他的描述，是把一副扑克扔到半空中，在扑克飘落的时候，从空中接住一些特定的扑克，比如一下接 4 个 A，或者同花顺。

我一听就出汗了，这都叫啥事啊？别人不知道，反正我是做不到。我连连摆手，说："做不到，做不到。"他死活不信，一个劲说我在谦虚，说我装样子。

他发挥他的缠劲，磨着我说："老三，咱俩还是哥们儿不？你就露一手给我看看，让我开开眼界。"说完他让我做好准备，那意思他开始扔扑克了，要我抓 4 个 A 给他。

被他缠得实在没有办法，我告诉他："不能，那都是唬人玩的。"

但是他不听，非要扔。我实在没办法了，就说："你扔吧，后果你自己负责。"

他听我叫他扔，可高兴了，可能没听明白我后一句话，还问我："能有什么后果呢？"说着话他就叫我准备。

我表示可以了，他站到墙边靠墙站好，把一副扑克"哗啦"一下对着天花板，扔了出去。

我呆呆地看着扑克一张张落在地上、床上、茶几上、电视上、桌子上、沙发上，由始至终，没动一下。把我枪毙了我也抓不到一个 A 啊，何况四个 A！

小艾看我没动，就急了，说："老三啊，你怎么不抓啊？"

我说："我抓不出来嘛。"说完了我就要出房间。

小艾一边捡扑克一边跟我说："哎，老三，帮我一起捡啊？"

我乐了，说："我已经告诉你后果自己负责，没我什么事。"

小艾还问我："老三，你说的后果是什么后果？我怎么没听明白呢？"

我指着满地扑克对他说："这就是后果，你自己捡吧，我得走了。"小艾气得够呛。有时候小艾就是一个可爱的大孩子。

7〉走马上任

健哥酒店的赌局开始只有一桌牌九，后来人渐渐多了，增加了瞪眼和押宝。这个局里玩的是硬牌九，不是扑克牌九。刚开始时，人不多，最多的时候也才七八个人。小艾和他的手下负责招待赌客，我负责看局。

第一天上班，我积极性特别高，挺当回事，一直在大家桌边上猛看，生怕漏看一个出千的，现在想想当时可真傻。后来久了就疲了，懒得站在边上看，想睡觉就睡觉，想看武侠书就去看武侠书。

开始几天，一开局我就睁大眼睛，等着抓老千，结果一切都很平静，没有人捣鬼。大家看我总看热闹，不下场玩，都有点不好意思。还有热心人总动员我上来玩，我笑着说："我没钱，就看热闹。"我不管抽水钱，不知道的，就以为我是天天来看热闹。总在人家桌边站着看，时间长了，很叫人瞧不起，甚至有赌徒嫌我碍事，所以后来我干脆远远站着看热闹。

最开始，来玩的人基本都是小艾和他的混混朋友带来的，都很讲究，没有来出千的，输赢凭点气，就遇到几个会码几下牌，并不能算出千。谁玩牌九都想码牌，换了谁都一样。局上的人觉得有问题，还可以倒倒牌。再说了，牌九抓牌顺序靠打色子决定，打出几点，决定从哪门开始抓牌。所以即使有人码了大牌，不

35

一定能抓到，顶多知道那张牌到了谁家，自己能不能撵得上。所以对洗牌时刻意把天、地等大牌码到某个固定位置的，只要没控制色子或有其他毛病，我都是睁一只眼闭一只眼。如果这些都要去计较，那这个牌九局直接解散好了。

两个星期后，赌徒渐渐多了起来，都是熟人拉熟人，有点像传销。某个赌徒被介绍来玩了，玩了几次，这个赌徒觉得还不错，就介绍自己的朋友来玩。人越来越多，鱼龙混杂，赌局越来越火爆，什么稀奇事都能遇到。

我上任后抓到的第一个像样一点的老千也是别人带来的。这人在这里玩了好几天，一直做散家。在一个局上玩几天，很快就和其他散家混熟了。玩硬方牌九讲究散家们的合作，有时候大家看好哪一门，就集体押一门掏庄家的底钱。当然，别人都以为我就是看个热闹，没人搭理我。直到我在瞪眼局上出手抓了个扑克老千，大家都知道我是做什么的，才有人搭理我，甚至还有拉拢腐蚀我的，就是那个在瞪眼局上出千被小艾敲碎指头的老千。这是后话。

言归正传，还是说说我第一次抓到的老千吧。那天下午，那小子终于抢到庄坐。我当时闲得无聊，一个人嗑瓜子，茶几上到处都是瓜子皮。远远的，我看他们换了人坐庄，就站了起来凑过去看几眼。

那小子坐在一进门靠墙的沙发上，正对着窗户。桌子前围了不少的人，我只能站在天门的后面，背对着窗口。看了一会儿，我确定这小子出千了。开始并不明显，庄家与散家处在胶着状态，庄家没怎么赢钱，而我开始站的位置不好，不利于观察他具体出千的过程。而且刚开始，他只是铺垫，为后面赢钱打基础。

玩了一会儿，铺垫得差不多了，这小子开始赢钱了。他每次配牌的时候很慢，磨叽得不行，他每把能把自己手里两配的牌配得刚好杀了外面的散家，一般只有知道外面散家是几点头几点尾，才会那么配。

换牌？不会，如果是换牌，早被我发现了。他没有换牌，没有在色子上做文章，基本是乱丢。洗牌、码牌是乱洗乱码，根本不讲究章法，其他人随便搬。但是他就像有透视眼一样，仿佛能看透别人的牌。

有一把牌我记忆特别深刻。那把牌，外面所有的散家都集中在天门一起叫他的底钱。他发完牌以后，没动自己的牌，眼睛死死盯着外面天门配牌。等天门配完牌把头和尾巴拉出来放好以后，他才拿起自己门前的四张牌九，捂在手里研究了半天，来回换了几次，貌似觉得自己刚才配得不是很理想，歪着头盯着天门上几个押钱的人看，身体不由自主往自己左边挪了挪，看起来是歪着头研究他们的神色。我站在天门后面看热闹，能看清他的神色。我发现他并不是只看天门配牌人的脸色，他歪着头看天门配好的牌九！只是他掩饰得很好，一直保持专注看配牌人的神情，就在收回视线的时候快速扫一下天门放在桌上的牌，一切表现得很自然。自然归自然，我看就不自然了，因为我是一个有心的观察者。

看完天门的牌，他才慢吞吞地配好牌，前后拉开放在桌子上，然后伸手把天门的两叠牌翻开，57 战士，5 头 7 尾，黑 10 配长 5，3 配红 4 鹅。他看完牌就把天门的钱都划拉到了自己门前，表示天门叫底不成功，输了。最后亮开自己的牌，也是 57 战士，不同的是，他是红 8 黑 7 的人 5 头，天 2 配 5 的天 7 尾。头牌，庄家人杀长牌，尾天杀鹅，无论头还是尾巴都比天门大。

这样的牌一般有三种配法，57 配，也可以是 2 杠（5 + 7 头，8 + 2 杠）配，还可以是 39（8 + 5 头，2 + 7 尾）配。老玩家都喜欢配成 57 战士，一点毛病也没有。但是，换个角度思考一下：我如果有这么一手牌配的话，2 杠配肯定保本，39 配肯定保本。但是如果知道天门的牌，尾巴就不必做那么大，手上有天牌配个 7 尾，天门头不论是 6 还是 7，庄家都保本的。他应该知道天门几配几，他是如何知道的呢？牌九是我买来的，不可能具有透视功能，真他妈的见鬼了。

难道是他做了记号？我脑子里回放着他侧身偏着头顺便瞅牌九边的过程，当时我也跟着瞅了啊，没看到啥特别的啊。他要划啥痕迹上去，我不瞎啊，应该能看得到。可是我看了，啥东西没有。有人走水，告诉他天门的点？不可能，天门那小子精着呢，他死死捂着牌九，配好了放在那里，都没给在天门叫底钱的同伙看一眼。他自己走了点，其他一起叫底的人都是凯子？我看不像，因为天门的小子把自己所有的钱都拿出来叫庄家的底，不够了大家才去添的，如果他输了就得把天门让给别人。我观察过他，从他输钱后惋惜的神色看，那绝对不是装出来的样子，那是一个输光光的赌徒最典型的神色：凄凉、惶恐、不甘、无奈、失望、茫然……这些表情我见多了，那可不是装能装得出来的。

看来问题还是出在坐庄的小子身上。

简单又看了两次他配牌的手上动作和他变换姿势的样子，我基本确定了他是如何出千的。每次他发完牌，就看大家配牌。等大家都配完分出头和尾巴的时候，他用右手把自己的牌拿起来配。他右手拿起牌后，用左手的食指和中指翻牌、抽牌，左手大拇指不接触牌九。

他左手大拇指看起来一直闲着，其实不然。他拿到牌九，有时候有意无意用左手大拇指去摸一下，动作很不显眼，看起来很随意。他摸什么呢？做刻痕？没有呀，有的话我应该能看得到，这些动作都是他配完牌后做的。配完牌后，他把自己的头和尾巴拉开放在桌子上。配牌的过程中，他总去看外面散家的牌九，那时候散家都配完牌了，头是头尾是尾地放在桌子上。他身体总是或左或右移动，表面上他看人家的脸色，其实他是看人家牌九的长边。他在看什么呢？我凑过去看了看，啥也没看到。难道他左手大拇指涂抹了隐形药水，在牌九侧面做记号？可是在我的印象里，药水记号不是这样就能做到的。

后来我刻意留意他的左手大拇指，观察他左手大拇指的所有动作，终于看清了他手里都干着什么勾当。

他把牌配完以后，用右手放在桌上，左手搭在衣服上。我特别留意到，他每一次配完牌大拇指都要在衣服上蹭几下，像是要抹掉什么东西，然后用左手翻散家的牌看。他翻别人的牌时，用左手食指顶在牌九的背面，拇指伸到牌九（长条牌）最下端（窄边），将牌九掀过来，换句话说，他的手指决不接触牌九另外两条长边。看来他在牌九那两条边上做了文章。

我又看了一次。这一次我是从他洗牌开始看起的。洗牌：乱洗，他用手掌压着牌九背面乱洗，这样洗牌不会触碰到牌九的长边。码牌：他是两只手同时码牌，都是捏着牌九的窄边码牌，避免接触牌九的长边。打色子：乱扔，没啥问题。打完色子，根据色子的点数分牌，他四张一叠，竖着推出去，不接触牌九的长边。

发完牌以后，他直起身看大家配牌，左手大拇指摸着自己的鼻子，好像这是他的习惯动作。对，就是这个动作！当他又一次习惯性摸鼻子，他作弊的过程和方法在我脑海里一下子清楚起来。

8〉油脂透视法

他是用鼻子上的油脂出千的。因为赌局的刺激，玩的人神经高度紧张，鼻子很容易出汗，严格意义上说，鼻子上不仅仅是出汗水，还会分泌油脂。他就是利用鼻子上的油脂在牌九长边上做了记号的，两边都做了。所以他配牌的时候，会观察别人的牌九的长边，通过他的记号知道别人几点头几点尾。

大家可以做个小实验：找张牌九（什么材质的都可以），用鼻子上的油脂涂抹一下，只有逆光看，才能看得清楚。我当时背对着光线，肯定看不着。就是看见了，也只是个淡淡的油脂印而已。大家的手都在牌九上忙活，这样的印多了去了。不过手上的汗渍和鼻子上油脂的印，绝对可以分辨得出来。这么一来，就可以解释这小子为什么总要移动身体看人家牌九侧面的原因了。外面的散家配牌的时候可不管窄边还是长边，到处乱摸，不经意会摸到记号上，但是影响不大，顶多在油脂印上留下掌纹或者指纹，油脂的印记还是很清楚的。当然了，每次遇上抓牌手紧的，油脂记号就给弄没了，这也解释了他为什么在自己配牌的过程中继续做记号的原因。

但是外面散家不经意之间把他的油脂记号抹掉的次数不多，他每次拿起四张牌，觉得哪张需要修补，就利用配牌的机会进行修补。过程虽然烦琐，但是很实用，大部分时候，散家配好的牌在他看来，和透明的牌没什么区别。

我没搞明白他做的各种标记分别代表什么牌，这东西一个人一个做法，凭空琢磨，琢磨不出来，除非两张一样的都标记了，放在一起比较，才能知道记号是什么。

我看明白以后就坐回沙发上，想下一步该怎么办。恰好小艾一个人正坐在那里喝茶。我凑过去，让他一会儿故意摆弄墙上各种灯的开关，特别是其中一个是壁灯。他们天天住在酒店里，分得很清楚。我让他看我回到桌子前时开一下壁灯，开几秒就可以了。他不解地看看我，问："为什么？"我说："你照我说的话去做就完了。"当时我只是看出了端倪，但是没看到牌九侧面的油脂，没有确切的证据支持我的推断，所以我想验证一下。

吃了几颗瓜子，我又溜达过去看热闹。找到对着壁灯的角度，我示意那哥们儿可以开灯了。我还是像看热闹一样，使劲凑过去看大家配牌，这时壁灯亮了。马上有人嚷嚷说："大白天的，开灯干什么？"那哥们儿马上说："去厕所，开错了。"没几分钟，那哥们儿关上壁灯。我借助壁灯的光看清正对着灯光的一张牌九的长边，有一条斜斜的油脂划痕，再清楚不过了。庄家翻开散家的牌，那是张长6。我估计另一张长6也应该是同样位置上有一条同样的斜斜的划痕。手段高一些的老千，可以在两张点数一样的牌上分别做上不同的印记，只有他自己知道如何区别。经过验证，一切和我的推断一样。看一个就够了，不需要挨个验看。

生活中，很多老千这样做。把鼻子上的油脂搽在扑克、麻将、牌九的背面，以此作记号，逆光看，就能看到被他标记过的牌。赌博时，别人的牌跟翻过来给他看没啥区别。这样的老千很多。

我心里有了数，不能听之任之。我到另一个房间把小艾叫过来，跟他说了我看到的事。小艾听了，当时就要拿人，被我死死拖住。我问小艾："你怎么拿？人家不承认呢？"

小艾有点迷茫，问我："老三，什么叫他不承认？他敢？"

我给他解释说："换我我就不承认，有印怎么了？有印就是我故意做上去的？牌九上手指印手掌印多了，你还不让我出汗啊？你还不让我拿牌九啊？"汗渍和油脂印不一样，汗渍很容易被蹭掉，油脂印可不那么容易掉的，即便上面多了手指印，也不会影响油脂印，在有利的光线条件下，很容易辨别。

我耐心地给小艾解释，这样的千不能抓，抓了谁也不会承认。就算用武力叫人家屈服了，让人把钱吐出来，那人死活不承认的话，传扬出去，这个局的名声就坏了，谁还敢来玩呢？和这些赌徒详细解说鼻子上的油脂和汗渍的区别？说不通。

但是绝对不允许那小子继续玩了，这么下去，钱都是他的了。小艾问我应该怎么办？

9〉敬酒不吃吃罚酒

我早想好对策了，没直接告诉小艾怎么办，而是问他："晚上准备吃什么啊?"

小艾有点摸不着头脑，问："晚饭早着呢，你怎么饿了啊?"

我说："我不饿，是玩的人饿了。你去楼下熟食店买点鸡爪子、鸡脖、啤酒啥的上来，分给大家吃。"

小艾一听就懂了，使劲捶了我胸口一拳，下楼去买鸡爪鸡脖子去了。我又回到房间看热闹。

一会儿小艾拎着大口袋上来了，嚷嚷着问大家是不是饿了，把鸡爪、鸡脖、啤酒放到桌上，发给赌徒们吃。组织局，还要伺候局，烟、水果都要供，买零食给玩的人吃是理所当然的，一切开销都从水钱里出，反正羊毛出在羊身上。一见有吃的，不饿的也觉得肚子有点空了，于是众人都吃了起来。有个把文明人，用塑料口袋捏着鸡爪鸡脖吃，大部分直接用手捏着吃了起来。只要吃过鸡脖、鸡爪的人再动牌九，牌九上的油就多了起来。

那小子没察觉到小艾的用意，众人油手抓牌，牌上都是油脂印，这小子就有点找不到北了。看不到散家的牌，只好凭点气和散家死磕。他很懂得收手，又玩了一会儿，他找了个借口把庄家让给别人。他不坐门当散家，就是在一旁扔石头，算是帮新庄家捧个局。

大概玩到 5 点多，那小子找了个借口离开了。我看了一下，赢走不少钱，有点不甘心。转念一想，水钱他交了不少，也就释然了。

可是这个小子招人恨啊，第二天又来了，估计是想看看能不能找机会继续出千。头天晚上有人玩了半个通宵，牌上的油脂早就没了。他一去就想坐庄，只是一个玩家很坚强，愣是坐了一下午庄，他根本就没机会上来坐庄。做散家呢，他又觉得不过瘾，大概是觉得散家先配牌，没有主动权。他很耐心，一直扔着石头，等坐庄的机会。一下午没等到，他在酒店里吃了饭，晚上又来了。晚上看他进屋，我真是特别闹心。

什么事都怕有心人，晚上他进了房间，赌局还没开始，他眼疾手快，一把把色子抓在手里，表示要坐庄。其他玩家都拥护，他坐庄时，每门的数额比别人坐庄时稍微大一些。我一看，嗬，他还没完了。看来头天下午吃鸡爪、鸡脖子的事他以为凑巧而已。我心里说：他妈的，世界上哪有那么多凑巧的事叫你遇到啊？你小子反应也太迟钝了吧。这样可不行，我得让他知道知道，不能在明眼人底下出鬼。

我想故技重施，找小艾去买鸡爪和鸡脖。小艾一听，猛摇头，说："老三，都是刚吃完饭，谁有心思吃鸡爪和鸡脖啊？"

想想也是啊，看来我有点彪了。我一时也没了主意，就说："那咋办？继续叫他这样搞，也不是个事啊？这样搞下去，钱都叫他一个人划拉走了，谁还来玩啊？"

小艾说："老三啊，你就是惯他臭毛病。这个事你别管了，看我去修理他。"说着就要去他们玩的房间里去。

我急忙拖住他，说："可别乱来啊，这样的事拿不到台面去说的，人家一个不承认，你十张嘴也说不过。"

小艾说："老三啊，你就放心吧，我吃的盐比那小子吃的糖都多，我有数，肯定不去揭穿他，还叫他老老实实的。"说着话，挣脱了我的手就过去了。

我急忙也跟着过去，怕小艾犯病做出出格的事。小艾挺损的，他先到卫生间，找了条毛巾，用冷水冲了两下，随便拧拧，径直来到桌子前面。牌九局刚开始，还没玩几圈，那小子很多牌没做记号呢，所以自己配牌时一心一意做着记号。小艾可不管这些，他站到那小子跟前，说："你看你赢得，都出汗了，来！艾哥帮你擦擦。"说着话，也不问人家同意不同意，弯下腰很温柔地帮人家擦起汗来。他擦得很有意思，就擦那小子的鼻子。擦完了还退后一步端详端详，不知道的还以为他是化妆师，正在欣赏刚完成的作品，看看自己描过的眉毛、画过的眼线，是不是满意。

那小子冷不防被小艾"伺候"，有点不知所措。他急忙说："不用，不用，谢谢艾哥，赢了钱，我说什么都得给艾哥采点喜钱。"

小艾说："喜钱就不用了，你少出点汗就行了。我给你开空调啊？"

那小子还没反应过来，说："不用开，现在的温度挺好的。"说着话，他又专心涂抹起来。我心里忍不住乐了，这是啥人呀。

小艾有点无语了，拿着毛巾定定地看着那小子，好像随时要爆发。我一看要坏事，别忽然发精神病了，立刻上去拽他衣角。小艾转头看是我，他摆手让我别管。他就那样直直看着那小子，那小子开始没注意，一门心思洗牌、发牌、配牌、涂油脂。后来觉察到小艾在看他，赶紧冲着小艾咧嘴笑。但是他见小艾没啥反应，还是直勾勾看他，心里就有点毛毛的了。小艾脸色越来越难看，眼睛里的杀气越来越重，那小子终于感到气氛不对了。他有点尴尬，问小艾："艾哥，怎么了？"

小艾没有啥表情，说："我等着采喜给你擦汗呢。"说着话，又用毛巾去擦他的鼻子。那小子想躲闪，但是看到小艾凶狠的目光，终究没敢躲闪，只好老实地任由小艾给他擦鼻子。周围的人都没觉察到身边一触即发的紧张，还开着玩笑说："对啊，赢了给艾哥采喜钱是应该的。"这一下总算把那小子点醒了。他尴尬得很，我看他的腿在发抖，看来很害怕。赌局还在继续，那小子不能马上走，小艾没有点破，他马上离开，会引起别人的猜疑，但是他再没用手指去鼻子上蹭油。小艾看了好一会儿，确定他不再出千，才离开了桌子。又过了十几分钟，那小子找了个借口不坐庄了，把庄家让给了别人。

趁没人的时候，他去找小艾，叽叽咕咕解释了半天，给小艾赔着笑脸，说了不少小话，临了塞给小艾5000元钱，想买通小艾，好继续出千。小艾伸手接过钱，对那小子说："你在别的地方怎么搞我都没意见，但是在我这里，想都不要想。我这是给你面子，换别人早打一顿，钱留下叫他滚蛋了。"那小子唯唯诺诺地答应着。小艾也不听他解释，反正他给小艾的钱是扔水里去了，啥回报也没得到，买个平安罢了。万一小艾啥时候犯病了，真能揍他一顿呢。

可能有人会问：他自己都承认了，怎么不把他的钱都要下来呢？那小子是小艾的一个哥们儿带来的，赌局开张不久，不太好下手。另外，那个哥们儿也不知道那小子在场上这样玩，所以面上只要能过得去，打个哈哈就完了，不是什么事情都一丁一卯的。

后来那小子又来过几次，不过都是在边上看看，偶尔丢丢石头。再后来看实在没机会出千赢钱，就没再出现过。这种可抓可不抓的老千，不来也罢，清净！

利用人皮肤分泌的油脂作弊，不容易被发现，发现后不容易抓到证据：还不让人出汗，不让出油了？这类隐蔽的出千方式，我以前讲过不少，主要利用药膏等化学物品。还有一种神奇的药膏，很难察觉。这种药膏主要用于猜硬币和押宝。

这种药膏无色无味，其实是两种不同物质，我给分成 A 膏和 B 膏。玩的时候，将 A 膏涂抹到硬币或者是宝棍上，一般是用香烟蒂或者打火机涂抹，涂抹的时候注意不要沾到手上。涂好后，将沾了 A 膏的工具丢到远处。随后再在手指上涂上 B 膏，就可以侦知宝盒里的硬币或者宝棍。

玩的时候，宝盒送出来，抹了药膏的老千会利用拿钱、拿盒子、押钱的机会，伸出涂抹 B 膏的手指靠近盒子。两种药膏接近时，B 膏会起化学反应，但是仍是无色无味，肉眼无法观察，只有温度的变化，A 膏与 B 膏发生化学作用时，B 膏会变凉，据说是因为挥发，吸收了热量，所以手指头会变凉，有点像清凉油。老千感觉手指发凉，就知道那根宝棍就在宝盒里。如果手指没感觉，老千就知道选择输哪一门。知道宝盒里是几或者不是几，拿钱就再简单不过了。

B 膏一般只能持续半个小时的功效，半小时就会挥发干净，所以还要找机会再次涂抹。但是这种化学物质也有缺点，挥发以后，手上涂抹的地方会有轻微的红肿。但是对于老千来说，用轻微的红肿换来大把钱，绝对划算。

还有一种药水，同样具有神不知鬼不觉作弊的效果。这种药水需要和透视眼镜配合使用。很多老千在别人提供赌具的牌局上现场涂抹，比如在扑克赌局上，边玩边抹。这种药水也会自动消失，它的功效一般能持续将近两个小时，时间到了，就会挥发得无影无踪。等牌局结束了，有人可能会想到验看扑克，药水早就消失了，想拿人家的证据，难！

10 〉强横的宝马司机

那时候帮健哥看局，我大多数时间住在酒店里。有一天因为散局早，所以回家住了一晚，换换衣服啥的。这里一般下午才开局，那天我在家睡到快 11 点才出门。平时都在健哥的酒店吃午饭，那天起得有点晚，收拾好后匆匆赶往酒店。

健哥的酒店临街，酒店前面是条单行道，从我家到他酒店门口逆行，但因为这条街不是主干道，没有交警摄像头什么的，停车时，我基本是从酒店门口直接调头过去。那天也是这样开到酒店对面，然后打转向，等着对面的车过完了或者是让我一下。但是现在的世道，没有人让，一个个都急着去抢钱似的，所以我就把车停在那里耐心等着空当。

说起来我也不是那么遵守规则的，等的时候我厚着脸皮一点点向前挪动着车子。开车的人都这样，别人不让你，你也只能这样一点点挤了。我挤了半天，也没有给我让路的，都是靠里面稍微绕我一下，我还是过不去。

这时开过来一辆宝马车，是那种比较老式的宝马。我正在一点点挪着车，他开过来，没有让道的意思，好像是要绕开我。于是我不再挪动，停那里等他过去。谁知道宝马车头一过，司机立刻左打轮，正好刮上了我的车头，最绝的是，明明是宝马刮了我的车，现场怎么看也是我顶在他的车身上的样子。

我一看，完了，刮上了，赶紧熄火下车，先看看刮得严重不严重。宝马车好像是凹进去一块，掉了不少漆。而我的车就保险杠前边有一处很小的伤，可以忽略不计。

宝马车的司机下来了，指着我说："你会不会开车？你怎么开的车？"

我没理他，这种事争吵没有任何结果。我想不是还有保险嘛，就掏出电话，给保险公司挂电话，让他们来看现场理赔。

那司机看我没理他，自顾自打电话，不乐意了，上来一把把我电话给夺下来，问我："我问你会不会开车，你聋了啊？"

我一看，是个猛人啊！我急忙说："大哥，咱俩吵不出任何结果来，我叫保险公司来赔你就完了，咱们不都是有保险吗？你抢我电话干吗？快还给我，我正打电话叫保险公司来人呢。"

奈何他根本不听我的。说着话，车上又下来两个人，走到车子旁边，装模作样地四下察看车子的刮蹭程度。听我要叫保险公司的人来，其中一个接过我的话说："找保险？哥几个没那个时间陪你在这里磨叽。"

我一看是个帮腔的，没客气，说："车又不是你开的，你跟着乱什么？我和你说不着。"

他一听就火起来了，眼瞅着要冲过来打我，嘴里不干不净地说："你个小崽子，你说什么？"边上那个人急忙拉住他。他恶狠狠地说："操你妈的，你那臭嘴，就是揍轻了。"又是一个猛人。

开车的那个小子说："怎么看你也是全责，你给我修车吧。"说完了看看刮的地方说："这一块要修理好了，怎么也得 6000 元。"

我当时还没反应过来，就光顾着和他要手机了，因为我满脑子是找保险公司的人来，说："你把电话给我，我叫理赔的人来。"

他一听眼睛就瞪了起来，说："理赔的是你爹啊？赶紧给钱。我可没时间陪你。"

我不乐意了，说："我交了保险图啥啊？哪里有我自己给钱的道理。再说了，修理一下也不用 6000 元吧？你想讹我啊？"

这个时候路口基本堵死了，左右的车都过不去。这个路不长，是连接主干道的一条支线，外面的车看里面堵死了就不再进来，找下一个路口走，所以在这里堵上了，如果不报警，警察是不会来的。

我话刚出口，那个想打我的小子更不愿意了，他冲过来一把把我的衣服领子拽住，说："你他妈的说什么呢？你再给老子说一句？讹你？你不撞我们车，我们认得你算老几？"另一个小子也说话了："你说什么？讹你？你也不看看，这个是宝马车，认识什么叫宝马车不？就是让你攒一辈子钱也买不起，你知道吗？6000 还不一定够呢。"说着话，还对着我的车门的位置狠狠踢了一脚，说："就你这辆破车，随便撞，拿宝马车一个轱辘就换一台新的。"

我当时被那小子揪着衣领，边挣脱边说："你怎么想打人啊？"

那小子真是猛，没对我客气，说："打你怎么了？"说着直接就捣了我一拳，打得我是眼冒金星。

那小子一拳打完就松了手，见我没有还手的意思，更嚣张了，说："今天你这个钱拿也得拿，不拿也得拿，要不就把你车给开走。"说着话，就示意另一个小子过来抢我的车钥匙，这小子探身把我的车钥匙拔下来拿在自己手里。

这时，周围来了很多看热闹的人。事故发生在健哥酒店门口，我想在看热闹的人里找我熟识的面孔。奈何看到的都是陌生面孔，都是看热闹的表情，没有一个我认识的。我心里那个急啊！

这三个分明是不讲理的人，我知道自己遇到碰瓷的了。就现场的情况来看，我要负全责，理亏在我，所以他们才敢这么嚣张。更何况他们听我口音明显是外地人，以为我一定是可以任意宰割的羔羊。我不是那种会打架的人，所以挨了一拳没还手。我想和他们讲理，人家根本不和我讲，硬是逼着我掏 6000 元赔偿他们。

我看他们不讲理，就想离开。先进了酒店再说，在马路上和他们扯不清，搞不好还得继续挨揍。我正要走，那个司机一把把我拽了回来。他很恼火，气哼哼说："去哪儿？来来，哪里也不准你去，在这里老实呆着，说说咱们之间该怎么办？"

我说："什么怎么办？车钥匙你都拿去了，手机也被你抢去了，我能怎么办？"

听我这样说，打我那个小子又不乐意了，指着我说："说什么呢？抢你手机？你不看看你那破手机，扔大街上都没人稀罕去捡的。你会说话不？不会说话你就别说，现在是你把我们的车撞了，你还是老实赔偿我们再走，要不然别说我对你不客气。"

我没接他的话，惹不起你我还躲不起吗？我还想走，但是又被人家抓着衣服给拽了回去，非不让我走，估计他们是看我打电话找帮手，所以才不让我走。但是我明白，再纠缠下去我非再挨揍不可，所以我极力挣脱着要走，只是被人抓着衣服怎么也走不开。我合计，我的朋友就在几步之外的酒店里，只是他们啥也不知道。这个时候我多么希望能看到他们其中的一个啊！

我看强走不行了，就说："你叫我赔偿，又不让我挂电话，又不让我走，我口袋里也没钱。起码你得让我找人借也好，叫人送也好，搞来钱才能给你呀。你这么死把着不让我走，我会生钱给你们啊？"

那几个人一听，互相看看，大概是在交流吧，结论是三个都不同意。那个司机又弯腰检查一遍被撞的地方，做出下了很大决心的样子说："看你也是个懂事的人，这样吧，也不难为你，就 5000 吧，你不用麻烦了，咱们在这里堵着也不好看。你要是钱不够，就去取点，来，你坐我的车，我朋友开你的车，咱们把地方让出来去拿钱。"

我一听，什么？打劫呀，打死我，我也不会离开这个酒店门口。我心里骂道：想得倒挺美，给你钱？我还给你屁呢。看样子他们想押着我去拿钱。

11 〉恶人自有恶人磨

当时，我左顾右盼，多么期望能在人群里看到熟人。我的目光掠过一张张看热闹的脸，忽然看见小艾了。我看他的时候，他也看到我了。他穿件衬衣，站在人堆里，脸色茫然，一副无动于衷的样子。我想他不能眼睁睁看着我被人拽着衣服，一旁看热闹。眼神相接那一刻，我高兴坏了，刚想叫他，谁知他一转身走了。看他转身离去，我有点蒙了：怎么，他不管我了？

我呆呆看着小艾的背影，有点不相信自己的眼睛。那三个人才不管我在看什么，一直拽我，嚷嚷着叫我去取钱赔偿他们。忽然一股委屈涌出来，也不知道哪里来的劲，我使劲挣脱了那个司机。那小子没想到我会反抗，见我甩开他的手，使劲推搡我一把，说："你他妈的，怎么的，还想跑啊？"说完又一把抓住了我的衣服。

我没心思搭理他，眼睛盯着小艾的背影。他没有回酒店，而是走到他的车跟前，他的车就停在酒店门口。他打开车子的后备箱，拎出一根棒球棒。远远看去，他似乎用了很大的劲重重关上后备箱，扛着棒球棒慢悠悠转回来。原来小艾去拿家伙了，不是不管我啊。我当时那心情，简直无法形容。

那三个人在我耳朵边上聒噪了些什么话，我一个字也没听见，他们怎么推搡我，我都没反应，我就光顾看小艾了。他来了，我就不怕了。看热闹的人很多，小艾是从外面挤进来的，确切地说，他是撞出一条路。他用肩膀去撞开挡路的人，遇上自己不愿走开的，他干脆抓着人家脖子直接推开。他这么横冲直撞，被撞开的，想发作，看他那凶狠的样子和棒球棒，那火都压下去了，有想骂人的，话说一半自动闭嘴。小艾没跟他们计较，眼看就要挤到中心地带了。

最里面那个人专注地看热闹，没注意到后面来了人。小艾啥话都没说，直接一肩膀将他撞到了场子中央。那三个小子正在围着我喋喋不休，忽然见有人被撞了进来，都愣了一下。

小艾慢悠悠走进来，没说话，也没看那三个小子，径直走到宝马车跟前，查看哪里撞坏了，还用手摸了摸，看掉了多少漆，不知道的还以为他是修车的行家在评估哩。他到了跟前，我一看就乐了：他竟然反穿着衬衣，眼角还有一块很大的眼屎。他一本正经地检查着车子，不看我，也没理那三个小子。后来听他说，那天他正在房间里睡觉，门口看车位的保安进去告诉他，我和人在酒店门口吵起来了。他胡乱抓件衣服套身上就冲下来，他没有看到别人打我那一幕，他来的时候，我正被人抓着衣服，他以为我没吃亏呢，就站外面看到底是怎么回事。后来他听边上的人议论，明白是怎么回事，马上去找了家伙过来。

那三个小子看到小艾扛着棒球棒走进来，有点搞不清状况，都疑惑地看着小艾，谁也没敢上前问他要干什么。我看酒店里出来好多小艾的手下，一个个站在人堆里看热闹，有的正拼命往里面挤呢。他们互相打着眼色，都是不怀好意的样子，有的还给我做个鬼脸。我那个高兴啊，心想：妥了，俺老三得救了。

这个时候小艾说话了，说："你们在这里吵什么呢？怎么个事？"我看小艾，刚想说话，但是小艾看了我一眼，眼神飘向别的地方，好像不认识我一样。我知道他是装着不认识我，想来必有用意。于是我装出不认识他的样子，没接他的话，就那么看着他。

那三个小子不认识小艾，搞不懂小艾来干什么。他们对小艾的棒球棒有点忌惮，小艾的车子后备箱里有很多乱七八糟的打架用品，这根棒子用来吓唬一般小混混，足够了。他们不愿意多事，开始打我那个小子说："我们的车被他撞了，在说赔偿的事呢。"

小艾看看宝马，问："你们这是什么车啊？"

那小子显摆似的说："宝马。"说完，那小子似乎对自己老实回答有些懊悔，他反问道："你问这些干什么？"。

小艾说："我好奇，不行吗？你不让吗？"

那小子被小艾顶得有点火，想动手，但看小艾凶神一样，摆明了是上来找事的主，强压着怒火说："不和你说了，这里没有你的事，和你说不着。"说完不理小艾了。

小艾说："哎呀，我这个人就有点怪毛病，越是和我说不着的事我就越想问一问。宝马啊？好车啊，多少钱买的？"说着话，他用脚轻轻踢了踢宝马的车轮胎。他一边轻踢着轮胎，一边乜斜着和他说话的小子，脑袋跟着脚下的动作频率一晃一晃，要多痞有多痞，怎么看都是找碴的。

那小子也看出小艾来者不善，而且不好惹，只想让小艾别多管闲事，说："这里没你什么事，是我们之间的事，你别跟着瞎掺和，我们之间都解决了。"

小艾看人家不带他玩，哪能罢休，他来就是要跟着乱的。他觉察到眼睛上还有块眼屎，就用手抠下来在手里捻了捻，想扔，迟疑了一下，把那眼屎抹到宝马车的车头盖上了。这还不算，他又用力在车头盖上搓了搓手指头。可能觉得鼻子里有东西，就对着宝马车的车身擤起鼻涕来，发出"扑哧扑哧"的声音。

小艾擤完鼻涕，说："听说这个宝马车挺贵，怎么也得100多万吧？凹回去一块，要6000的修理费，不多。这个款式的宝马好像停产了吧？零件挺贵啊？"

那三个小子看小艾又是抹眼屎又是擤鼻涕，本想发火，但是听小艾这样说，好像小艾在帮他们说话一样，气氛有点缓和，对小艾解释说："他开到反道上，过来把我们撞了，现在我们都协商好了。看他也是个老实人，就给他让一步，给5000就行了，不要6000了，我们立刻就把道让出来。"可能他们以为小艾是在街上做生意的，围这么多人看热闹，挡了小艾门脸的生意，因此小艾才掺和进来。

这时候我心情完全放松了，没我啥事了。我从兜里摸出一根烟，点着抽了起来，不再理那三个小子，也不看他们。

打我的那个小子看我不理他，拽了我一下，说："走啊，拿钱去。"我硬是没动，也没回答他。那小子火了，说："我叫你呢，你他妈的聋了啊？"但是我还是沉默。那小子看我成木头人了，过来使劲推了我一把，我顺势退到看热闹的人群边上。我心想，磨叽啥，我趁此机会赶紧走吧，你们跟小艾玩，我看热闹去。想到这儿，我分开人群就要走。

那小子看我要走，赶过来要拉我。小艾的一个手下离我很近，看我要往外走，他马上给我让开地方，我趁机溜过去。打我那小子一心想抓住我，伸手去扒拉小艾的手下，想拽我回去。小艾那个手下来找事，就等他先动手呢。

12〉砸宝马

小艾手下看那小子伸手来扒拉自己，一把抓住那小子的手腕，问他："你他妈的眼瞎啊？你扒拉谁呢？"

那小子一愣，想挣脱，愣是没挣脱掉。这么多人看着呢，他觉得自己很没面子，可能以为挡着自己就是一个人，自己不能在众人面前输掉气势，就恶声恶气回道："你说谁瞎呢？"

小艾那个手下直勾勾地看着那小子，说："我说你呢，你有种再给我扒拉一下试试？"

那小子刚想说话，他同伙过来做和事佬，搂着小艾手下的肩膀，说："哥们儿，不好意思，他心急了，你别和他一样见识啊。不好意思，兄弟我代他给你赔个不是。"说着话拿出烟去敬小艾的手下。小艾的手下松了手，低着头让他点上烟，然后抱着胳膊不说话了。但是他没动地方，站在那里不让那小子过去。

此时，我已经挤在外围了，周围全是小艾的手下，特别安全。宝马车司机看到我，指着我说："你别走，你过来，咱们的事还没完呢。"

我隔着好几个人，摇摇头说："我不过去，我是看热闹的，那事和我没关系。"周围看热闹的人听我这样说，"哄"地一下全笑了。我也跟着大家笑了起来。

场中间只有他们三个和小艾，"肇事者"躲到外围，现场有点滑稽了。那司机被我这么一抢白，再看我和大家一起乐，愣了一下，搞不清是什么状况了。他反应过来，绕过前面挡着的那个哥们儿过来搡我。周围看热闹的人给他让地方，但是我前面站了三个小艾的手下呢，他们没动地方，站在那里等那小子过来搡我。

我站在他们身后，那小子到了他们三个面前，看他们三个没有让开的意思，又看他们三个胳膊上有龙或老鹰的刺青，掂量了一下，知道自己惹不起，想绕过去，嘴里还说："大哥，借光，借一下光。"但是那三个人像木头一样，脸上一点表情也没有，根本没有给他让地方的意思。那小子想绕过去，他们三个拦着，他往左挪三个哥们儿跟着向左移，他往右挪三个哥们儿跟着向右移。那小子伸伸手，想扒开其中两个人，好从中间过去，但是终究没敢动。我和那小子隔了这么三个人，他看着我，我看着他，很有意思。

小艾在里面和另外两个小子说着话，不知道哪句话没讲到一起去，小艾声音大了，说："6000元？你出去抢劫算了，大家说合理不合理啊？"周围一群小艾的手下，他们一起喊："不合理！"喊完了他们就开始爆笑，周围看热闹的都跟着喊了起来，随后也都跟着哄笑起了。

那三个小子见看眼的起哄，有点慌了，那司机露出了害怕的表情。他没料到事情会这么发展，忽然出来这么多愣头青搅和，换谁都得合计合计。原先踢我车门的那个小子咋呼说："你们想干什么？你们想干什么？有没有王法了？"声音明显变味，声调颤抖着，他自己并没意识到。周围的人听得真切，又开始哄笑。看热闹的有人喊了一句："王法是你爹啊？"估计这人从一开始就看眼，知道那个小子的"理赔的是你爹啊"这句话，周围的人又是一阵大笑。

小艾扯嗓子喊了一声："那怎么办啊？"他的手下就一起起哄："砸了，砸了。"看眼的也有跟着喊的，现场的气氛马上就起来了。我看着都要笑死了，典型的看眼不怕乱子大啊。现场一片喊砸的声音，那个打我的小子喊："我看谁敢？我看谁敢，今天！"话虽然说得狠，但是明显底气不足。大家看他这样，又开始乐。我趁没人注意我，赶紧告诉小艾手下我的车钥匙和手机都在宝马司机手里。

那哥们儿点点头，走到宝马司机跟前，把手一伸，说："相好的，把手机和钥匙给我。"

那小子没注意到他，全神贯注对付小艾，跟小艾说："你干什么？你想干什么？告诉你，这个社会是法治社会，你不要乱来啊。"

小艾说："我就乱来，怎么了？你能把我怎么地了？"

刚才打我的小子看事情要控制不住了，"嗖"的一下从腰里拔出一把匕首，说："怎么个意思啊，哥们儿？想找点事是不？"说着话故意晃着匕首，那意思是：我有刀，你们都别乱来。

但是那傻子只注意前面的小艾，根本没看自己身后。他身后站着小艾几个手下。这些人反应都很快，一看那小子动刀了，从后面直接抓着他的头发卡住他的脖子，摁在地上，干净利落地把他的刀给夺了下来。

然后，这些人就开始打了，你踢一脚我跺一脚的，把那小子打得满地翻滚。小艾说："你他妈的，还敢对我动刀？你活腻歪了吧？"他想上去打，凑了几下没插上手。他找不到人打，就把气给撒到了那辆宝马上，他抡起棒球棒对着宝马车的前挡风玻璃一棍子砸下去。宝马就是好车，虽然他使足全身力气，前挡风玻璃居然没碎，只是砸出了个坑。

那个司机一看自己同伙被放躺了，想上去帮忙。他身边正是帮我要车钥匙和手机的哥们儿，这哥们儿摩拳擦掌等了半天，有点不耐烦了。他要了几次，人家当他没存在，也火了，一记直拳招呼上那司机的脸。那拳头老狠了，一拳下去，那司机直接躺倒在地。我的手机和车钥匙飞出去老远，他过去捡起手机和钥匙，顺手操起马路上一块方砖，一砖头拍向颤颤巍巍站起来的宝马司机。那司机当时就捂着脑袋不动了，血从手指缝汩汩地冒。我的心"咯噔"一下，想：咋能这样打人呢，给打坏了可怎么办啊？但是小艾的手下打架从不管这些，基本都是怎么狠怎么来。

那哥们儿拿砖头把宝马司机拍倒了后还不解气，拿着砖头，盯着那个司机，估计是等那小子过来再拍一砖头下去，但是人家直接躺地上不会动了。他拿着砖头等了一小会儿，没见动静，好像还没拍够，一砖头砸向宝马车的侧面玻璃，玻璃窗当时就迸裂了。

这些都是瞬间发生的事情，周围的人一看打起来了，都纷纷向后让，一下就把打架的地方给让了出来。很多人拼命躲闪，都怕沾到自己身上。跟着起哄是一码事，但是真的打起来又是一码事。场地内就剩下我、小艾、小艾的手下，以及躺在地上的三个小子。

原先那个踢我车门的小子在拿刀的小子被人夺刀的时候就被小艾手下打趴下了。现场一片混乱，分不清楚谁在踢他俩，也看不清楚他俩被人打成什么样了。

小艾不管周围怎么乱，拿着棒球棒对着前挡风玻璃又是一棒，玻璃还是没碎，又出来一个坑。他更火了，"嗷"的一声跳到了宝马车的前盖上，没头没脑地一通乱砸。

我的娘啊！我看事儿闹大了，赶紧跑了。我从小艾手下手里抢走车钥匙，连手机都顾不得要了，钻到车里，把车发动着，退了出来。车后面的地上躺着一个人，小艾的手下过去，抓起那人的头发连踢带打地将他挪到一边，然后清理出一条道来。看热闹的看这些人一个个凶狠的样子，谁敢不让啊？我开着车溜了，跑过几个街区，找个地方停下来，然后跑回去远远看现场怎么样了。

现场是人山人海，那三个小子直挺挺地躺在地上，宝马车所有玻璃都被打得稀烂，车盖上全是大坑，车上面全是凹进去的坑，两面反光镜被打掉了，其中一个就剩一根线连着，反光镜耷拉着晃动。小艾他们早没影了，他们掩护我跑了后，就以极快的速度把人放躺，把车砸了，然后一个呼哨一哄而散。小艾他们都有暗号，打群架的时候，只要这个口哨吹起来，立刻走人。

他们散的时候都没直接进酒店，而是先到了其他地方，再从酒店后面的员工通道回酒店。我返回的时候，他们都在酒店房间里从窗户往下看热闹呢。我心想，还在这里干吗？我也赶紧从酒店的后门员工通道藏进了酒店。

进了酒店，找个房间，居高临下看着下边，下边一直闹哄了好几个小时。警察来了，清障车来了，伤者和破宝马都给拉走了，看热闹的人这才渐渐散去。

在酒店里遇到小艾，小艾说："以后警察要是找到你，你就说什么也不知道，就是现场看热闹的人为你鸣不平砸的，你一个都不认识。你害怕，所以走了。"我点头答应着。然后就去找那哥们儿要手机。他竟然不知道掉了，还以为我拿走了呢。而我以为他给收起来了呢，看来不知道是被哪个看热闹的人捡走了。我的车门被那小子踢了一脚，有一个小坑，修车花了不少钱。

这次打架过瘾是过瘾，我的损失也很惨重。之后一个月，我天天担心警察会找我，所幸没一个警察为这事找过我。

13〉蹩脚的扒皮战术

随着时间的推移，来赶牌九局的人越来越多，很多时候为了抢着坐庄，赌徒们能闹腾半个小时。坐上了庄，周围还有很多人押不上钱。局面就是这么火爆。后来干脆分两摊，开了两桌牌九，才解决了人多玩不上的问题。

有一天下午，先开了一桌，另外一桌没人想坐庄，那些押不上钱的，就坐在另一张桌前闲聊，有人提议玩瞪眼。瞪眼的规则是两张牌比大小，同点比大牌的花色。这种玩法在我们这里比较流行，因为简单、快捷。有人一提议，马上得到响应，有人愿意坐庄，他们几个就玩起了瞪眼。从此，赌局增加了瞪眼游戏。

开始几天，我一直看着，没发现谁出千。后来几天，基本上还是以前玩过的人玩，我偶尔过去看几眼，遇到生面孔或者以前没当庄家的人坐庄，我才会去看。那个时候我看局看得有些无聊了，天天租武侠书看。

那天正看书，瞪眼那边换了庄家。坐庄的小子是这个局上的老熟人，从牌九局支起来就在这里玩，现在输了不少钱了。

这小子有点意思，开始几天，几个庄家，点都不好，谁押谁赢钱，他也在上面押，越赢越不敢押钱了，最开始一千一千地押，赢了几千就改成三五百地押。赢到一万多的时候，改成一二百地押。即使这样，他还是赢了两三万。那几天这小子意气风发。

后面几天，那些庄家转了运，他开始押得小，押多少输多少。输急了，越押越大，把赢的钱都输进去后，押钱彻底没了算计，多大的注都敢下。他是那种典型的没脑子：越赢越畏缩，越输越大胆。最后，他不但把赢的钱倒了回去，还输了三四万。他在牌九桌上从不坐庄，就是散户。瞪眼局支起来以后，他就去玩瞪眼，不输不赢。

那天他带足本钱就想坐庄，大家都没意见。他抢到庄家，瞪眼局开始。我提溜着书站过去看热闹，简单看了几眼就知道这小子在捣鬼。我并不急着揭露他，因为他需要同伙配合。他捣鬼的方式是超级低级的出千方式，稍微留点神都能看明白。可笑周围八九个押钱的，竟然没有一个提出异议。要不咋说赌场上的人都能变彪，那当口脑子都不转了。平时再精明的人，上了赌桌，都很容易变猪！

他是利用编辑牌和假洗牌的方式出千的。他洗牌时，挑出可以组合成9点的两张大牌，中间插入三张牌。比如四家玩，7＋2是九点，差不多可以通杀，他就在7和2之间插入随便什么牌。这小子技术不熟练，每次捡牌都能让我看出来，我看他捡不着真替他着急。编辑好牌序后，他再选一到三张牌放在上面，然后开始抽拉着洗牌。所谓抽牌，就是从牌底部或中间拉出一叠牌，正常的洗应该是把这叠牌放在最上面，这小子不是这么洗的。他右手拿牌，食指卡在编辑过的几张下，抽出的牌推进那几张牌下面。他洗牌不是真洗，就洗下面的，上面编辑好的牌绝对不动。

他洗好牌，将扑克放在桌子上，让散家切牌决定发牌顺序。一般人会切到牌中间。别人切完牌他拿起下面一叠牌开始发，切出去的那一叠牌不动。大家亮完了点，他再把扑克收拢起来玩下一把。他收牌的时候很有意思，随便找两张配出大点的牌，中间搁三张，直接放到没动的那叠牌的最上面。

这小子大概不会做桥，所以他和同伴选择了最简单的切牌配合法——扒皮。他们切牌就是只切一张，或者两张，或者三张，最多四张。我们这里允许这样切牌，俗称：扒皮。一般在庄家很旺盛的时候，散家都会去扒皮。

瞪眼按照切出的牌面决定先发谁家，1、5、9，从庄家开始发，他的同伴就切一张；2、6、10，从出门发，第二张是这三个点的牌，他的同伴就切两张；3、7、J，从天门发，第三张肯定是这三个点的牌，他同伴约定切三张；4、8、Q，从末门发，切出来的第四张也是他之前就编辑好的。他们每次扒皮，就是为了通杀。

下面散家不能每把都扒皮，也不能频繁扒皮通杀，做得太明显，会被发现。所以他们事先约好一套暗号，想要通杀的时候，庄家会告诉同伙：我做好了，你来抢着切牌。根据我的观察，他们的暗号应该是这样的，他不出千的时候，洗好牌都是直着放在桌子上，等大家切牌。但是等他编辑过牌序，就把扑克斜着放在桌子上，他的同伙就知道该抢着切牌了。

那小子是个笨人，有的时候需要捡三四次才能把一个固定的顺序给编辑出来。不过，他们除了捡牌笨以外，其他都演得很好，有时候看外面押的钱不多，也会放弃，把自己的大牌往牌里一合，统赔。但是只要外面押的钱多，那就坚决不客气，亮开大点把钱收过来。

瞪眼一般谁押大钱谁有权切牌，有时候他的同伙为了争取到切牌的机会，都会下大注的，无论钱如何流通，那都是他们的钱，所以押大注输了，那钱只是从左兜到右兜的差别。也有这种情况，某个人切牌，庄家总通赔，其他散家都愿意让这个人切，而不管他押多押少。他的同伙很会找理由，比如别人切牌的时候，庄家把他的钱杀了，也会成为阻挠别人继续切牌的理由。

别小看三四把一次通杀，会叫人倾家荡产的。其他时候凭运气，庄家运气说不定就很旺了，再加上不时作弊通杀，那些押钱的，怎么可能不输钱。

我看了好一会儿，确定这小子有三个同伙，给他打配合牌。他们几个一唱一和的，简直把其他的玩家当成猪头了。有的时候他们看庄家收牌都收了什么，还缺什么，如果恰好手里有庄家需要的牌，他们会把牌分开亮，把那张牌放到庄家容易拿到的地方，方便庄家收牌。

刚发现时，我没想好如何揭穿他们。看他们的架势，正是大进八方，一时半会儿不会收手。当时我正看《倚天屠龙记》张无忌大战少林三大神僧，正看到兴头上，我就捧着书站在他们桌子跟前，一边看书一边看他们玩，两边都不耽误。

14 〉自摆乌龙

那个庄家大概是个菜鸟老千，常犯低级错误。有一把牌很有意思，他编辑牌时不知道是因为紧张，还是没数清，本应该是在 9 和 10 之间插进去三张牌，但是他插了四张进去，他自己不知道，但是我看得很清楚。所有的牌编辑好后，那小子洗了几下，把牌歪着放在桌子上。一个同伙马上抢到扒皮，切了两张，切出来个7，从天门开始发起。

天门发个4，末门发了个J，9发在庄家。第二张牌，我看到的是个K。但是那个坐庄的小子以为这一把自己是个9＋10的9点呢，一个劲嚷嚷："押啊押啊，现在押都带。"规矩是先押钱，后切牌，切完牌不可以再押钱了。但是他以为自己是大点，还忽悠大家押钱。我拼命忍住不要笑出声来，实在憋不住，就用书掩着嘴看他们玩。

那庄家发完牌，装模作样地在手里熨了起来。当他看到10变成K，不敢相信自己的眼睛，反反复复看自己手里的牌，愣没搞明白为什么9点变成了0点。但是他马上镇定下来，把牌一合，统赔。赔钱的时候看着出门那个小子，眼神里都是抱歉的意思：我捡错牌了。

外面押得钱不少，他赔出不少，外面三个同伙有点发蒙了。他们用怀疑的眼神看着坐庄的小子。他们商量好的，扒皮的牌通杀才是，何况外面押的钱不少啊，怎么假装输了呢？那小子脸上露出尴尬的笑，那意思是对不住大伙。我看他们的各种表情，实在憋不住了，"呵呵"乐出了声。

坐在出门的小子是庄家的同伙之一，扒皮总成功，而且他下注很猛，所以表面上看，他输了不少钱。那小子姓曲，大家都叫他小曲。我站在他身后，他听到有人在他后面笑，扭头来看。我当时正拿着书挡着嘴，他一看就火了。劈手把我的书夺了过去，铆足了劲扔出去，书被他丢到屋子另一个角落。这把庄家自己摆了乌龙，他一肚子气没处发，就冲我找平衡，扔了书还不算，骂道："我操你妈的，我说我怎么这么点背，原来背后站了你这个丧门。"也不能怨他，因为赌徒在赌钱的时候，最忌讳书，书和输是谐音嘛。

我被人冷不丁夺去了书，正发愣呢。他看我没动，就站了起来，勒住我的脖子，使劲推了我一把，把我推出去老远，说："滚远点，真他妈的晦气。"

小艾当时不在房间里，只有小艾的两个狱友在，其中一个远远地看着没动，另一个正在床上坐着，离我很近，不知道在干什么。他一看我被人推出去老远，站了起来，想过去打那个小曲。我一把拉住他，说："别，别去打。"

他低声问我："怎么回事，老三？"

我没说为什么，就死拉住他，没让他上去打。我俩动作很小，小曲推完我，大概心里的火气发泄出去，痛快了很多，专心看牌去了。他的同伙和其他赌徒的注意力也都在局上，所以没人看到我和小艾狱友。但是那小曲太讨厌了，可能又揭了一把不满意的牌，转身指着我又骂了起来："你纯是个丧门星，操你妈的。我说我怎么老是输钱。"说着又要过来拿我出气。边上在天门侧面站着他的一个同伙，那小子叫爱民，拉着他劝慰说："好了，好了，少说一句行了，别闹了。自己点背和人家拿书看没关系，别迷信了。"

小曲还想继续骂，但是看我和小艾那个狱友在一起，小艾的狱友正狠狠盯着他。他有点忌惮，就没再继续骂下去。爱民劝慰他，他借坡下驴说："我今天不和你一样见识了，下次再别这么讨厌。你知不知道你这样做谁都会讨厌的?"这个话与其是说我，不如是说给小艾的狱友听，意思是我做了没理的事儿，理在他那一边，说完了就专心玩牌去了。

我心里已经有数了，我知道该怎么揭穿他们。他妈的，这小子手劲真狠，刚才勒得我差点没上来气，我怎么也得找回来。我怕小艾的狱友在这里碍事，他眼露凶光，盯着小曲看。我叫小艾的狱友出去把小艾叫进来。我叮嘱他告诉小艾，别让小艾到瞪眼这桌边上，远远看着就行。我这么做有自己的打算，我要拿小曲的现行！小艾的狱友马上离开了房间，一会儿小艾晃晃悠悠进来了。他进来直接躺床上，眼睛看着天花板，似乎在想心事。他躺那里一动也不动，我的胆气一下壮了。有小艾在，我还怕谁啊?

我溜达到天门的位置，站在末门和天门之间，这里我能看清楚他们之间的配合，再来我能接触到桌子上的牌。我正好站到小曲侧对面，他一抬头就能看到我。我看他气哼哼地看我，马上露出讨好的笑，还对他点点头。他再没抬眼来看我，对于一个已经臣服的人，没啥威风可摆的。爱民人不错，见我过来，搂了我一下，表示友好。看看我的脖子，用手摸了摸青的地方，小声问我疼不疼。我说不疼。他小声和我说："他输了，有点急，你别和他一般见识。"我点点头，拍拍他的肩膀说没事，事情过去就过去了。

我专心看起局来。期间坐庄那小子都捡了什么花色的牌编辑，我都记在脑海里，但是我一直没采取任何动作。我默默地看着，我在等小曲切牌。这期间都是爱民或者另一个同伙切牌，也有外面散家切牌的。我有的是耐心，小曲肯定会伸手切牌的。别人切牌随便，他们不是我的目标，我就等小曲切牌。

机会终于被我等到了。那一把坐庄的小子分三次把牌编辑了固定的顺序，按照我的观察应该是 4 和 5 中间插了三张牌。头一把庄家凭运气拿了大点牌，通杀，所以这一把押钱的不多，好几个在观望。坐庄那小子就把扑克歪着放在桌子上，示意大家可以切牌了。小曲怕别人抢去了切牌的机会，马上伸出手来压住牌，以防有人伸手切牌。

　　小曲没有马上切牌，压着牌说："再有没有押的了，没有我就切了啊。"又有一个押了 100，再没人押了。小曲切了牌，但是他没有切上面 4 张，切到了中间的位置。他这样做并不是因为怕暴露，而是外面押的钱不多，觉得不值得。他们几个很有默契，只有押的钱多了才去扒一下皮，让庄家 9 点通杀。这么做也可以让庄家下把不必编辑牌。小曲切完牌以后，把切出去的牌放在庄家手跟前。庄家把这叠牌放在自己身前，防止哪个手贱动牌。庄家拿起切剩的发了起来，发完了互相一比：赔两家杀一家。我冷眼看着小曲，他对这个结果很满意，小钱赔就赔了，看来下一把他还要切牌，毕竟这次切牌让庄家出货了，他洋洋自得地吹着牛皮。

　　庄家把牌收回去，上面那些编辑好的牌没动，洗下面那些用不着的。他抽拉了几下，把牌斜放在桌上，等大家押钱。他刺激赌客说："看你们这些熊样，还是不是男人？怎么越赢越噤噤（当地土话，害怕的意思）了。来啊，押大点。"一个站在桌子边的同伙马上做出表率，押了 2000，说："上一把赔了，这一把还得赔，趁热打铁掏光他。"爱民和他们一伙，马上响应，拿出 1000 摔在天门的位置，说："我相信这一把庄家还能赔钱，我押 1000。"我心说：妈的，托，都是托。看小品上说吃饭有饭托，买鞋有鞋托，我这里有牌托。

　　这时候，准备切牌了，小曲立刻伸手压住牌，说："上把我切牌庄家出血了，这一把还我切。我押 2000，大家要对我有信心，押死他个驴操的。"其他的玩家被他和爱民一鼓动，纷纷下了大注。要不咋说都是猪呢，就是头脑简单，只看到场上有钱，其他一概看不到。我刚开始赌博的时候，何尝不是如此呢？这些猪里隐约有我以前的影子。

　　大家押好钱以后，小曲切牌，切了一张，做出发狠的姿态说："我扒了你老婆的皮，你就给我们赔吧。"说着把切出来的那张牌甩在桌子上，是个黑桃 2。我的机会到了。庄家正要拿牌发，我快他一步，按住牌，说："这把牌不能发。"

玩的人都愣住了。这些人不知道我的身份，都以为我就是个看热闹的，成天没事耗在这里看热闹，还没钱玩，估摸着可能是哪个抽水钱的小子领来看西洋景的。一个刚被场上玩家打骂过的看热闹的人，忽然上来搅局，大家都被我弄糊涂了。

15 〉过火的惩罚

小曲一看是我，说："你看你这个丧门，刚才就没稀罕和你一般见识，你还能起来了。你算干什么的，不让发牌？"说着话，眼神扫了房间一圈，可能是想看小艾那个狱友有啥反应。他还不知道，小艾的狱友被我支出去了。见小艾的狱友不在，他底气似乎更足了。

我没客气，回骂说："你才是个丧门，你爸是个老丧门，你妈是个大丧门，你是个小丧门，你全家都是丧门星。我说不能发就不能发。"我说得极快，一口气就把话说完了。小曲看我还敢顶嘴，站了起来（没忘把手里的钱都揣起来），冲过来要和我理论，貌似想把我推开，但是绝对不敢打我。

小艾挤到桌子前，说："老三说不能发就是不能发，怎么？还有不服的？"小艾挑衅地看着小曲。

小曲看是小艾，气势立刻就下来了，讨好说："艾哥，我们几个人玩得好好的，他就不让我们玩了，他算干什么的？还整天拿本破书来妨碍人。"边上的人议论纷纷，说什么的都有。有站在小曲一边，谴责我的，说："看眼就老老实实看眼，瞎搅和啥呀。"有的说："他是小艾的朋友，天天在这里。"有的说："这小子从来不玩，每天来是等人家甩喜钱的，蹭吃蹭喝的。"反正说啥的都有。

我当时所有精力在牌上。爱民和那个同伙不是混的人，大概头回遇到这样的事，站在那里，不敢开口说话。

庄家知道自己的牌有病，而且关键牌被我压住，他想把牌序打乱，就推开我

61

的手去拿扑克。小艾发现了那个小子的意图，就把手放在我的手上。小艾的手一放在我的手上，就是给那坐庄的小子十个胆子，也不敢再去拿了。

小艾抬眼看看小曲，说："老三？他不算干什么的，他说不能发，就是不能发，谁也不好使，怎么？你还有问题吗？"

小艾这么一说，谁还敢犟嘴啊，于是都不出声了。本来小曲还想说点什么或者是想做点什么，但是看小艾分明为我撑腰说话，嘴巴张了张，硬是一个字没敢说。

小艾看小曲不再说话了，老实站在那里，转头把矛头对准了庄家，问庄家："老三不让发牌，你有意见吗？"

庄家马上说："艾哥，你看你说的，我能有什么意见？我没意见，我没意见。"

小艾看局面基本控制了，把放在我手上的手拿开，问我："怎么回事，老三？"敢情他是个二百五，具体啥情况完全不知道，但是他处理得太好了。

我说："也没啥大事，这把牌很有问题，他俩合伙做牌。"我手指着小曲和庄家。

庄家马上就露出一副被冤枉的表情，说："我和小曲合伙做牌？你凭什么这样说？"

小曲立刻做出一副委屈的表情跟小艾说："艾哥，刚才我是和他有点小摩擦，刚才是我不对，主要是我输了钱心情不好，他还拿本破书，所以刚才我确实是有点冲动了。我承认我做得不对，但是他也不能诬赖我啊？"

"用不着我诬赖你，喏，牌在这里呢，咱们说什么都是多余的。咱们来让牌说话好不好？"我指着扑克说。小曲扒过皮的牌，下边应该依次是方块 7、草花 4、方片 5、黑桃 5、草花 Q、黑桃 9、红桃 A、红桃 4，小曲切出一个 2，从出门发，庄家是 9 点。

押钱的人早就把自己的钱都收回去了，桌子上只剩下一副牌。我接着说："我来给大家发一下牌，大家看看庄家是什么牌？刚才切的是 2，从出门开始发，庄家是黑桃 5 配红桃 4 的 9 点牌。下边让我一张一张地发。"说着话，我抓起最上面那张说："这一张是方块 7。"我把这张牌放在出门，说："下一张是个草花 4。"说完，我翻开亮在天门，"这一张是方片 5，"说着我抓起放在了末门的位置，"这一张就是庄家的牌，黑桃 5。"说着话我盯着小曲。

小曲眼神里有一丝哀求的神色，但是小艾正凶狠地看着他，小艾的手下都站在他的身后。大家都紧紧围在桌子边上看我翻扑克，我指着发出来的三张说："上面这四张牌（包括被小曲切出去的2）无论切哪一张出来，大家自己排一下看，是不是随便切到哪一张，这张黑桃5都要发到庄家手里呢？"说着话，我把还没亮出的那张牌亮给大家看，确实是个黑桃5。

　　这时，有一个人在那里轻声说："我就说怎么一扒皮庄家就基本通杀了，我早就怀疑不对了，所以一有人扒皮我就不押钱。"我白了他一眼，心里想：你小子尽事后诸葛亮。但是我没理他，继续发牌，直到所有的牌都发完，庄家果然是5+4的9点通杀牌。由于我是先说牌后亮牌，该懂的就都懂了。居然还有一两个人露出不明白的表情，我懒得多解释，反正就是这么一回事。

　　庄家还想挣扎一下，他为自己解脱说："我每次都是胡乱洗了牌的，你不要这样来诬赖人啊。"

　　我看他还不死心，就把亮开的扑克花色朝上收到牌顶，学他的样子抽拉着洗牌，问他："是这样洗的？"庄家一下就变哑巴了。我把这一切解释明白了，把扑克丢在桌子上，回过头去找那本被小曲丢得远远的书。捡起我的小说，转过身说："我为什么乐？我就是看你小子收牌没收利索，把自己收了个瘪十，我才乐。妈的，还差点挨了顿揍。"

　　押了钱的计算着自己输了多少多少，要求庄家退钱。有一个小子输得不少，直接对着庄家的脸打了一拳，说："我操你妈的，你谁都敢骗是不？"周围人一看有人先动手了，马上有人去拽庄家的衣服领子，跟着要钱。小艾一看要乱了，马上把那几个小子拉住，说："都别动手。"庄家这时候低着头，没做任何辩解。有个小子抓起桌子上的扑克，摔到庄家的脸上。庄家只是低着头不出声。

　　小艾看安抚下那头，这头又冒出来，大叫一声："都给我停！"大家立马都不动了。这时，不光是瞪眼局上的人，牌九局上的人以为这边要打架，也把地方腾出来，站在边上等着看热闹。我由于捡书，因此离中心有点远，一看要打起来了，就使劲挤了过去，看眼一定要在第一线才有热闹。我呢，就是专业围观的。你要路过我住的城市，遇到街头打架的，在看眼的人堆里找找，脑袋使劲往前探的那个人肯定是我。街上只要围了一堆人，那里面基本有我。

　　小艾眯着小眼，一会儿盯着小曲，一会儿盯着庄家，一时还没想到该怎么办。大家都等着他的裁决。忽然他大叫一声："你他妈的把钱都给我掏出来！"这一嗓子大极了，把周围人（包括我）都吓了一跳。小曲身子吓得颤了一下，马上就反应过来，小艾是说他的。他哪里敢不听，乖乖地把刚才揣起来的钱掏了出来，放在桌子上。小艾眯着眼睛看着他，说："继续掏，还有。"小曲赶紧掏其他的口袋。小艾只是说："还有，再掏。"最后，小曲把口袋里的烟啊，火机啊，毛票啊，钢蹦啊，手纸啥的，都掏出来放在桌子上，口袋的兜都翻了过来。小艾还说："还有，继续掏。"小曲实在掏不出啥东西来了，只好表示自己真的没有东西可以掏了。小艾不信，挨个地方摸了摸，确定他身上啥东西都没了，兜里的都在桌子上放着，就转过头去看庄家。

庄家立刻掏了起来，也是把所有的东西都掏出来放在桌子上。小艾不说话，只是看着庄家，一边冷冷地笑，笑得那个庄家心里直发毛，掏东西的手都不利索了，哆哆嗦嗦掏兜，偶尔抬头看看小艾，露出讨好的尴尬的表情。

小艾等他把钱都掏出来，把他俩的钱合在一起，握在自己的手里，计算数目，没做任何表示。可能是第一次处理这种事，他要想想怎么处理。想了一会儿，他好像还是没主意，把钱放在桌子上，在人堆里挨个看，是在找我。看到我后，他问我："老三，怎么处理？"

我说："抓是我的事，怎么处理是你的事，你别来问我。"

小艾听我这样说，有点恼火，恼我推得一干二净。我看他有点恼了，更没主意了。他看了我一会儿，忽然凑我面前指着我的脖子说："这是怎么回事？"

我知道他是说我脖子上被小曲勒出来的瘀青，我像受了委屈的孩子一样，指着小曲说："就他刚才掐的。"

小艾马上转过身去看小曲，说："你他妈的手挺黑啊？谁你都敢掐？谁借给你这么大的胆子？"

小曲一看事情不好，马上对小艾求饶说："艾哥，你听我说……"

小艾不等他把话说完，一拳直接打在他脸上，小曲被打得后退一步。小曲身后站着小艾的手下，那些人马上把小曲推回来，小艾又一拳打过去。小曲要躲没躲开，这一拳打在小曲的额头上，小曲躲避时把桌子带倒，桌子上的钱"哗啦啦"都撒在地上，满地都是。

小艾狠狠地说："你个小崽子，还敢躲？"

小曲连忙说："不是的，艾哥……"

小艾根本不给他说话的机会，大喊一声："把钱都给我捡起来！"

小曲没敢继续说，低下头去捡钱。小艾低着头看小曲，越看越来气，猛地一脚踢了上去，这一脚结结实实踢在小曲的侧面脸上。小曲当时就捧着脸满地翻滚，小艾那些手下立刻围过去，你一脚我一脚踢了起来。我一看可不好了，别把人打坏了，急忙过去拉住他们，叫他们都别打了。拉住了这个，拉不住那个。小艾看满地钱，就叫那些哥们儿先别打了，把钱都捡起来再说。小曲在地上捧着脸，很痛苦的样子，可是也得忍着。庄家站在一边，一动不动。小艾没管他，抓起钱就出去了。我合计着是找健哥商量去了。

屋里的人谁也不敢动，等着小艾回来发落。我看到爱民脸色都变了，他心里有鬼，害怕小艾，害怕我把他给揭穿。我对他笑了一下，就不再看他。我压根没想把他和另一个同伙揭穿。我不看他，省得他有压力，在我的印象里，他是一个很不错的人。不论是为了避免事态扩大还是我假惺惺做人情，我都决定要放他们一马。

房间里大家围着看热闹，就顾看打人，好像都忘记了自己的钱被骗的事。一会儿小艾进来了，除了那叠钱，手里还多了个羊角锤（就是我们第一次见面他输给我的那个羊角锤）。

他阴着脸站到了桌子前，看看周围的人，又看看躺在地上的小曲，把钱放在桌子上，说："把他弄过来。"他的几个手下立刻抓头发的抓头发，拽胳膊的拽胳膊，没几下就把小曲架到了桌子边上。

小艾仔细端详着小曲，似乎在看小曲脸上伤得怎么样，看了几眼，说："你他妈的还挺会装死？"

小曲说："艾哥，我服了，你说怎样就怎样，我的钱都还给大家。"

小艾说："你服了？你他妈的知道这里是哪里吗？敢在这里出千？还敢打我们请的看局的老三，你的胆子也太肥了。我今天不给你留点纪念，还真对不起你。"说着话，他要几个哥们儿把小曲架住，硬把小曲的右手摆在桌子上。他以前好像说过如果他看出我怎么出千，就用小羊角锤把我手指砸碎。当时听起来虽然像是玩笑，但是这次可不像是玩笑了。

我看要动真的了，马上过去拖住小艾的胳膊，不让他这样做。小艾用力挣脱了我的手，说："怎么处理是我的事，不用你管。"说着话，一把推开我。我又上去拖住小艾，还没说话。小艾虎着脸看着我把着他胳膊的手，说："拿开！"我哪里敢不拿开啊，说实话，我是从心底里畏惧他的，于是我只好乖乖把手从他胳膊上松开。

那边早有三个人把小曲架着趴在桌子上，小曲右手被其中两个牢牢按在桌子上。小艾晃着羊角锤，在桌子上比划，说："你个小手贱贱的，今天不给你留点什么，我实在是不舒服。"

小曲带着哭腔说："艾哥，我再也不敢了，我下次再也不敢了啊，艾哥。"

小艾不为所动，哼了一声，说："还想下次？再也没有下次了。"说着话，他把锤子举起来，小曲的手被小艾的手下牢牢按着，平展在桌子上。小艾没犹豫，一锤砸了下去。

"啊！"小曲发出一声惨叫。那一锤正砸在了小曲右手的小指头上。砸完了，小艾的手下放开小曲，小曲捧着右手跪在地上大声喊疼。小艾很不屑地看着他，说："疼？你还知道疼？我自己的我都吃了我还不疼，你怎么这么面呢？你刚才那厉害劲哪里去了？操你妈的，就砸你一个算是轻了。"说着话，他转身过去走到了庄家面前，眼露凶光，好像马上该轮到庄家了。

大家都等着看小艾下面的行动，谁也没注意健哥什么时候进来的。他看到里面乱糟糟的，皱着眉头，走到小曲面前看了看，又看了看满地的扑克，转过来对着小艾。小艾正提着羊角锤要教训庄家，看健哥皱着眉头，脸色不好看，马上换了一副表情。他换下凶悍的模样，嬉皮笑脸地给健哥解释为什么会这样乱。

健哥听小艾说完，又看看小曲。小曲捧着右手在那里疼呢。健哥示意手下把小曲架起来坐床上，拉着小艾就出去了。过了好一会儿，小艾回来了，嘟着嘴，满脸不乐意，叫人送小曲去医院包扎。然后，他拖把椅子坐那里生闷气，估计被健哥K了一顿。

大家谁也不敢动，等着他的下一个指令。小艾看大家还在那里看，挥挥手说："事完了，你们都去玩去。"原先玩牌九的那些人继续玩牌九了，原先在瞪眼局上玩的人都还站在那里。他们看着桌子上的钱，毕竟那里有他们的钱，一个个露出企盼和贪婪的目光。

没几分钟，健哥进来了，他把每个在瞪眼局上玩的人输的钱都计算了一下，又查了一下桌子上那些钱的数额，觉得就算有人多报自己输的数字，也多不到哪里去，就召集大家去他那里领钱。健哥把小艾从那俩小子身上搜出来的钱给这个局上的玩家分一分，他们靠上去七嘴八舌说自己输了多少多少。我冷眼看着爱民，他在外围站着，可能是心虚，没敢过去报自己输了多少钱。但是我知道，这样打配合就是要把自己手里的钱"输"给庄家，这样说起来，他"输"的应该不少。爱民讨好地对我笑了笑，我把下巴朝健哥那里一抬，对爱民努了一下嘴，那意思让他过去领钱。他好像没反应过来，不解地看着我，我用手指了指健哥的方向，做出一个让他去拿钱的手势。他才敢确信我是叫他过去拿钱，他使劲点了点头，站过去等着拿钱。

　　健哥把钱给大家分完了以后，大概还剩一万多的样子，估计是小曲和那个庄家的本钱。健哥叫大家回去继续玩，然后把庄家叫过去，让他凑几万送过来，算是出千的赔偿。庄家看没动他，千恩万谢地凑钱去了。

　　目前采用这种打配合出千骗钱的团伙很多，庄家通过自己收牌整理出固定的牌序，同伙配合，扑克牌比大小点的赌局当中最多。扒皮只是其中一种比较弱智的方式。高级一点的大都以折角、弯曲、留缝隙、做桥等方式让同伙知道应该从哪里切牌，来达到出千骗人的目的。手段虽然粗糙，却能很好地达到自己的目的。一般小牌局上经常会有人这样出千，或者一群人杀几个凯子，也常这么做。别看千术低级，却很好用，多少人的血汗钱就是被一些小老千以这样的方式揣进了口袋。

16 〉无赖上门

　　小艾一共为我出过三次头。一次是在一个五星酒店的赌局上，我揭穿别人的千术，被人打了一顿，小艾和三元出头帮我报了仇；一次是前面说的宝马车勒索事件；还有一次是帮小邢赶走上门捣乱的无赖。可我呢，对他没有过任何实质的正面的帮助，说起来心里很不是滋味。

说说他帮小邢摆平无赖的事情吧。

那个时候我没工作，没局赶的时候就瞎溜达。那天起得早，没事干闲得慌，想起了该去看看小邢夫妻俩，他的公司里还有我的股份呢。上午 10 点左右，我来到小邢的公司。平时没事的时候，我偶尔去找小邢喝茶聊一会儿。小邢口才不错，去过的地方多，什么山南海北的都能和我瞎聊到一起，比较对路子。

他公司一进门是前台，前台后面是一间会议室，有个小丫头负责。每次见到我，她都很热情地招呼："三哥来了。"右面是一间大办公室，可以坐八个人办公，我和公司跑业务的小哥们儿小姐们关系都不错，每次去了，先进大办公室找他们闲聊几句。小邢不忙的时候，听见我来了，也会出来。左边是一个稍微小一些的办公室，可以容纳四个人，再后面，是小邢的办公室。

那天进去，前台小丫头没那么开朗，脸色有些古怪，好像受了什么委屈，只是点了下头，低头忙自己的事。我没当回事，径直到大办公室，哇，里面好多人啊！两个大沙发上坐得满满当当的，有两个业务员不在，他们的座位上也有人坐着。我正纳闷呢，一个染着黄色头发的小丫头说话了。这丫头嘴里叼着一支香烟，翘着兰花指，好像要学人家扮优雅，奈何年纪太小，怎么看怎么别扭。她看我进来拿腔拿调地说："这里今天不办公，先生你请回吧。"周围"哄"一声全乐了。沙发那边坐着一个小丫头，染着红红的嘴唇，她拿起一本书来，"啪"地一下丢向那抽烟的丫头，说："骚货，好好说话。"周围又是一片哄笑。再看那些做业务的，一个个脸上都写着无奈。

我仔细一看，感觉好像进了课堂里。两个沙发上坐了十四五个学生模样的少男少女，还有一个小男孩坐在业务员的桌子边上手里拿着圆规和格尺，好像在做几何题。另外一把椅子上坐了两个小孩，一男一女，旁若无人地拥吻着。沙发上的小孩，有的在看小说，也有写作业的，大多在嬉笑打闹。最不可思议的是，竟然有四个在茶几上打扑克。我一看这场面有点发蒙，这哪儿和哪儿啊？反正我进去他们就七嘴八舌地起哄。要真的是来做业务的，见这阵势，都得跑了。怎么没人管管呢？我转身来到四个人的办公室，这里也不清净，沙发上坐得满满的，七个人挤在沙发上，其中两个玩手上的缠皮筋，一个个不说话。小邢的媳妇翎子坐在自己的桌子边上，脸上写满了无奈。

因为小邢房间的玻璃是磨花的，看不到里面的情况，但是隐约能听到一个人大声说："你今天给钱还都罢了，不给钱我们就不算完。"说话人的口音里带着浓重的沈阳味儿。小邢在低低说着什么，解释着什么，听不清楚，可能是在和那人说道理。

翎子看我进来，没和我打招呼就出去了，我跟着出去。我俩来到外面楼梯间，翎子给我讲述了事情的始末。

原来小邢公司之前接了一笔业务，帮沈阳一家公司申请一批渔业海员证书，一共是70多本。沈阳那家公司招收了一批远洋的渔业船员，申请了各种证件，办理了海员证，这些人就可以上船了，船都定好了。

小邢和对方谈妥，一本证书加收500元，就去申请了。小邢的公司本身不具备办理海员证的业务，只能找那些有海员证代码的公司去申请。理论上，从一本证书的申请到最后出证书，在海事局那里需要15个工作日。这是商业船舶海员证书的规定，渔业海员证书的申请，必须要一个批文满了才可以申请一次，也就是说：一个批文是500本，不凑够500本是不可以申请的，所以必须等有500个申请的，再一起申请。这样一直拖了一个半月才把这70多本海员证办下来。

海员证办下来以后，沈阳那边的公司拒绝来拿海员证，他们认为海员证办理的时间太久了，证下来的时候那边的船已经走了，70多个人上不去船，所以他们这些人拿了海员证也没有任何用处。小邢当时没在意，有合同在，海员证出来了，拿不拿是他们的问题。

后来那沈阳公司的负责人找上门来，要小邢把办理海员证的钱返还给他们。小邢怎么可能给他呢？钱都办理证件花掉了。小邢答复说："要么拿证，绝对不会返钱给你的。"反复谈了几次，小邢可能不确定沈阳那家公司的经理说的是不是实话。双方互相扯皮，事情僵持不下。

于是，那沈阳的经理来到这个城市，不知道通过什么关系，认识了本地一个有名的街头混混，绰号"菜刀"。菜刀最早整天腰里别一把菜刀，因此而出名。此人颇有古龙小说人物的做派，他给菜刀做了个鞘，别在腰上，打架时抽出菜刀狂砍。最后大家都叫他菜刀，反倒没有人知道他的本名了。由于没有工作，就挂靠了一个舞厅的小姐，被小姐养着，整天无所事事到处招惹是非。

不知道沈阳的经理给菜刀许诺了什么好处，让菜刀替他出头来要账。某天下午，菜刀就带了几个手下到小邢的公司找小邢谈判：要么给钱，要么把办公室砸了。

小邢坚持认为这是合同纠纷，应该上法院。但是这些无赖混混，听到"法院"两个字冷笑几声，他们怎么可能走法律程序呢？菜刀在办公室里骂骂咧咧地威胁小邢，他带的那些人凶巴巴的，一看就是社会上混的小流氓。前台小丫头偷偷报了警。警察来了问明情况，说："不管你们之间的经济纠纷。"警察的解释是，有明文规定，警察不能参与解决经济纠纷。警察看没发生打架斗殴事件，调解了一下，说："如果有什么纠纷就去法院解决，希望你们之间好好协商解决。如果出现打人、毁坏公司财物的事情，那绝对不可以，我们立马带人回局里。"临了警察警告那些混混不要乱来，否则决不客气。

那些混混们没有乱来，一直磨叽到晚上公司快下班的时候。小丫头又报了警，警察来了说："有什么事你们明天谈，如果不让人家下班，那就按照扰乱公共秩序全部带走。"然后把混混们和小邢夫妻叫到局里做了笔录，说是证明两次报警，还把那些混混的名字都登记在案，然后吓唬那些混混说："以后如果他们公司有什么意外，你们是最先被怀疑的对象，最好老实一点，别惹事。"说完就把人打发走了，跟小邢夫妇解释说没有出现打人等违法行为，还跟小邢说，下次要等那些混混们打了人，再报案。

第二天那些混混又来了，小邢还是坚持去法院，由法院裁决谁是谁非。奈何这些混混大呼小叫的，根本不听小邢这一套。期间办公室来了好几拨谈业务的客户，都被他们吓跑了。这些混混发现不打人也能达到目的，就在办公室闲坐着干扰人家做生意，折腾了半天才走。第三天，菜刀不知道从哪里找来一群学生，办公室里能坐的地方都满满当当的，来了客户，他们要么风言风语讽刺人家，要么打岔耍贫嘴，要么直接撵人家走。警察来过，拿他们没有办法。这群小孩对警察特别尊敬，见了警察直喊"大叔"，说自己来找谁谁谁办事，不是来闹事的，警察劝诫一番就走了，没起任何作用。

小邢被闹得吃不消，做出让步，一本500元的利润，这笔钱可以退还，只是这笔钱对方还没有支付，原来约定证办下来付这笔钱，他们只给了小邢办证需要的手续费，一本1800元，一共70本。据说渔业海员证有两种，一种是不可以出境，一本1200元。对方指定要办可以出境的渔业海员证，双方签了协议，协议上并没有约定证书交付的期限。小邢表示这笔买卖就当自己没做了，不要他们支付最后的酬劳，拿了海员证走人。

那些人看小邢妥协，更加嚣张，拒绝了小邢的提议，说："邢总，想得太简单了吧，拿咱哥们儿当讨吃的呢。你到街上打听打听，咱哥们儿可不是那么好打发的，这些天我们兄弟按时按点来你公司帮忙，辛苦钱怎么着也得给点吧，一人一天50元，不算多的。还有，咱哥们儿来干活，烟钱和午饭钱，你们得管，我也不多要，烟钱一人一天10元，中午饭钱一个人一天20元。你看，人家大老远从沈阳过来，来回的路费、吃住的费用，你得报销。这些钱你要不给，弟兄们没法交代，还得在你这里帮帮忙的。"

小邢认准了他们不敢闹事，咬牙坚持和他们谈判。可是，怎么都谈不拢的，对方坚持说小邢办证耽误了他们上船，现在这些船员没地方上船，要证也没用了，他们不但要小邢负担杂七杂八的所谓损失，甚至提出要小邢退还前期付的手续费。

小邢又退了一步，说："我可以帮助这些船员，给他们找其他的船，问题不就解决了吗？"但对方不听，就两个字：赔钱。用翎子的话说：就是不和你讲理。

我去那天，这些学生连续三天来小邢公司报到，他们每天上班就来，下班就走。当时正好是寒假期间，他们来小邢公司，有地方做作业学功课，有地方谈恋爱，有免费的茶水喝，有空调，要多自在有多自在。来了客户他们就闹，没有客户他们自己玩自己的。找警察，白搭，讲道理，人家不听，小邢夫妇愁坏了。

17〉小艾的效率

和翎子了解了事情的经过后，我也没了主意。这帮家伙，摆明了就是敲诈，这么折腾，简直是欺负人。翎子回到办公室，说是得盯着那些学生，别叫他们偷拿走办公室的东西。我跟着进去了，见地上到处是果皮、纸屑。有个男生无聊，叠纸飞机，叠好后跟其他小孩玩纸飞机，"嘻嘻哈哈"地打闹着，吵得人脑袋疼。翎子低头捡起地上的纸飞机，她前边捡，后边有人丢，白忙活。她无奈地看着这些学生，表情很复杂。

我走到四人办公室，侧耳听小邢办公室里的动静。我轻轻拉了一下门把手，里面没插。我推门进去，小邢正和那个沈阳人谈判。小邢看是我进来，只是点点头，继续和那沈阳人说道理。他们背对着门，边上坐着一个大高个。那个大高个就是菜刀，他听到门响，扭头看我，手里拿着一个一次性纸杯。

菜刀长了一张欠揍的脸，阴沉沉的，好像别人欠了他多少钱似的。他看我是一张陌生面孔，很不客气地说："出去，我们在谈事。"

我犹豫了一下，没动。那菜刀认为我把他的话当耳旁风，将纸杯里的水向我脸上泼了过来，骂道："你他妈的，你聋啊，我叫你出去！"

好汉不吃眼前亏，我看情况不妙，没顾上抹脸，关上门走出来。

沙发上一个小男生抽着烟，对我吐了个大大的烟圈，看我被泼了满脸水，对着我做了个鬼脸，好像在嘲笑我的狼狈。我心里愤恨至极，但是表面上没显露出来。就我这体格，肯定打不过人家。不行，好歹公司有我的股份，以往公司赚了钱，小邢从来没少过我的，我得做点什么来帮帮小邢。不是比谁狠吗？好的，咱就比一比。

我溜出了公司大门，来到了楼梯间，给小艾挂电话。漫长的音乐之后，传来一个脆生生的女声，问："你好，这里是桑拿寄存处，客人正在休息，手机存在我这里，你要和机主谈话还是留言？"我一听，敢情他在睡觉啊，顾不得了，就说："你赶紧叫他接电话，就说出大事了。"那边说："稍等。"好一会儿，电话里传来小艾的声音，听他说话的样子，应该是刚被人喊醒，还在迷糊呢。

我可不管这些，说："小艾啊，快，出事了，我被人欺负了。"

小艾听我被人欺负了，声音立刻大了起来："你没提我吗？"

我倒是想提来着，奈何人家不给我说话的机会。我刺激他说："提你好用啊？"

他没接我的话，问我："你在哪里？那些人还在不在？"

我赶紧告诉他地址、楼层、房间号。他说记下了，离得不远，10分钟就到。

结束了通话，我顿时找到了狐假虎威的感觉，变得底气十足，再回到小邢的公司，心情变得很不一样。我进了大屋，站在那里饶有兴致地看着坐在椅子上的那对小情侣。这俩小屁孩一直亲吻搂抱，其他的人好像看习惯了，就我看得很起劲。

那个染着黄毛的小丫头说我："老帅哥，你看什么呢？你眼气（土话，羡慕的意思）吗？"我一听，这词儿新鲜啊。我没理她，有免费的"三级片"，不看白不看。

看了一会儿，那边房间门有了动静，小邢出来，到了大屋。他看着满地纸屑、瓜果皮核，皱了皱眉，什么也没说。菜刀跟着小邢来到了大屋，他先恶狠狠地瞪了我一眼，对小邢说："这个钱你必须拿，不拿你就等着关门吧，你这么大一个老板还在乎这点小钱吗？"

小邢说："我的钱也不是海水涨潮涨来的，该我拿我绝对拿，不该我拿的钱你们不要强人所难，你们的要求简直是无理取闹。"

菜刀说："无理取闹怎么了？你告我去啊？"一副无赖的脸孔和口气。

正闹得不可开交，外面有了动静，隐约有人进来。我的心"扑通"跳了一下：是不是小艾来了？

果然是小艾。他听到大屋有人争辩，顺着声音就进来了。只有他一个人，他披着件夹克，脖子上还挂了条白毛巾。屋里人见进来一条壮汉，都去看他。小艾进屋后，先挨个看人。他先走到菜刀跟前，他俩个头差不多，小艾看人很有意思，非得凑到人眼跟前，跟对方的距离不超过一拳头。

菜刀认得小艾，小艾看他，他正想说些什么，谁知小艾已经别过脸去，走到小邢跟前看小邢了。小邢不认得小艾，被他看得发毛，不由后退了一大步。小艾没理我，他好像对那些坐着的学生很感兴趣，凑过头挨个去看他们都在做什么。其中一个小孩正写作业呢，小艾把他的作业本一把抓起来，翻了翻，没看出啥名堂，又丢了回去。

那些学生哪里认得他，但是都被他给镇住了。小艾身上有一种霸气，站在那里什么都不做都能让别人畏惧。原来疯闹的学生也都停下了，那四个打扑克的小孩转头看着小艾，估计心里在合计着：这个人是谁？来干什么？

菜刀从小艾一进房间，脸色就变了。小艾看了他一眼，再没答理他，菜刀有点架不住了，他不明白小艾为什么会出现。等小艾转过身来，他马上掏出烟敬小艾。小艾没说话，把烟叼嘴里，菜刀马上就给他点着了。我一看有点泄气，怎么他俩认识啊，看来出气没指望了。那边的学生一看他俩认识，都以为小艾是自己一伙的，又开始疯闹起来。小艾没说话，叼着烟恶狠狠地看着他们，那帮小孩又都安静下来。

小艾转身看小邢，我看他好像找错人了，忙说："小邢是我哥们儿，这公司有我的股份。"小艾这才反应过来，小邢是我一伙的。他马上伸出手来，对小邢说："我是小艾。"小邢赶紧伸手和小艾握了一下。

菜刀讪讪地喊了声："艾哥。"

小艾扭头看着我，征询我是不是他刚才欺负我。我点点头。小艾终于搞清楚这里的人物关系，转脸去看菜刀。

菜刀被他看得不知道该说什么。小艾嘴巴里叼着烟，冷冷地看着菜刀，说："跪下！"菜刀以为自己听错了，刚想问，小艾提高声音，恶狠狠地说："我叫你跪下——"

这下菜刀听明白了，他有点犹豫，转头看看那些学生。我想他大概是觉得这时候下跪，自己的威望会受到损害。但是看小艾没有和他开玩笑的意思，而且看到小艾主动和小邢打招呼，明白小艾是我喊来的，并不是他这头的人。犹豫了一下，菜刀很听话地跪在了那里。那边学生立刻鸦雀无声。小艾见几个学生的手指头上夹着烟，说："把烟都掐了。"他的话简直比圣旨还好用，那些学生一看自己的带头大哥被人家两句话驯得老老实实跪在那里，哪里敢不听？一个个马上把烟掐了，坐在那里大气也不敢出。

小邢精神一振，连忙往里让小艾，请小艾去自己办公室坐。小艾想推辞，被我推了一把，就没推辞，跟着去了里面的小屋。路过翎子那屋，翎子投过一个询问的眼神，我打了个 OK 的手势给她，让她放心。

进了里屋，沈阳公司的经理还大刺刺地坐在那里。外面发生了什么事，他一点都不知道。我这时候底气壮啊，对那沈阳人说："你出去，我们谈点事。"

他说："有什么事你们谈你们的，我在这里听着。"

小艾不知道他是做什么的，看了看他，又看看我。我说："他和外面那人是一起的。"

小艾一听，上去抓住他的头发，一把就把他从座位上拽了起来，拖到门口，另一只手打开门，侧过身，一脚把那沈阳人给踹了出去。外屋坐着的学生见沈阳人被踹出来，立刻乱了起来。小艾不管这些，把门一关，什么都听不到。

小邢也有意思，把他和沈阳那家公司签的协议拿了出来要给小艾看，意思是叫小艾给裁决一下，或者要给小艾讲清事情的原委。小艾哪里听得进去，摆摆手制止了小邢继续唠叨，直接问我："老三，你想怎么办？"

问我？我能有什么主意？这时，翎子进来给我们倒水。翎子很机灵，一下就看出来形势逆转。她说："他们也太不讲理了，还欠我们一本500元的费用呢，一共35000元还没给呢。"

小艾终于找到能问明白事情的人，就让翎子说一下该怎么办。

翎子三两句话把事情说了一下，小艾说："那我来处理了，我处理成啥样就是啥样了，你们别挑我。"

坐着闲聊了一会儿，他出了小邢的办公室，我和小邢跟着出来。来到外屋，见沈阳人捂着脸蹲在那里，不知道被谁暴打了一顿。后来才知道，他被小艾踢出去以后，马上就去找菜刀。到大房间看到菜刀跪在那里，一声不吭，知道坏事了，就想跑。刚要出门，门口围了一群恶煞。小艾他们走哪里办事都是先把门堵上，任何人不得进出。这些人不让他走，他就非要走。他们问门口接待的小丫头：这个人是不是你们公司的？那丫头看出苗头，就说："他是来找事的。"那些人知道他不是这个公司的人，而是欺负我的那伙人里的，看到小艾进去了，找机会开溜。他们没对沈阳人客气，一顿直拳给打了回来。不知谁打在他脸上，他蹲在那里捂着脸装可怜。大屋里也有学生想开溜，但是看那沈阳人被人三拳两脚打回来，知道是出不去了，一个个老老实实沿着沙发侧面的文件柜站成整整齐齐一排，没人敢在沙发上坐着了。

菜刀还在那里跪着，看小艾过来了，说："艾哥，你听我说。"

小艾马上做出一个手势阻止了他，说："我不想听，你把你那窟窿给我闭上，我没问你话你敢再出一声，我就把你从窗口扔下去。"小邢的办公室在11楼，那菜刀再说一句，我不知道小艾会不会真把他丢下去。但是菜刀确实立刻闭嘴做哑巴了，老老实实跪在那里。

小艾走到文件柜前，比起菜刀的事情，他似乎对那些学生更感兴趣。他像检阅部队一样，来回看了一圈，停在那个嘴巴搽得很红的女生跟前，问她："你叫什么名字？"我还纳闷，问这个干什么啊？搞对象啊？

那个女生低着头，像蚊子一样说了个名字。

小艾可能没听见，说："你大点声。"那女生就像报告长官一样大声说出自己的名字。小艾问："你吃死孩子了啊？"那女生没听懂，还在想小艾这话是什么意思。边上一个男生小声提示她说："大哥嫌你嘴唇搽擦太红了。"小艾真是个怪人，指着人家丫头的嘴巴说："擦了。"那女生好像还没搞明白，边上那个男生小声对那个女的说："大哥叫你把口红擦掉。"那女生没敢动地方，不敢从茶几上找纸巾，就用自己的衣服袖子抹了起来。小艾盯着人家，一直看她把口红擦干净了，才在沙发上坐了下来，示意小邢和我也坐过去。

我俩哪敢不听，赶紧坐好。他一声不出，只是阴阴地看着菜刀。菜刀不敢和他对眼看，低着头一声不敢出。我看菜刀这个样子，心情那叫一个舒畅啊。

小艾依旧不理他，指着一个学生说："去，把外面那个蹲着的叫进来。"那学生麻溜地出去把那沈阳人叫进来。那小子单手捂着脸，走了过来。小艾示意他靠前一点，说："你把手拿开。"沈阳人把手拿开了。小艾问他："哪个把你打了？"他喏喏说是门口站的人打的。小艾说："谁打的你，你去认一下，把他叫进来。"那沈阳人不知道小艾什么用意，但是又不敢不去，去外面叫了个人进来（估计是打他的那个人）。这个人是小艾的一个狱友，小艾问他狱友说："你刚才打他了？"小艾的狱友说："我没打他啊。"小艾就问那个沈阳人说："怎么回事？他说他没打你，到底是谁打的？"那沈阳人是个笨蛋，竟然说："就是他打的我。"好像以为小艾能给他主持公道似的。

小艾表现出要为他主持公道的样子，追问他狱友说："你怎么还不承认？他说就是你打的。"

小艾的狱友对沈阳人说："是吗？你确实看清楚是我打的你？"

那沈阳人重重点点头说："就是你打的我。"说着话他用期盼的眼神看着小艾。可是小艾并没有看他，自己找根烟点上抽了起来。一句话没说，把头扭到了别处。

他那狱友没再废话，上去抓住那沈阳人的头发，把他拖到墙边，抓着他的脑袋往墙上死命地撞，随着"咚咚"的撞击声，那沈阳人杀猪一般嚎叫着。撞了六七下，小艾的狱友觉得差不多了，拽起那沈阳人，一记直拳过去，那沈阳人仰面朝天倒在地上。站在文件柜边上的学生吓坏了，一个个低着头，大气不敢出一下。

小艾的狱友走到沈阳人跟前，蹲下来，问他："我打过你吗？你看清楚了是我打的吗？"就是傻子这会儿也反应过来了，那沈阳人忙不迭说："我看错了，不是你打的我，不对，是没人打我，没人打我。"小艾的狱友很满意，拍拍手站了起来，走到了一边不说话了。

小艾看沈阳人老实了，才转过头来对菜刀说："菜刀，你过来。"菜刀听小艾喊他，急忙站起来走到小艾面前站好。小艾靠着坐在沙发上的，觉得仰着头看菜刀不得劲，也可能想压压菜刀的气焰，说："你他妈的显得你长得高还是怎么的？继续跪着。"菜刀没敢反抗，老实地跪了下来。小艾说："来，你给我说说这到底是怎么一回事？"菜刀哆哆嗦嗦说了他和沈阳人来闹事的经过。原来那个沈阳人经人介绍认识菜刀，请菜刀帮他要账，并承诺要到分给菜刀三成，一共3万多。菜刀想弄点零花钱，便和沈阳人合作来找小邢公司的麻烦。

小艾又问："那这些学生是怎么回事？"

菜刀说是他手下一个小哥们儿组织的，他们来了就是静坐示威，不惹事，警察来了拿他们没办法。一天给他们每个人30元劳务费，钱由沈阳人出，这些小孩大部分他不认识。

小艾听了连连称赞："好主意，真是好主意。他今天来没？"

菜刀说："来了。"

小艾便问哪个是，那小子在一旁听小艾和菜刀说到自己，又听小艾叫他，赶忙出来，就是在椅子上抱个女孩又亲又摸的那个。他毕恭毕敬站在小艾跟前，五个手指紧贴着裤子竖缝。小艾指指菜刀边上的空地儿，那小子是个机灵人，立刻过去直挺挺跪在那里。小艾点点头，似乎对他还算满意。

小艾转头问菜刀："你现在想怎么处理这件事？"

菜刀说："既然艾哥你出面了，一切由艾哥你发落。"

这时，翎子说话了："那我们公司这一个星期叫你们闹得鸡飞狗跳的怎么算？这个星期叫你们撵走那么多客户怎么算？"

那个菜刀不敢反驳，小邢急忙去拉他媳妇，意思是不让她多事。翎子看出我和小艾关系很铁，她甩开小邢，对菜刀说："你还泼了老三一脸的水怎么算？"

小艾一听，脸色更难看了，探身过去一把抓住菜刀的头发，往后拽，菜刀不得不仰起脸。小艾狠狠盯着菜刀，一字一句地说："你泼老三一脸的水？"

菜刀努力想做出微笑的表情，奈何那表情实在难看，他解释说："艾哥，我当时不知道他是老三，要是知道，借我个胆我也不敢。艾哥，有话好说，我真的不知道他是老三。"我心里骂道：你小子，压根就不知道这座城市里还有老三这根葱。妈的，就是嘴巴会说。

小艾盯着他看了一会儿，才放开他。小艾直勾勾地看着菜刀，抬脚作势要踹他，看菜刀没有躲，把脚放了下来。小艾在房间里四处张望，看到饮水机。他做手势招呼了一下他的狱友，又指指饮水机。他们配合很默契，他的狱友点点头，走到饮水机跟前，将饮水机上的水桶拔下来，提过来对着菜刀的头就倒了下来。菜刀本来想躲，犹豫了一下没敢动。桶里的水全部从菜刀头上倒下来，他全身都湿透了，地毯上留下好大一片水渍。小艾转过头来问我："老三，你有什么要说的没?"我说："没有，你处理吧。"

小艾没客气，他先分配那些学生打扫卫生，说："你们自己分工分责任区，一会儿我要验收，我验收的时候用这条毛巾（他脖子上挂着的）擦擦看，只要我的毛巾黑了，谁的责任区我就找谁算账。"那些学生马上行动起来，打水的打水，擦玻璃的擦玻璃，抹桌子的抹桌子，扫地的扫地，洗地毯的洗地毯，一片忙碌的场面。

小艾让小邢打开会议室门，与菜刀、沈阳人，以及他带来的七个哥们儿一起进了会议室。毕竟这是一座写字楼，有很多公司在办公，房间门口总围着一堆人不好看。

18〉风雨儿女行

在小艾的"协调"下，沈阳人把海员证全部领走了，并支付了合同上规定的500元/本的酬劳款。小艾絮絮叨叨和菜刀讲了很多的大道理，菜刀听进去多少不得而知，不过我们知道，那天，菜刀冻惨了。小邢公司会议室没空调，小艾一进会议室就让人把会议室里两扇窗户打开了。大冬天外面多冷啊，我们穿着衣服在那里都有点受不住，何况菜刀被浇了一身的水。菜刀不住颤抖，小艾一点也不着急，慢条斯理地讲着废话，菜刀呢，不敢反驳，不敢摇头，就在那里边颤抖边点头。

过了好长时间，小艾才结束训话，临了，他对菜刀说："今天我便宜你，不打你。但是，你必须找公司里每一个人道歉，态度要诚恳。一会儿我去问，哪个你没道歉，一会儿我给你换个地方，咱俩好好唠唠。"

菜刀哪敢违抗，乖乖地挨个房间找人道歉，看他哆嗦着挨个房间找人道歉的样子，公司里的人笑坏了。那些学生把公司收拾得锃亮，小艾没难为他们，检查完卫生，说："你们可以走了。"不到 30 秒，跑得一个人影都没有。一切都处理完，就到下午 5 点了。小邢对小艾说了很多感激的话，死活要请客吃饭，但是小艾就是不去。

这次小艾让我出尽风头，小艾却连饭都不吃，我要买烟让他给兄弟们分分，他死活不让。在他看来，为兄弟出头露面摆事，不需要这些讲究和排场。

后来健哥出事了，被列为黑社会，判了死刑。小艾和他的一群手下都被抓了起来。小艾坚称自己是个精神病，请了律师给自己辩护，而律师也提供了很多证据来证明小艾确实精神不正常。但是法院不知道委托什么倒霉部门做了鉴定，认为小艾不是精神病，判决时，给他列了好多罪状：敲诈、伤人等，有十多条，最后判了 12 年。可怜小艾没有攒下一分钱给他妈妈，平时挣的钱都被他挥霍了。只要他有钱，那些跟着他的哥们儿就有钱。小艾就是这样的一个人，对自己的兄弟特别好，而所有跟着他的哥们儿都愿意给他卖命。我有幸成为他的朋友，可是我没做过任何有益于小艾的事情，为此，一直感到非常内疚。小艾呢，谁也不认，就认健哥，因为在他看来，健哥在他最困难的时候帮过他。

小艾的母亲后来跟了小艾的姐姐去了南方，小艾的姐姐成了军医以后，嫁到了南方。小艾最喜欢听的歌叫《风雨女儿行》，只要去唱歌，小艾就要唱这首歌，而且唱得很投入。可能这首歌会让他有所共鸣吧。以前在歌房里听他唱的时候没听出啥滋味，光去看屏幕上那些威武的女武警拳打脚踢的神采了。后来每次听到这首歌，我忍不住要流下眼泪。我终于能体会到小艾无奈的心情了，有时候我尝试去学唱这首歌，只是每次都哽咽得唱不下去。

小艾判决下来允许探视的时候，我去看过小艾。据他说，在里面待遇不错，因为过了这些年，监狱的管理变化很大，他说他要配合狱警好好改造自己，争取能得到减刑，希望能早一点出来，重新开始新的生活。他这话让我放心。而我能做的，只是在自己钱宽裕的时候给他的监狱大账里存点钱。我很期待他出狱的那一天，那时候，我还会认他为我的好哥们儿，也会尽我最大的能力去帮助他的。

写小艾，就因为他是一个悲剧式的人物。最后走到了这步田地，很多时候是他身不由己。可以说他是一步步被逼上畸形的人生之旅的，而赌博与欺诈、打架、伤人，总是如影随形。如果我不赌博，我也不会接触到这么多社会的阴暗面，不会认识这么多灰暗变形的人物，不会看到这么多人间悲剧。

意识到这样的生活是种悲剧，是在我洗手不做老千之后的现在。搁以前，当我还是一个老千的时候，我是绝对不会意识到的。那时候，我就是个职业的骗子，经常跟人合伙去做局骗人。

19 〉杀熟

行话中，被千的大凯子叫"猪"，也不知道谁给起的名字，憨头憨脑又有油水可捞，确实很贴切。几个老千设局算计大凯子，叫做"杀猪"，说白了就是诈骗。老千的另一种称呼是"屠夫"，我做老千的那些年，杀过的"猪"不计其数，一般都是几个屠夫合作完成。事后分完钱，各走各路，感觉不错的，还有合作机会。也有长期合作的，比如我和小海，就是多年合作的搭档。

小海是我的远房亲戚，小时候一起玩过，后来他家搬到我所在的城市。再次相遇，是参加一个亲戚小孩的满月酒宴，彼此交换了联系方式。我没事的时候找小海出去吃喝玩乐，他知道我手里有活儿，常常给我联系赌局，用现在时髦的话说，有点像我的经纪人。我呢，看小海家里都是警察，有这样的靠山，不合作是傻瓜。

有一段日子我总去钓凯子。钓凯子就是算计，算计谁有钱，算计如何让凯子上钩，算计如何做局。说直白点就是骗人，如何骗得没有漏洞，如何利用赌徒的心理拿走他们身上最后一块铜板。整天琢磨这些，一旦空着的时候就抓心挠肝的。

那段时间，没有正经事做，整天四处晃荡。一个偶然的机会，在一个赌局里听说了传勇这个人。他好像有点名气，说他名气大并不是因为他傻。不要以为所有的凯子都是傻子，传勇是精明过头了，而且有一定的社会地位，是某个工商管理所的小头头。传勇好赌，赌得特别精，一般老千的伎俩他都稍微懂一些，也懂得见好就收，偶尔参加一些赌局，基本是赢了就撤，决不恋战。不过他赌钱有个习惯，喜欢下大注，押多大的注眼睛都不眨一下，输了钱笑眯眯的，哪怕输得再多，也是一副笑脸。因为赌品好，所以深受赌徒们的欢迎。第一次听到传勇的名字，是听赌徒们讨论传勇澳门赌钱传奇，其中一个说，传勇刚从澳门回来，赢了不少钱。"是吗？""啧啧，越有钱的越能赢钱。""他妈的，老子啥时候去一趟，说不定比他拿更多。"……言语间全是艳羡。

那时候我还没去过澳门，和其他赌徒一样，对那里蛮向往的。当时并没有想骗他，只是跟着大家听个乐子打发时间。说起来有点意思，自从听到传勇的名字，那段时间耳朵里老有他的故事。某天，我和小海到麻将馆找凯子，小海指着一个打麻将的中年人，偷偷告诉我，这就是传勇。那天他上身穿着件白色衬衫，下面穿条本地工商局的制服裤。

于是，我走过去站在一边看眼。传勇他们这桌麻将设施比较高级，传勇坐在一把躺椅上，雷打不动。他们玩的是能吃能碰的带夹带宝的穷和打法。穷和规则不能缺门；不能缺 1 和 9；必须有碰；坎牌算夹（比如手里有 4、6，和 5，或者 1、2 和 3，8、9 和 7，5、3、7 就是夹），要翻番；最先上听者可以要求庄家通过打单个色子抓后垛的一张牌，这张牌称为"宝"，自己摸到同一张牌，算和，要翻番（别人打下来的不算）。传勇打麻将很贪，我说的贪是指他贪大和。有时候别人点炮了他都不和，非要自摸；没有夹他是坚决不去看宝的，非要摸到凑成夹他才去摸宝。

这家麻将馆的老板和小海认识。我那一阵儿没事就在麻将馆里坐着和老板喝茶聊天，从不上桌打麻将，这里就是我穷极无聊的时候坐一会儿的地方。和传勇没打过什么交道，偶尔也看他们玩。他们玩什么我兴趣不大，毕竟是我朋友的地方，兔子还不吃窝边草呢。

平时我过来一般看不到传勇，只有大礼拜他才会出现在这里，而且风雨无阻，有时会玩到深夜。有一个周末我和小海一起乱溜达，去了好几个地方也没找到什么好局，就又来这个麻将馆喝茶胡聊打发时间。传勇他们在其中一个房间里打麻将，门开着。麻将馆老板、小海和我在客厅泡茶乱侃着。我们坐了30多分钟，大概是下午两点左右，传勇他们的局散了。他们可能连四圈都没打完，其中一个接了个电话说有急事必须得走。那个人急匆匆走了，他们的局就这么拆了。传勇他们出来叫老板，让他帮着支个局。但是老板就自己在，不想上去玩，说得照顾生意。但是他们非要拽老板上去玩几把，说那个人办完事马上就回来，老板实在推辞不过，又走不开，就让我俩上一个人去帮着支局。

我嫌麻将麻烦，实在不愿意上去玩，就叫小海上去帮他们支个局，我坐一边看热闹。小海闲着也是闲着，就跟他们凑了一局。谁知那个人一去，再没回来，小海一直下不来，从两点多打到六点左右才散局。小海输了将近1000块。他们的规矩，谁赢了谁要管一顿饭再解散。他们都是讲究人，看小海为了支局输了，都不好意思，就叫小海一起去。由于我干坐着陪了一下午，把我也拉了去。饭桌上听传勇说了自己很多赌博的"光辉"往事。后来因为总去，渐渐熟识起来，传勇等人的时候也会和我们胡聊一通。

之后我忙了起来，到处去赶局，有一些日子没去麻将馆。再次遇到他，是在一个扑克牌九的局上。在这个小牌九局上玩的人都是海鲜贩子，大部分都是传勇所管市场的经营户。他们在市场附近的一家小旅店玩，一到晚上，局面就火爆起来。他们玩得很烂。我说的烂并不是有人在捣鬼，是说他们玩的局没个章法，有时候10元也让押，多了二三百押一下也可以，有的时候遇到几个有钱的贩子来坐庄，一把押几千也有。

我是奔着抓凯子来的，不过，我们抓凯子不是到这样的局上去玩，而是在这些局上，选一些钱厚的还自以为是的家伙，再布一个精巧的局，让他们乖乖地送钱。老千的龌龊，就在这里。

一个叫宪国的哥们儿认识小海，是他带我们来的。这小子是个滥赌鬼，在市场里摆摊卖贝类等海产品。平时摊子是他老婆照看着的，他偶尔去拿点货，整天就到处去赌，欠了一屁股外债。我们就是要利用他来抓凯子，他和这些卖海鲜的凯子熟。他输急眼了，为了钱，谁的主意都能打，谁都可以出卖。

我们连续去了两个多星期，偶尔上去押几把，和大家都混了个脸熟。我们极力装出一副不怎么会玩的样子，从不去局上出千。因为在这样的局上出千拿不了多少钱，除非坐庄，但和这些贩子们抢坐庄难度太大。最后我们把目标锁定在传勇身上。选他是有原因的，因为传勇喜欢坐庄，他要坐庄了多大都敢带。这里竞争激烈，想坐庄得早早来。传勇不喜欢做散家，做散家的时候，我见他最多就押500，基本都是两三百地押，每次赢个千儿八百的，如果实在没机会坐庄，就悻悻地走了。这个就是我们把目标定在他身上的原因之一。再者，传勇有钱，有地位，能骗到，骗了也白骗，就是他明白过来了也只能是哑巴吃黄连。最关键的是，宪国和他熟，熟人骗熟人最容易不过了。

20 〉扮猪吃老虎

　　我、小海、宪国凑一起详细研究了一番，制订了一套详细的作战计划。第一步，利用传勇喜欢坐庄不喜欢做散家的心理，先让宪国去勾引他。这可不是能一步到位的事情，前期需要投资。我先给宪国一点钱，让他请传勇吃饭、桑拿。传勇管着市场，宪国在市场里做生意，名正言顺，不会让人生疑。舍不得孩子套不着狼，与成功宰猪后的收益相比，请客所花费的不过寥寥几个小钱。

　　宪国马上开始行动，天天晚上找机会腐败传勇。一来二去，传勇和宪国变成了"好朋友"。某天，宪国感觉时机差不多了，就说起了我和小海。他跟传勇说我和小海是天生的凯子，巨彪，好玩，瘾大，还有钱；刚迷上扑克牌九，属于一知半解的阶段，连个长短牌都分不利索。说到这，他好像自言自语地说："要是能把他俩给做了，肯定能赢个几十万花花。"传勇没说什么，呵呵笑，没怎么放在心上，不过，他脑子里已经对我俩有了初步印象。我俩呢，也没闲着，积极配合宪国：牌九局上传勇在的时候我俩都装成傻子样，人家说他长我短，我也假装不知道，人家说他长，我就把钱给他。这些贩子喜欢讹人，专门欺负刚玩的菜鸟，看有人不懂，本来没长牌，也说自己长。他们常年在一起，遇到外来的不懂牌九规则的，都帮自己人说话。他们以为占了我俩的小便宜，我和小海呢，则很乐意让传勇确信我俩很彪。

经过宪国的鼓动，加上对我俩的观察，传勇就有点心动了。但是他还有顾虑，怕赢不了我们。传勇以为赌博全凭运气，上了桌谁的运气好不一定。他跟宪国说出自己的顾虑，宪国神神秘秘地告诉他，这些都不是问题，只要略施小计，那几十万就是他俩的了。宪国还告诉传勇他早有准备，于是他拿出了药水和隐形眼镜，当着传勇的面演示了一下隐形眼镜和药水的神奇功效。宪国把药水涂在扑克上，然后让传勇戴上隐形眼镜。传勇一看，就跟摆开了玩一样。宪国说："看着那两个彪子的牌配牌，没有不赢的。"

传勇对"高科技"赞叹不已，试了几遍，说，这玩意真好用，当时就决定用这个"高科技"搞我俩。他是个精明人，为保险起见，又反复试验了多次，练习了多次。两人经过几次"筹划"，感到赢钱十拿九稳，商量好怎么分钱，传勇便让宪国出面约我们出来玩。

我们天天来，就是等这一天呢。

宪国告诉我们传勇约我们玩，我们马上行动起来。首先要选场地，地点很有讲究，不能离他们市场太远，远了怕传勇有顾虑；不能太惹眼，我们可不想那些水产贩子过来凑热闹，这是我们三个人对付传勇的局，不需要其他外人参与。绕着他们市场转了几圈，我们找到了合适的地方，是市场边上一间底店。这是一个修理家用电器的小门脸，这间店的老板和宪国比较熟，也认识传勇。我们找到他，跟他说想借用他的地方玩几把，开始这个老板有点犹豫，毕竟他是正当的买卖人。我们跟他说就我们四个人，下班以后玩，不耽误他做生意，每次给他几百块电费，老板马上就答应了。这么优厚的条件，谁能拒绝呢？

我们选这里，除了离市场近以外，房子本身特别适合我们的计划。房间里有一张大桌子，更重要的是，房间里的灯不是日光灯管，而是灯泡。为什么特别在意房间里的灯呢？这跟隐形眼镜的原理有关。所谓的隐形透视眼镜，其实就是在眼镜里加了一块红色的区域，这样可以看清楚药水的显影。在牌局中，你想确定一个人是不是戴了隐形眼镜，可以帮他点烟，利用打火机火焰来看他的眼睛是不是红色的。戴了这种眼镜的人，看到的人和事物跟咱们正常看到的完全是两码事：任何东西都是红色的，人影是红红的，雾蒙蒙的。

日光灯有利于戴眼镜的人更好地看清楚牌上的记号，所以我们得找有灯泡的地方。那家原先的灯泡是200瓦的，特别晃眼，叫人受不了。于是我们买了盏50瓦的换上，这样，传勇看扑克背面的印记就有点困难：不是看不清楚，而是来不及看清楚。发一张看一张，谁都会看。可是他要发四家牌，就算他每发一张看一张，另三家一圈共12张牌，哪里还能记得谁家都有什么牌，这些牌该怎么配？毕竟他不是专业老千，没有受过专门训练，临场一定会混乱。

明知道他能看，我们也得让他看，我们在演傻子嘛，得把扑克摆在桌子上让他看。一上场就露出老手的样子，传勇会跑，所以要一直装下去。灯泡是我们给他设置的第一个障碍，我们手上的牌要叫他都看得清清楚楚，我就不好下手了。

这还不够，还有第二个障碍，是扑克。宪国是中间人，所以地点和扑克都应该由他提供。当然了，这些是我们事先合计好的，宪国到传勇那儿演戏就可以了。扑克我们让宪国买红色的敦煌扑克加工，加工完了带到局上。他俩白天在一起研究的，传勇戴上眼镜看扑克背面所有的暗记很清晰。只是他不知道，到了晚上，在略微昏暗的灯光下，眼镜就没那么好用了。因为灯光效果差，而扑克的背面还是红色的，戴了眼镜，前面本来就是一片红色，再看那红色的扑克，相当费劲且不舒服。但是单张扑克的背面印记，还是可以分辨的，只是四张摆一起给他看，他就得发蒙。我们要的就是这个效果。

那传勇发现眼镜不那么好使，会不会提前退出？我们想过的，这个可能性很小。既然玩上了，一般输了钱后及时撤离的，没几个人能做得到。赌徒的心理是这样的：坐下来玩了一会儿，觉得有点倒霉，挺好的高科技道具在倒霉屋子里帮助不大，跟白天演习不是一码事，心想可能要适应一会儿吧。这时输了钱，赌徒会放弃吗？一般不会。谁都一样，都会幻想凭运气捞回来再走。何况面对的是两个分不清长短牌的凯子，精明的人会自信地认为，自己就是不出千也敢和这样的凯子玩一玩。我们主要就是要利用他的这种心理，先装憨，扮猪吃老虎。老千都是这样达到自己的目的：凯子看到的，只是一部分真相，这一部分还是我们老千让他们看的。什么都让他们知道，还不如把钱送给他们算了。

这些技术上的问题搞定后，还有一个重要人物，就是宪国。他是什么角色？用现在的话说叫双料间谍，无间道。宪国必须上场，坐一门，也要上去押钱。对于传勇来说，宪国是他的合伙人，赢了钱平分；但是传勇不知道，宪国真正的合伙人是我们。我们赢了，分给宪国1/3。

21〉演出开始了

我和小海的道具是一个包，塞进去一些报纸，从外面看好像里面装了很多钱，让传勇以为我们拿了很多钱，勾起他的贪欲。另外我取了10万元，取这10万元可不是我们上去押钱用的，钱是给传勇准备的。这样的局在我看来是稳赢的，传勇不需要带太多钱出来玩，两三万到天了。我们忙活了这么久，可不是为了他区区两三万来的。他万一输没了，没地儿拿钱，我们的局不得黄了？我们得给他续底钱。这10万块钱宪国拿着，我们还得给宪国忽然拿这么多钱找个借口。合计来合计去，商量好这钱是给宪国交"新房"押金的。如果传勇问起来，宪国就说这钱是第二天去签购房合同时交定金用的。等传勇输没了，宪国可以借钱给他。不怕传勇不还钱，而且多少钱都敢借给他，他还得起。这也是我们把传勇定为下手对象的最主要原因。别的水产贩子，我把钱借给他们，赢回来，转天去哪里找人家要钱？不像传勇，怎么都能要出来。总之，我们把所有细节都想到了，怎么看这都是一个天衣无缝的骗局。

一切准备就绪，就等着时间一到演员上场了。

我们这边紧张筹备，传勇似乎也没闲着，估计自己又找地方仔细练习了戴眼镜看牌的技巧吧。我们叫宪国通知传勇，说终于腾出空了。传勇貌似有点急不可待，一直在等着我俩。当天约好吃完晚饭直接去那个电器修理铺集合。我和小海白天无所事事，胡乱打发过去，吃了晚饭就直奔那里。

我们到的时候，传勇和宪国已经等了好一阵了。他们正在有一搭没一搭地和修理铺的老板说着话。当时是夏天，我们到的时候大概6点左右，外面天还很亮，街面上人来来往往，修理铺还没到关门的时间，其他店家都在营业，所以我们没急着玩，一直等着天黑，老板结束营业，我们才开始战斗。

我和小海故作矜持，找一些安全的话题闲扯，聊着彼此的工作和收入，同时装作不经意的样子互相探对方的底，最主要是想知道对方带了多少钱来玩。通过聊天知道传勇带了 5 万来赶这个局，我们不禁暗暗高兴。我把装满报纸的包使劲拍拍，那意思是我和小海分别带了不亚于这个数字的赌资。传勇很开心，虽然他在极力掩饰，大概他以为我们包里的"钱"一会儿就跟他姓了吧。看他那个凯子样，我心里暗自冷笑：看来可以拿点好货了。

天色渐晚，我们借口里面太闷，出来在街边站了一会儿，我和小海趁机狠抽了几根烟。我和小海、宪国约好了，在赌局的第一阶段谁也不能抽烟，房间很小，关起门来玩，没有排风扇。烟雾会对传勇有影响，他戴着隐形眼镜，万一刚开始玩，他就因为烟熏摘了眼镜而放弃这个赌局，我们之前的辛苦就白费了。在时机成熟的时候再抽烟，就是等传勇已经陷进去，不会主动提出结束的时候，那会儿再抽烟，一是可以解决烟瘾，二是熏一下传勇，让他的眼镜功能彻底失效。这也是我们找比较封闭的房间的原因。

聊天的时候，我观察了一下传勇，见他早早戴了眼镜。估计他看我就是一个"红人"，我想着就想笑，不过我拼命忍住了。

好不容易等到修理铺结束营业，周围响起一阵阵拉卷闸门的声音。我们赶紧回到了修理铺，帮老板把闸门拉下来，把桌子收拾出来，马上就能开局了。

我们已经说好了，一门 2000 元封顶，由传勇坐庄。因为我是要出千的人，所以我坐到了末门。坐天门和他坐对面，面对面他观察记号比较容易。我坐了末门，他想看我的牌必须扭头看，很费劲而且容易被怀疑。他忙不过来时，只能看天门一家，所以我得避开天门的位置。小海坐了天门，宪国坐在出门。说好了规矩，演出就开始了。

宪国拿出扑克，开封，几个人七手八脚捡出一副牌九扑克。这个时候，屋里开灯了。传勇看不清楚所有的牌，我倒是可以把他看个真真切切，他的各种动作，他的表情。果然，他可能觉得看牌有点不太适应，有时候他直勾勾地看着发出去的牌。他一发出来牌，我马上拿在手上看，我要给他一个错觉：不是环境影响了眼镜的效果，而是他刚开始玩，有点不太适应。他和宪国白天搞的是演习，演习中有的是时间让他看清各门发了什么牌。现在是实战了，赌场上，时间就是金钱，谁会给他时间看，再说，都叫他看了，我们千谁去？

　　事前，我要求小海每次和我一样都押满注，我出千赢的几率就大。他呢，负责配合和掩护，每次都要慢吞吞，不着急看牌，故意把牌放在桌上，他自己或者点钱，或者干别的，就是让传勇辨认小海都是什么牌。我则必须每次都要做出迫不及待看牌的架势，利用拿牌的瞬间干扰传勇看牌，让他来不及看清楚发到我家的都是什么牌。等传勇看完小海的牌，我已经出好千了。我赢小海输，我俩起码是保本的买卖。

　　大概玩了半个小时，传勇忙得不亦乐乎。他要发牌、看别人的牌、自己配点、收钱赔钱、洗牌，恨不得多长两只眼睛、两只手。后来他可能发现看清我的牌不太可能，索性放弃看我的牌，专心看小海的牌。一切都在我们的控制之中，这样的灯光条件、扑克颜色，隐形眼镜就是聋子的耳朵——摆设。不大一会儿，传勇就输了1万多元。传勇有时候能把两配的牌配好了杀小海，但是最后我能赢了他，他杀了小海又被我杀了回来，等于白忙活。当然，这可不是一个简单的过程，而是一场艰苦的拉锯战。

　　我的出千方式是最原始的，我在传勇洗牌的时候就用手卡走一张牌。这样的千局是不在乎带赃不带赃的，人都是我们的人，再说传勇带了隐形眼镜，他就是发觉我偷牌了，我还可以揭穿他戴眼镜，何况他发现不了。我每次五张牌配点赢他，再容易不过了。每次传勇发牌，我都是手直接伸过去，手心朝下，用藏在手里的牌盖在他发给我的牌上，拿起来配点。我拿牌时就把手里的扑克和桌子上的扑克重合，然后拿起来看之前偷的是什么牌。奈何小海总是被人杀，毕竟传勇相当于看着小海的牌配牌，所以这样一来一回，割起来特别慢。

　　小海故意慢腾腾让传勇看自己的牌，一是吸引他的视线，让我更好出千；二是麻痹传勇，让他认为自己戴隐形眼镜还是好用的。在传勇看来，宪国在场上输的钱等于他左兜的钱到了右兜，他是和我与小海在赌钱。能看到一门配牌，还是占据主动的。艰苦的拉锯战一直持续了一个多小时，我们从传勇身上掏出来2万多元。

　　有一把牌很有意思，传勇的头和小海的头一样大。但是小海的头有一张长牌。传勇的头都是杂牌，而尾牌传勇比小海大。这样的牌本来是双方保本的牌，但是小海的长牌，被传勇说成是杂牌。小海也不能和传勇犟，你说是杂牌就杂牌，钱你拿去。我看传勇明显底气不足糊弄小海那是杂牌，心里乐翻了锅。但是我得做戏，装着不懂，说，那可能是个杂牌。这样让传勇占了次便宜。传勇尝了次甜头，有好几次都想占便宜，竟然把我的人牌说得没他的鹅牌大。我就背口诀（天地人鹅）给他听。他才装出恍然大悟的样子，拍拍脑门说自己记错了。我心里冷笑：什么便宜可以让你占，什么便宜不能让你占，可不是你传勇说了算的！

只是小海郁闷啊，装着彪子呢，得揣着明白装糊涂，索性继续装。有一把他两家都是瘟十的头，小海非和传勇理论自己是带鹅的瘟十头，比他长牌的瘟十头大。小海是红4配6，有个鹅4，传勇是两个不一样的10，有个长10。传勇反复解释说瘟十不分大小，一律以庄家为大，我帮小海说话，死活认定了带鹅的瘟十比长牌的瘟十大。传勇犟不过我俩，只好找宪国来裁决。宪国说传勇说得对，瘟十必须以庄家为大，要不这样庄家还有什么优势可言？现在回想起来我都忍俊不禁，可当时我俩确实是一本正经和传勇讨论这个问题。凯子要装到这份上才不会被拆穿。我们就是要强化传勇认为我俩刚接触牌九的印象（每个刚会玩的人都分不清楚长短牌），好让他放下戒心。

修理铺的老板一直站在外围看热闹，牌九对于他来说和天书差不多。他站在小海的侧面看着，大概是搞不懂牌九，又无聊，就研究起人来了。灯在老板的头上，传勇是逆光坐着，所以老板总能看到传勇的脸。传勇输了钱，他跟着着急。每当传勇赢了，他就叫一声："好！"传勇输了，他就不出声了。他也认识宪国，只不过传勇是管辖这一片的工商，得表现出替传勇着急的样子，我们都不在意，人家讨好领导干部，很正常。

大约在玩了两个小时后，传勇着道了，被我们掏出了3万多元。他好像有点急了，提出加大押注，一门可以带3000元。他手里就剩1万多了，看来机会到了。

这时，修理铺老板忽然指着传勇的眼睛说："传勇，你的眼睛怎么是红色的？"

22 〉睁眼说瞎话

　　修理铺老板这样一说，吓了我一跳，小海也吓一跳。我们下意识扭转身子去看修理铺的老板。最受惊吓的是传勇，当下条件反射要用手去捂眼睛，马上意识到这样不妥当，手举起来停在那里。还是小海反应快，他马上认真地盯着传勇的眼睛看，一边看，一边笃定地说："红吗？不红啊。"一听就是睁眼说瞎话，但是当时也只能这样说。

　　小海这样一说，给传勇一个台阶下。传勇作势要揉眼睛，接着小海的话茬说："昨天熬夜了，打了一夜的麻将。"那老板一说话，我有点蒙，当时没想好如何接。传勇这么辩白，我也就凑脸去看传勇的眼睛，说："熬夜熬的，我熬夜也这样。"宪国也没闲着，好好端详了一下，说："不红啊。"小海装作不耐烦的样子，说："你们研究人家眼睛干什么？赶紧发牌。"估计传勇就怕我们看出他的猫腻，一直在极力掩饰，听小海催着发牌，正中下怀，马上就说："快押快押。"

　　但是那个老板还挺执着，他又换了个角度，指着传勇的眼睛说："你们看嘛，确实是红色的。"我在心里翻着白眼，遇到这样的人真是叫人无奈啊，哪壶不开他偏提哪壶。

　　传勇正在发牌，听店老板还说这事，就顿了一下，没有接着发牌。他看看我和小海，想从我俩的表情上看看我俩是不是也怀疑他了。毕竟他有鬼，心里知道。我们心里很搓火，老板再搅和下去，这个局就算完蛋了，我们可是忙活了十多天才组织起来的。没办法，这个时候需要救场，我们只能继续演下去。我说："是得了红眼病吧？有什么好奇怪的，我们单位一个女的得了红眼病，那才叫吓人呢。"小海也跟着点头说："是啊，红眼病传染。"宪国也跟着说："不能和红眼病的人对着看，那样会传染的。"

　　传勇看大家都这样说，松了一口气，说："最近眼睛总发涩，我就总揉，总感觉进了沙子一样。但是绝对不是红眼病，我好好的，怎么能得那个病。"

老板这个时候才"哦"了一声，讨好道："别老用手揉眼睛啊，买点眼药水，吃点消炎的药。"

传勇还有一圈牌没有发，我催传勇说："你发啊，怎么这么磨叽呢？发个牌磨磨叽叽的。"

传勇表情极不自然，接着我的话说："急什么？我忘记发到哪门了。"然后装模作样去看切的是几，去数谁家都是几张牌，算算刚才发到了谁家，可算把这个话题岔开了。

老板说的是大实话，我们在场的四个人都知道那是大实话。眼睛被揉红了、眼睛熬夜熬红了，和戴这种眼镜的红色差别很大。在50瓦灯泡的灯光效果下，带了隐形眼镜的眼睛是一种幽幽的红，有点像香港鬼片里鬼的眼睛，冒着红光的那种。对此，传勇自然要极力掩饰，而我们几个，极力配合，帮他把谎圆回来，虽然我们都真切地看到传勇的眼睛红得离谱。

看着传勇慌乱的神色、不自然的表情，我当时一点好笑的心思都没有，倒是替他着急，心里想：哥们儿，千万要稳住，我们几个决不把你眼睛红当回事的，你放心吧。

由于大家都不承认，老板不再坚持。他掏出烟来，"啪"的一声点着了，抱着胳膊站在那里抽烟，优哉游哉地接着看热闹。

我两个小时没抽烟了，这两个小时是为了钱才拼命忍住的，小海也是个烟鬼，他也在拼命忍。当老板吐烟圈的时候，我甚至都能看到小海深深吸气，貌似要把人家吐出来的烟吸一点来解馋。我瞅了小海两眼，那意思是，鄙视你。其实我也没多大出息，我是把手指头凑鼻子上深深嗅着——那是我抽烟时候夹烟的位置，有挥之不去的烟草的味道。奈何啊，我也犯烟瘾了，可是传勇身上带的钱还没光呢。我跟自己说：老三，一定要忍住。

虽然只有老板一个人抽烟，由于空间很封闭，所以对传勇还是有影响的，足以让他眼睛发涩。他几次使劲眨巴着眼睛，有时候还去揉一下。我心里暗自着急，心想：大哥，别揉了，千万别给揉掉出来了。还好这样的事情没有发生。只是传勇一去揉眼睛，我的心就跟着他的手悬起来。

又玩了一会儿，传勇可能觉得视线不是很好，要求换个方位。可能是因为他对着灯，感觉视线不好，也可能是他觉得老板吐出来的烟都冲到他面前，让他不得劲。这时，他要求和小海换个位置。

23〉艰苦的拉锯战

换了位置以后，我就从末门变成了出门，小海还是天门，宪国成了末门。这个房间很小，原先传勇贴着墙坐，换了后就变成了小海贴着墙，修理铺老板站到了传勇的身后。我加快了出千的频率，想早点把他剩的 1 万多元给掏干净，努力了半个小时，传勇只剩了六七千。传勇自己大概没注意到自己输得快见底了，我得提醒他一下。我故意把要押的钱拿起来，说："要是三门都押满，你手里的钱可不够赔的啊。"传勇说："不够赔？我要通杀了呢？"我说："想得美啊，赶紧续底钱，不续的话这一把我不押了。"说着话，我低头理着手里的钞票，心满意足地显摆着，那意思是告诉传勇，要有钱就继续玩，没钱我也没关系，反正赢了不少了，随时准备散伙走人。

传勇当下就急了，说："你怎么可以这样呢？真不讲究，我不是还有钱嘛。"

我说："万一你通赔，不是不够吗？哦，你通杀赢了就是九千，你输了就给六七千？哪里有这样的好事？"

传勇要起无赖，说："你怎么知道我就能通赔？我非来个通杀不可。你就押你的吧。"

我一看他上钩了，就顺着他的话说："那我叫你底一次可以不？咱俩这样吵到天亮也没个结果，我赌你桌子上所有的钱，你敢不敢吧？赢了你就有底钱了，输了咱们散局。"

传勇看着我，寻思了一下，感觉是要豁出去了，说："好，一把见输赢，你哪门叫？"

我说："我看末门不错，我就在末门叫你。"说着话我把手里的钱丢在末门的位置。我可不是乱选的，只有选末门我才有办法不让他看到发出去的都是什么牌。

传勇"哗哗"地洗了 5 次牌，好像只有这么洗才能给自己洗出好运气来。洗完了往桌子上一放，示意我可以切牌了。我伸手过去随便切了一下，就是切牌这一下，我用手带走了最上面两张牌，心想：我就不信 6 张牌配不过你 4 张牌。

切牌的结果，应该从庄家发起。传勇故意放慢了发牌的速度。我知道他那点小心思，他想延长发牌时间，好看清发给我的都是什么牌。我哪能让他那么容易就看清楚了，都看清楚了，我偷的两张不就成废纸了吗？

传勇发了自己的、出门的，速度明显更慢了，他要发天门的了，之后那张就是末门的牌。这时，我伸出手把我放在末门的钱理了理，他再慢，也架不住我手臂一直挡在那里，他看不清也得发。他刚把牌放下，我飞快地拿了起来。第一张他没看到。

第二张还是这个次序发，传勇还是慢吞吞地发着，又要发天门的牌了，我又把手伸了出来，指着宪国说："一会儿我要叫不走底钱，你敢不敢叫一次？"这样我又一次阻挡了传勇的视线，第二张牌他还是没看到。发第三张的时候，小海跟我打了个配合。传勇开始发牌，小海做出坐久有点累了的样子，站了起来伸伸腰，传勇刚把牌放到我面前，小海故意坐偏，一屁股坐到了地上，"哎哟哎哟"叫了起来。传勇一走神，我麻利地把第三张牌拿在手上。前三张都没看到，传勇很扫兴，觉着再去看第四张也没有多大意思，明显加快发牌速度。他发到天门的时候，我把末门的钱拿到自己面前，又一次自然而然阻挡了传勇的视线。一张也不能叫他看到！

6 张牌都被我拢在手里，打开一看，我才发现我偷了一个红 8 一个黑 6。而传勇发给我的是一个 5，一个红 6，一个 7，一个虎头 11。我顿时心凉了一大截，配成头 3（6＋7）尾 9（人 8＋虎头）？好像头也太小了，只有配成头 5（7＋8）尾 7（长 6＋虎头）了。起码比原先的大不是？有毛不是秃子。

我故意把扑克抽来抽去，好像在研究应该如何配。其实我是把 5 和红 6 放在牌的最上面去，这样放牌的时候，我就能用手上的肌肉卡住这两张扑克而不被人发现。黑 6 好歹也是长牌，留下，还有长 7，说不定能管用？我看着传勇，研究着他的表情。

传勇正合计自己的牌应该如何配，看我把扑克放在桌子上，就伸着脖子来看。我知道他要看背面的记号，我把四张牌摞在一起，码得整整齐齐的。我故意把8放在最上面，他只能看到这张人8。我故意让他看呢，你小子就使劲撅尾巴去吧。

　　他看牌的工夫，我随手把他发剩下的牌从他面前拿到另一边去，表面上看我给他清理门前的地方，其实我利用拿牌的机会处理了手里多出来的两张扑克。传勇盯着我桌子上的牌使劲看了一阵，又看了看他自己手里的牌，好像下了很大的决心，把牌又抽拉了一下，看来是个两配的牌。

　　传勇配好自己的牌后拿起我的牌，一下子兴奋起来，马上把自己的扑克翻开丢在桌子上，然后就拿起自己的钱点了起来。我凑过去一看，差点没把自己气吐血了。他家是黑10、7，黑8、9，他给配成了头7尾7，头比我大我也认了，可尾巴7和我尾巴7竟然一样大，他也长7。我要是配成头3尾9还保本了呢，可是谁玩这个不撅头呢？我来是为赢钱的，所以有多大头我就撅多大的头，只有怕输的人才会往后使劲。

　　传勇很激动，一门心思数着自己的钱。真是倒霉！我茫然看看小海和宪国，小海还是那个样子，看不出心里想啥。宪国呢，疑惑地看着我，估计他不相信我出千还能输。我轻轻撇了一下嘴，那意思是这个是我能组装出的最大的牌了。

　　一般人以为老千在赌桌上出千了就会稳赢，其实不是的。老千在赌桌上出千，并不是包赢的，只是靠出千改变了原先的牌而已，比如原先是小牌，可以通过出千让自己的牌变得大一些，让自己赢的几率大一些而已。否则，这5万块也不会掏得这么辛苦，这可是慢工夫。

　　传勇点完了钱，说："我手里是7400元，你要不要也点一下？"

　　我说："不用。"说着话我点出7400元扔给了他。

　　我看传勇正在赢钱的激动情绪中，趁机鼓动说："我再叫你一方。"

　　但是传勇不干，说："说好了就叫一方，你怎么又想叫？不行。咱们还是按照开始那样的押，一门3000元。"

　　这小子越输越畏缩了？不行，我得刺激刺激他，不然这得掏到什么时候？我先用利诱，说："传勇啊，刚才我就没叫走你的底钱，再叫一方还叫不走的话，你就是将近3万了。像你这样三千三千地捞，啥时候能捞回去啊？干脆一点，一把就回去了。要是你输了，你就当刚才7400元被我叫走了。要是你赢了，可就是两倍了，你咋这么不会算账呢？"

小海也在一旁鼓动传勇，让他和我再赌一下。

宪国对传勇说："怕他干什么？叫一方就叫一方。我和你入股，我加5000进去算股份，咱俩让他叫。"

奈何好说歹说，传勇就是不干。我心里那个郁闷啊，只好再一点点往外掏了。原先听说他赌钱很爽的，看来传说的事都不太靠谱。

大概又掏了半个小时，他面前的钱渐渐变薄，就剩5000左右。这一次我根本没表示想叫底的意思，我要拿住他，得让他来求我。我看他的钱不够赔了，就直接站了起来，把钱往包里放，那意思是：我今天大获全胜，很满意了，有人要输光了，散伙得了。我必须这样演戏，我必须装出不在乎他面前5000多元钱的样子，虽然我的心里早伸出一只小爪子，要把那些钱都抓到我口袋里。有人比我更着急，就是传勇。

传勇看我把钱都放口袋里了，站了起来收拾东西要走，做出一个阻拦的手势，说："老三，还没完呢，我还有钱。"

我说："我知道你还有钱。他俩一人一门正好够，我就不押了。"我看着他面前薄薄的一叠钱，说："他俩要押满了，估计你那些都不够赔。我就不跟着掺和了。"

传勇也是急了，说："就这些，你叫一方得了，输赢就一把了。"

我等的就是他这句话。

发牌的过程就不必啰唆了，跟之前的大同小异，我故意阻挡他的视线，我的牌他一张都没看到。这一把我运气好，偷了一张天牌12、一张人8，发到我家的是9、虎头11、5、3。我直接搞了个9（人8＋虎头11）王爷（天牌12＋5）。等传勇把自己的牌配完了再去翻我的牌时，脸上写满了失望。

传勇面前的钱被我都划拉走了。他很不甘心，坐在那里，手里摆弄着扑克，洗牌、自己切牌、发四家，周而复始，一看就是还没玩够。奈何，带来的5万块已输得精光。看我和小海聊天，数钱，他有些无奈，有些不甘，有些悔恨，似乎还有点意犹未尽的意思。他自娱自乐似的玩着，发四家牌，每家牌他都很认真地配一下，然后翻开，比较一下三门谁赢谁输。

24 › 榨干最后一滴油

我把赢的钱都装进口袋，站起来，表示赌局结束，大家可以各自回家。宪国呢，一脸无辜无奈的表情，还坐在那里看着传勇发牌，一边看一边评论说："你看你这个臭手，自己切自己全是大点，人家一切你就一把烂牌。"传勇深以为然，叹了一口气。我看时机差不多了，就看看小海，正好小海也看我，我俩目光一碰上，小海就懂了。

小海好像没玩够，说："哎，传勇啊，拿点钱再推一庄啊？"

传勇看着小海，说："我就带了这 5 万元，都输了，这时候去哪里借钱去？"

小海就对宪国说："宪国，你借给他一点啊？"

宪国理了理手里的钱，拿起来抖落抖落，说："我就这点钱，借给他，我还怎么玩？"

小海说："你也赢了点，咋就这点钱？你不是就带了三五千来玩的吧？要那样的话，我的钱叫你赢了可真是冤。"

宪国好像被人冒犯了似的，说："你怎么小瞧人呢？我带的钱可多了，只是我一直没动本钱。"说着话，显摆似的拍拍自己的口袋。

我不能让他俩继续唱双簧了，我得上来演出了，就说："哎，宪国啊，要不你出一局算了。"

宪国直摇头，说："我不坐庄，我的钱有用呢。"

我说："那我坐庄啊，你们三个人押怎么样？"说着话，我掏出一大叠钱放在自己面前，顺手把扑克拿了起来，表示想坐庄的样子。我拿钱出来一是为了试探传勇，我坐庄他可以专心看我一家的牌。他如果让我坐庄，我就能设法叫他的眼镜失效，他还是个瞎子。二是刺激刺激传勇，毕竟这些钱在天黑之前还是他的，受他支配，现在归我老三了，我就摆在他面前眼馋他：要是不甘心，就来拿呀。

传勇正在低头摆弄着扑克，看我把扑克都拿走了，看了我一眼，神色茫然，看来是想为什么准备了透视眼镜，还会输钱呢。他看我要坐庄，就说没钱了，不能押了。

宪国显摆似的从包里掏出没开封的 2 万元，拿在手里掂着，说："我叫你底。"说着话，他重重地把钱放在桌子上，死死压住，好像怕人抢走似的，说："你发牌吧。"这就是个玩笑话，我连牌都没洗，发个毛啊？我们就是说着玩的，主要目的是做给传勇看，要一点点刺激他，引诱他，最后让他自己开口借钱坐庄。

我伸手去拿宪国的 2 万元，半真半假地说："你到底真押假押啊你？把手拿开。"

宪国看我的手奔钱去了，马上把钱抱在怀里，说："你看你还当真了，不玩了，不玩了，这个钱不能动的。"

不出我们所料，传勇看到宪国怀里的钱，眼睛一亮，问："你干什么用？"

宪国说："我大舅哥买房子，明天去交房款。"

传勇听了，眼神马上黯淡了下来，他寻思一下，好像下了很大的决心，说："宪国，这 2 万你借我用一下了，我再坐一庄。"

宪国头摇得像拨浪鼓一样，说："这个钱哪里能动？明天签合同等着用呢，要输了明天没钱去签合同，家里就炸庙了。"

传勇还是不死心，说："赢了的话我今天晚上就还给你，我要是输了，明天一大早我就还给你。"

宪国还在装，说："传勇哥，我不是不相信你，这个钱我明天确实有用，要不我就拿给你用了。"

我一看，再装下去就有点不像了，就说："宪国，你看你，好像传勇还不起你钱似的，把你吓成什么样儿了，你还能行了不？"

小海也跟着说："你看你那熊样，阎王还能欠小鬼钱了？传勇平时稍微照顾你一下就有了，你现在还去计较这点小钱？"传勇看我俩帮腔，用恳求的目光看着宪国，说："你就倒给我用一下，我明天早上上天下地也把钱给你。"

宪国不能再装了，我们三个的目的达到了，他装模作样踌躇半天，最后咬咬牙说："好，传勇，我相信你。"说着话把2万元放到了传勇面前。

传勇一把抓过去，整个人马上来了精神，脸色和刚才大不一样了，容光焕发的。他手里有了钱，说话也硬气了，急切地招呼大家："来，我坐庄。一门还是3000。"说着话就到处找扑克。

扑克在我手里呢，我马上给了他。小海也兴奋起来了，从包里拿出钱来表示支持传勇继续坐庄。

这样，传勇基本是着道了。也别说，演戏挺累的，累脑子，累表情，还要互相配合好，得去揣摩人家是啥心思，还不能太心急，一切都得他自己说出来。不知道演电影的人是不是也这样？

言归正传。传勇把扑克拿在手里，看着面前的2万元钱，信心大增。这时宪国说："我钱借给你了，我就不押了。"

传勇说："没事，你照旧押啊。"

宪国说："借我的钱，我去押，赢了还好说，我能有个平衡，反正借给你了，是你的钱。我要输了，你说我不是冤大头吗？我一次100元给你捧个门吧。"宪国这么说，传勇就不再坚持了，同意宪国为他捧个门。

这也是我们提前商量好的，我们赢了钱，叫宪国输回去，来来回回掏得太辛苦，何况赢出来的钱是我们三个人来分的，具体赢了多少钱，要看三个人赢的总和，并不以我自己一门赢多少来衡量。大部分时间我能确保我这一门赢，但是我得背着小海。我赢，小海输，算是保本。毕竟小海那门总被传勇杀，我背着小海走，很吃力。所以宪国一定要找借口不参与。对于传勇来说，宪国输了多少钱，那是他俩的账目问题，看他俩如何合计了。

传勇和宪国一起研究了赢钱后分钱的方法，就是没说万一输了应该如何分担的问题。当时传勇以为戴眼镜能看到牌，百分之百能赢钱了，所以根本没有想万一输了要怎样。东西是宪国提供的，而在局上他俩是合伙人的关系，保不准上半场传勇输的5万元会叫宪国分担一半。而上半场宪国也有输赢，对于他俩来说，这基本上是本糊涂账，就看两个人怎么算计了。但是下半场包里这10万一定要把宪国撇出来，所以要有一个理由不押钱。下半场我们的计划是要逼迫传勇把眼镜拿掉，这样传勇输了钱就没宪国什么事了。

下半场开始了，和之前一样，是个拉锯的过程，不过下半场进程快多了，不到 20 分钟，就把传勇的 1 万元给掏了出来。传勇有点急了，发牌速度很慢，还拼命睁大眼睛瞪着牌背面，以便看清楚我手里都是些什么牌。有时候见我伸手接他发的牌，他故意不给我，非要丢在我手边让我自己拿，他好有个空当去看那是什么牌；他给我发牌的时候，东丢一张西扔一张，看来真的是急眼了，竟然不顾我们的怀疑，要看清楚我家都是什么牌。呵呵，时机到了。

25 〉赤裸裸的抢劫

我摸出一支烟叼在嘴上点着了。小海一看，马上也点了一支烟，顺手给传勇和宪国各分了一支。宪国马上就懂了，立刻点上了，还嘟囔说："光玩了，竟然忘记抽烟了，你们不抽我还真想不起来。"传勇正在专心洗牌，看有人递烟也就点了起来。点上烟后，我深深抽了一口，真香啊！这么长时间不抽烟简直把我憋坏了，小海和宪国同样贪婪地大口抽着，这时那个修理铺老板竟然也点了一支抽了起来。于是，5 个烟枪一起云雾缭绕起来。传勇不了解透视眼镜的弱点，他哪里知道这个东西怕烟熏啊，要是他知道，我估计打死他也不会抽的。

传勇洗牌时，我们就把烟大口吐到桌子中央。很快，传勇就有了反应，他不停地揉眼睛，拼命眨巴眼，仿佛马上要落泪了。那老板真是招人恨，我们大家都注意到了传勇的这些动作，但是我们装瞎子，就当没发生过。老板为了表示关心，马上过来拍拍传勇的后背，关切地问传勇："你怎么了？"

赌钱坐庄的人最忌讳有人拍他的肩膀和后背了，意味着点背的意思。传勇被老板拍了一下，立马很不高兴，但是又不好意思点明，使劲晃动了一下肩膀，把老板的手晃掉，冷冰冰地说道："没什么，我尿急，要去一下厕所。"说着话，他把扑克放在桌子上，让老板把卷闸门拉开一个缝隙，就出去方便去了。

说实话，我也尿急啊，小海也尿急，但是我们不能和传勇一起出去方便。我们得给传勇单独出去的机会，好让他有时间把眼镜抠出来。憋，一定要憋住，为了钱也要忍。

老板站在卷闸门口等传勇回来，好像很是替传勇着急呢。我悄悄捅了小海一下，让他看老板的神色。小海看老板拍马屁拍到了马蹄子上，幸灾乐祸地在那里低头笑。宪国在桌子下使劲蹬了小海一下，意思是告诉他别笑了，但是看宪国那表情，也是在努力忍着不笑。

不大一会儿，传勇就回来了，说："放放臊。妈的，把臊气都放掉了，我开始要大杀四方。"我们都看着他，说："好啊，赶紧开始吧。"其实我们都在看他的眼睛。果然，他眼睛里的红色区域没有了。想来他戴着眼镜没赢到钱反而输了，觉得眼镜并没啥效果；也可能被烟熏了一下，感觉眼镜是个累赘，自己出去拿掉了。看来一切都在按照我们设计的路线进行。

传勇撒完尿回来，精神头明显不一样。他拿出10元钱给老板，说："你跑一下腿，去买一副新扑克。这副扑克输了我6万呢，给扔了，我要换刀杀杀他们。"老板拿着钱屁颠屁颠地去了。我趁着这个空隙马上出去尿尿，小海也憋坏了，跟着我出来尿尿。说起来真丢人，站在道边竟然尿了5分钟，看看我俩憋成啥样啊！

方便完了，走到卷闸门口的时候，我故意很大声地说："小海啊，你咋对着人家门上尿啊，你他妈的也太坏了。"其实我是给宪国和传勇传个信息：我俩回来了，你俩就别咬耳朵了。宪国没出来，传勇肯定会找他嘀咕不用眼镜的事。果然我俩一进来，他俩好像没事人一样抽着烟。我想，该说的他俩也应该说得差不多了。

一会儿，老板就把新扑克给买回来了。好家伙，买了三副！我们七手八脚帮传勇把需要用的扑克捡出来，战斗就开始了。这一次我可放开手脚出千了。小海还是慢腾腾不着急的样子，这样我就有时间在配完自己牌的时候，偶尔去翻翻他的牌。传勇没了透视眼镜，啥忌讳都没有了，他这1万很快就不跟他姓了。传勇已经上道了，刹不住车了，剩下的事情就是赤裸裸的抢劫了。

没用到四把牌，我就把他剩余的1万来元给拿了过来。局又一次停止了。这一次不需要宪国掏包，传勇立刻找他开口借，当然宪国免不了推辞一番为难一番，我和小海再鼓动一番，钱"顺理成章"地摆到传勇面前。

之后就是我把钱赢过来，传勇再借，我再赢。一直到传勇把宪国包里的10万块借光，最后他连宪国手里的6000多元也不放过。大概到夜里1点，我们把传勇所借的钱都给掏光了。传勇身上已经没有钱了，我一看，该收工了，就表示已经很晚了，如果传勇实在拿不出钱，暂时就到这里，下次有机会再凑一起玩。

传勇呢，无精打采地坐在那里，不说话。宪国也表示出输了钱很不甘心的样子说："明天还玩不？我要坐庄。"传勇输糊涂了，竟然向修理铺老板张开了口："老板啊？你有钱没？倒给我用一用？"老板见和他借起钱来了，急忙表白自己没钱。这个老板是个精明人，他看明白了，这局势，借多少钱给传勇都得输光。奉承他是一码事，借钱给他又是一码事，老板门儿清着呢。场上宪国被他借光了，老板摆明拒绝了他，小海和他一样是输家，只有我手里有钱。他把目光转向了我，说："老三，你倒3万，我坐最后一庄好不好？就3万，明天肯定还给你。"

我说："我借给你？万一你用借我的钱把我赢了，我不是傻×吗？"

传勇一看我这样说，就不再坚持，站了起来。是时候该撤了。我说："明天电话联系。"大家都表示同意。散局了，我点出1000丢给传勇，给宪国1000，因为表面上看宪国也是一个输家，所以当着大家面还是要给的，给老板500，算是赢了的喜钱。然后我和小海带着钱出门扬长而去。

我俩找了个地方把车停下，开始点钱，赢了6万多一点的样子。这里有宪国1万多，传勇5万，剩下的就是赢了10万的债。过了一个小时，宪国和我们联系了，我们凑到一起，把宪国的本钱先还给他。宪国说："传勇明天早上给我钱。我明天上班了就去找他。"原来我们分手后，传勇就说输得真是窝囊，出千戴隐形眼镜都不好用，主要是这里（那个门脸）太暗。最后俩人又扯起第一阶段传勇的5万元应该怎么算，宪国死活咬定了都应该传勇自己承担。宪国说是因为传勇的眼神不够用才会输的。最后传勇也认了，毕竟钱都是经他的手出去的，而且如何配牌都是他自己说了算，宪国根本没机会给他任何建议。最后传勇表示第二天就能把钱还给宪国，绝对不耽误他买房子的事。

第二天宪国果然拿到10万元，看来传勇实力确实雄厚，早知道这样，多准备点好了。我给小海和宪国一个人分了5万，这次抓凯子就算圆满成功了。

后来传勇还通过宪国约我们再玩。爱找谁玩找谁去，我是坚决不去搞他第二次。不是我仁慈，而是怕他给我下笼子。虽然当时把他当猪杀了，难保他不醒过神？人家好歹混上了一个小领导干部的职务，这点头脑应该是有的，当时迷糊不代表总迷糊。宪国曾动员我们继续去搞他，我死活没同意。

后来，据说传勇因为好赌，被局里找去谈话。再后来就被撤了所长的职位，调到另一个工商所当小科员去了。再后来，我就不知道了。

　　宪国呢，还是一个滥赌鬼，欠了很多外债，天天被人追着要债。那年夏天，宪国跟着我们到处下套，也搞了不少钱。以前输的本钱都赚回来了，还有盈利。奈何他把握不住自己，一上牌桌，就忘了自己是谁了。按理说他也了解一些老千骗人的把戏，却还是执迷不悟。后来我们和他分手不干后，听说他还到处赌，又欠了一屁股的债，大概有 10 多万。随后某个冬季，我去那个海鲜市场，路过他的摊位，他老婆正用小铲将一个个牡蛎的肉刨出来卖钱，天天在寒风里就那样刨着牡蛎的肉。我看她的手都变色了，还有冻疮。想想他老婆挺可怜的，怎么嫁了这么一个浑人？看面貌，她曾经是一个很俊俏的小媳妇呢，着实是可惜了。

26 〉杀 "猪" 联盟

　　出去杀 "猪"，也不是次次成功。做局最讲究配合，几个老千合伙演戏对付一个或几个凯子，彼此的默契很重要。最怕遇上贪心又没品的老千，贪几个小钱没什么，一不小心就可能给自己惹上大麻烦。我就遇到一个，差点跟着他倒大霉。

　　这个老千会简单的千术：洗牌，他可以把牌洗出固定的排列顺序来。这个看起来简单，也算个功夫活了，而且好用，他用这个骗了很多赌徒。

　　他叫刘宏。我是通过小海认识他的。刘宏有一个有钱的哥们儿，他们经常在一起玩麻将，偶尔一起出去玩，彼此走得挺近。刘宏不懂如何在麻将桌上出千，他们玩麻将凭运气，谁赢了谁请客消费，打得也不是很大，一天一个人最多一两千的输赢。

　　起初，刘宏并没有骗他哥们儿的念头，就是在一起玩，打发时间。后来刘宏手头紧，急需要钱用，就对这个有钱的哥们儿动了歪心思。可是他只会用扑克出千，而且还需要同伙的配合。他洗好牌，做个简单的桥，让同伙切。如果只是他自己，只能做埋伏桥让人家无意中中招。所以他对自己的手艺很没有把握，何况他那个有钱的哥们儿对玩扑克没兴趣，就好打麻将。

刘宏先在脑子里把自己周围经常玩麻将的哥们儿挨个顺了一遍，发现没有一个可以做搭档。一来他们不会，二来都是熟人，万一人家不愿坑哥们儿，把刘宏的计划捅出去，他在这个圈子里就没法混了。因为找不到合适的搭档，刘宏曾经想放弃，但是每次看到那哥们儿包里的大把钞票时，那些钞票就似乎在向他招手。终于，他下定决心要骗那个哥们儿一把。

刘宏和小海关系也不错，知道小海平时总和一些玩蓝道的人在一起，便来找小海。小海知道他的来意，见有猪可以牵，立马就应承下来。在某天下午，小海、我和刘宏，三个人因为相同的目的坐到了一起。

寒暄过后，刘宏先介绍了赌局的大体情况。他那哥们儿具体啥名字我也记不清了，他承包了一片海区，就叫他包海吧。包海不忙的时候，时间一大把，天天到处找人打麻将，除了麻将对别的都没兴趣。我们合计了一下：要对他下手，打一天千把块输赢的麻将，辛苦，又拿不出什么货来。只有先叫小海也去玩玩麻将，和包海套套近乎，等混熟了，小海总有办法让他玩起别的来。

小海一点不比小品里"好人也能叫他忽悠瘸了"的"大忽悠"差，他总有办法让待宰的"猪"心甘情愿参与到各种赌局上去的。

小海做这个是专业的。

27〉放长线钓大鱼

我对打麻将很厌烦的，总感觉磨叽，打多大都没兴趣，不如扑克来得干脆。所以，开始时我假装什么都不会，不上场玩，就在一边看眼。小海和刘宏上去打配合，我呢，就是个参谋的角色，给他们设计一套号子，让他俩打配合。局虽然不大，也不能输了，我们可不是上去送钱的凯子。磨了一天的手指头，起码得拿点工夫费。

一般人打麻将的时候都喜欢用胳膊肘支在桌上，不摸牌出牌的时候，手随意放在身前，只要动作不大，就不会引起别人的注意。我就利用这点，设计了一套暗号：手放在脖子上是1；下巴上是2；嘴上是3；鼻子上是4；眼睛上是5；眉毛上是6；额头上是7；耳朵上是8；头发上是9，并把筒万条做了区别。为了让他俩更快记下来，我还编了一套口诀：一脖二巴三嘴四鼻五眼六眉七额八耳九毛。此外，也给中发白和东南西北风都做了规定。

　　考虑到暗号有点单一，又将这套暗号做了改良。东风上的坐庄时，号子不变。北风上的坐庄时在原来的暗号上向上串一个，即手在头发上是1；手在脖子上是2；手在下巴上是3……南风上的坐庄时向下串一个，即手在下巴上是1；手在嘴上是2；手在鼻子上是3……西风上的坐庄时一毛二耳三额四眉五眼六鼻七嘴八巴九脖这样倒过来走。这么一来，就算真有有心人来观察也破解不出什么的。他们玩的是能吃能碰的带夹带宝的穷和打法。他俩约定，不点炮，也不给吃牌，就是在上听的时候互相给个听牌。

　　开始筹划的时候除了捞点磨手指头的工夫钱外，也想叫包海小小输一下，顺利的话在适当的时候提提局，玩得大一点。至于赢多少，什么时候提局不好提前筹划，只有一步步慢慢拿。最后要是不能把包海勾引到赌局上，就在麻将上多拿一点。

　　合计好后，刘宏带小海到他们的局上，等他们都混熟了，我再去混个脸熟。杀猪是个慢工夫，得一步步组织。

　　他们的麻将局固定在一家麻将馆。说起来这个麻将局也挺闹心的，有时候人多，去得多早都排不上队上桌，有时候人少，三缺一死活凑不上人去玩。就这样磕磕碰碰地玩了快一个月，小海和刘宏或多或少拿了一些钱，一个人赢了不到2万的样子。不过并没有真正宰到包海，他输给刘宏、小海大概三五千的样子。因为很多时候凑不到一起，不是我们去了没排上，就是包海没排上地方。倒是把无关的人一通好宰。

　　期间我没事去看看热闹，当时就发现一个问题：这个刘宏比较贪心。事先约定上听才要牌，他呢，缺两口也要。小海有时候为了配合他，什么牌都要拆给他。拆给他了，他还没上听。而小海自己的牌拆了，上听和牌的机会就更少了。也曾在一起喝酒说起他不要什么时候都要牌，最好是在一口上听的时候要牌，但是刘宏总振振有词地说，总有看眼的人在旁观，所以要牌的机会不是很多。好容易等到小海后边没有看眼的人了，或者是我在小海身后旁观，他才能要牌，所以他坚持有牌还是要的。遇到这样的人我也不能说啥，再说赢了也没我份，他俩赢钱了，我就跟着混个吃喝。

大部分时间都是刘宏在赢钱，事后他俩在分赃的时候就成了一笔糊涂账。每次刘宏都会少报三五百，总账总是对不上，小海颇有怨言。但是局是人家找的，要长期宰猪，也只能装糊涂。我冷眼旁观，对这个人有点鄙视，这样的小便宜都要占，而且这样贪心。我留了个心眼，和他结交要留点小心。

慢慢地，小海跟麻将局的人熟识起来。一天，小海、刘宏、包海三缺一，机会来了。利用等人的空当，小海拿出扑克来和刘宏玩起了诈金花（就是斗鸡）。表面上看是他俩在打发时间等人来玩麻将，实际上是在勾引包海。他俩的输赢都只是表面上的事，故意演给包海看的。他俩下 50 元的底钱，互相斗得热火朝天。包海原先也会玩这个，看他俩玩眼热，也参与进去。大概玩了一个小时左右，有人来了，他们便又开始打麻将。

这一小时中，小海下了本钱，和包海斗牌的时候，不管手上牌多大也要输，一阵工夫就输给包海 1000 元。这是小海聪明的地方，他很懂得放长线，先给鱼上点饵。而刘宏呢，一开始就洗牌来让自己拿大牌。小海也给过他配合去掐桥，奈何人家包海牌很小，根本不和他斗。后来，小海暗示刘宏不要再这么做了。小海的意思是要先让包海吃到甜头，以后才好勾引他入局，那时候想杀多少能杀多少，之前投入这点小钱那就算不上什么了。后来刘宏看杀不到包海的钱，也只好跟着小海放点钱进去。

事后，小海给我讲当天放饵的过程，我随意敷衍了他几句，心里几乎不抱什么希望了，就刘宏把小钱看得那么重，还想把包海给拉到赌局上来？

又过了半个月，忽然有一天小海给我来电话了，他很兴奋地告诉我说：快来，包海上钩了。

28〉做足前戏

　　我一听不玩麻将，专门诈金花，立马来了精神。来买卖了，能分钱的好事怎么能缺了我呢？我赶紧拾掇拾掇，跳上车直奔麻将馆。当时脑子里就想着怎么分钱了，其他的都扔到脑后，结果惹了一身大麻烦，这是后话。

　　我用最快的速度赶到麻将馆，里面已经玩得热火朝天。功夫不负有心人，小海又勾引了几次，包海彻底上了瘾。诈金花比打麻将来钱快，一把牌比摸一天麻将输赢大得多。小海为让包海上钩，没少下饵，他打麻将赢来的钱在诈金花时基本都输给了包海。包海呢，一步步掉入陷阱，还以为他自己诈金花有多厉害呢，一来二去越来越上瘾。开始时，只在缺人时才和小海他们诈金花。后来，就嫌打麻将输赢太慢，不刺激了，半途输了钱就玩几把诈金花。

　　那天本来也是打麻将，但是等了很久都凑不够一桌，又玩起了诈金花。玩了一会儿，有人来打麻将，但是包海非要诈金花。小海感觉机会来了，借上厕所的空当，打电话让我速来，用小海的话说：该收点钱回来了。

　　我走进房间，装作是顺路过来看热闹的。以前来过几次，我很自然地走过去看眼，没人在意。诈金花的桌子上除了我还有5个人：刘宏、小海、包海和一个赶麻将局的在玩，还有一个不太会玩的站那里看热闹。我不能一过来就上去玩，倒不是担心场上有跟我一样的行家，我怕急不可待上去被人怀疑。小海花了近一个月赶猪人笼，不急于这一时。对此，我俩很有默契，我先看会儿热闹，找准机会再上桌。

　　我拖了把椅子坐在小海身边，表现出很感兴趣的样子。每次他们派完牌，我都急吼吼地要看小海的牌。如果他手里有稍微大点的牌，比如一对A或单A，我都怂恿他去跟。就算他手上什么牌也没有，我照样怂恿他去诈底钱。每次诈底成功，他都把牌翻开给大家显摆，那意思：我什么牌也没有，还拿了底钱回去。我们俩这么配合是想让别人以为我诈金花比较猛，什么牌都不想放弃，这样的猛人是牌局上比较受欢迎的玩家。

就这样溜了几把，机会总算来了。那把牌小海手里是 6、7、8 的杂花，也不算小，便与另一个玩家斗了起来，跟了四手想买底。我把牌摁住，说："别买，你跟。"小海作势要拉开我的手，一边嚷嚷着买底牌。我坚决不让。小海也感觉时机到了，说："我把牌卖给你得了，你敢买不？"所谓把牌卖给我，就是我拿出一笔钱——是他的底钱与跟的钱之和——买后面的叫牌权，我可以选择跟还是买对方的底。赢了就都是我的，输了也算我的。我故作豪气地说："买就买，这么大的牌叫你拿了真是可惜了，你这样的人还斗智？赶紧回家抱孩子去。"

小海顺势把牌给了我，而我也很自然地加入赌局，拿着小杂顺和那个人斗了起来。我下得很猛，底钱 50 的，我 200 一手跟了五手。那哥们儿被我跟毛了，又看我没有买底的意思，有点犹豫了。他把自己的牌拿起来研究了一番，又看看我的表情。我呢，还是一副志在必得的样子，好像生怕他买底牌一样，拿着两张100 块来回比划着，那意思是：你跟我还跟，反正我是坚决不买的。

他看看自己的牌再看看我的表情，有点吃不准，试探我说："看来你俩演戏呢，你的牌很大，不大的话你不敢这样跟的。"看样子他怀疑小海故意把大牌让给我来和他斗，之前小海要买底是假的，我上来才是真刀真枪地干。我不理会他，坚决表示要跟。他端详了我一会儿，拿出 400 说："你不买？我买你的底牌，你开，我看看。"我估计肯定输了，他家最次也是个铁龙（同花顺）。我把扑克使劲摔在桌子上说："我杂顺子。"一边说，一边作势去拿桌子上的钱。那个哥们儿立刻把我的手挡开。他一看我手里是个杂顺子，立刻就后悔自己买早了，说："杂顺子就想拿钱？我真被你吓唬住了。别动，我是钢铁龙。"他把自己的牌摔在桌子上，是个方片 J、Q、K 的铁龙。亮完了就去划拉钱，略带懊悔地说："靠，你可真能吓唬个人，早知道我跟你到天黑，杂顺都想拿钱？"我继续装憨，拍了一下桌子，说："铁龙你也买啊？你还能不能行了？我要拿了铁龙，能跟你到天黑。"大家听着都乐了，都说我玩得猛。于是我以输钱的由头加入牌局。我输了钱，上来捞一下很正常，何况我这样猛的选手，和谁玩都受欢迎。

我猛吗？我送钱出去，是为自己做做铺垫。只要在后来的牌桌上，我给刘宏和小海发大牌，别人也是大牌，我跟牌，根据规则，三个人都跟谁也不可以买底。反正大家都觉得我猛嘛，什么牌都敢跟，没有人会怀疑我们在做局。四个人跟三四把，底钱涨上去，钱一下就回来了。

杀猪局，戏要做得逼真，前戏得做足，下饵呢，也不能心疼。

29 › 肥猪进笼

就这样我名正言顺地和大家一起玩了起来。规则是 50 元底钱，每次最多跟 200，400 买底，三家同时跟不允许买底，头把赢家坐庄，切牌随意，不一定必须是上家切。

我从包里拿出一叠钱来，煞有介事地放在手边，好像要大干一下。包海看我这样，一下来了精神，他以为我是来送钱的。诈金花局上什么底都不想放弃的人很多，要么特有钱，输多少不在乎；要么特傻。我的表现在他眼里两种都占了。

我上场后，依然很猛，常常诈底。不过，牌局上虚虚实实，我又不是傻子，牌小诈几下就跑，偶尔诈底成功，我就可以拿到发牌权。拿不到发牌权，一切都是白搭。

每次坐庄的时候，我都尽量给两家发差不多的牌，要么保证小海的牌比包海大一点，要么保证刘宏的牌比包海大一点。另外一个赢我钱的哥们儿，玩得很谨慎，不管手上的牌多大，跟几手就去买，而且看他的模样，就是把他拖进来，也赢不到多少钱，所以我们根本就没想着去搞他。两个小时后，那个哥们儿有事走了，大概赢了 500 多块，很满足地走了，那个看热闹的哥们儿觉得无趣也跟着走了。麻将的包间里就剩下我们四个人：三个屠夫对一头富有的猪。

这个时候，包海已经输进来 1 万多了，明显急躁起来，开始诈起底钱来了，什么牌都没有也能诈个两三手。场面上我也是个输家，因为我总跟着抬杠，钱输进去不少。这时，我提出把底钱涨上去，说："咱们涨涨码啊，老是五十五十的，零钱找来找去的，真麻烦，干脆咱们玩一百的好了。"小海不置可否，说："我随便。多大我都敢和你们玩。"刘宏是桌上最大的赢家，也装出财大气粗的样子说："一百就一百，谁怕谁?"包海也想捞回点来，看大家都有提局的意思，也就同意了，于是底钱改成了 100 元，最多跟 300，600 买底钱。

一般这样的局也不需要什么特别的牌了，三个人故意整一个人输钱，再容易不过了。按照我的计划，第一天少拿点，别整得太快了。所以，我拿到洗牌权时，偶尔给两家发金花牌（金花：花色相同，非顺子，比如红桃 3、6、8，方片 1、4、5)，大部分时间发给两家对牌，叫他们互相斗。这样有两个好处，一是好洗牌，再就是不会让人起疑。发两家金花牌的时候，我就跟着抬几手，把底钱抬高。发两家对牌时，我一般不跟着抬，立刻就跑掉，让他们对牌斗对牌。小钱不断进，不容易让人看出鬼来。

以前和小海总配合，小海知道我发给他的哪怕是一对 8，也是桌上最大的。而且我也会给他暗号，告诉他他的牌最大。他懂得我的暗号，所以他知道自己是大牌的时候都是闷一下再看牌。小海谨慎，手上有一对牌，也不主动买底钱。玩金花都知道，手里有对牌，斗一手两手了不得了，要么跑掉，要么买底，绝对不会和别人纠缠。抓猪嘛，就是让猪以为自己点背，自己的对牌买了人家的对牌，没买过人家，让他感觉是自己倒霉，点背不能怨社会。

玩了一会儿，我发现刘宏这家伙也挺招人恨的。他知道我发牌的时候不是他大就是小海大，肯定不会是包海大，所以他就是跟着抬。我发对牌对对牌的时候，包海好几次直接被他抬跑了，着实让人讨厌。我来得匆忙，之前我们都没在一起合计过，也没商量暗号和彼此配合的要点。现场也没法让他确切知道哪一把牌他大，哪一把小海大；或者小海牌也不大，但是能保证比包海大。每次看他跟着抬，我心里嘀咕：哥们儿，你就别跟着抬了。奈何刘宏不这么想，他恨不得一下就把桌上所有的钱都搂进包里，不但自己抬，还总是有意无意暗示我跟着抬。有一把我给刘宏发了 A、Q、9 的金花，给包海发了 A、Q、2 的金花，让他俩斗。我故意闷了一下，把他们的局给抬起来。看到两家都选择跟牌，我拿起自己的牌，发现自己牌不好，直接跑掉。而刘宏呢，带着挑衅的口吻，跟我说："小样，你别跑啊!"看他的眼神，像是征询我他的牌能不能保证是大的。我趁着包海低头整理钱的机会，对他做了个"OK"的口型，告诉他他家的牌最大。他放心地跟包海斗了起来。第一天的配合，彼此风格不一样，估计他也看不惯我给两家发小牌的做法。不过局面已经牢牢控制在我们三人手里，我就没在意。

刘宏对此却很上心，他也会洗牌，只是这个人很外路，从不把大牌洗给别人。他的意思是他坐庄时编辑好牌序，然后做桥让同伴切，把大牌发到自己家，从来不把大牌编辑到我或者小海的顺序上。可惜外面都没有大牌，没有人和他斗得起来。后来我就懒得去切他的牌了，小海也看出来了。谁都不是傻子，自己洗牌自己总大，总这样会被别人发觉的。小海在他洗牌的时候也不主动伸手去切了，让包海切，切到哪里算哪里。大家面对面坐在一张桌子上，不能明着给他提示，只好装看不见。为此他颇有怨言，面上没法明说，就有点唧唧歪歪。好几次没切到他做的桥，大牌没去他家，没拿到底钱，他就把扑克狠狠摔到牌堆里去，甩给我和小海看。我只能装着看不见，抓凯子是互相之间配合的事情，没有他这么搞的。

这还不算，我又发现，刘宏做牌很蠢。有一把我给他和包海发了大牌，让他俩斗，我和小海早早跑了。他呢，边斗边翻看我和小海跑掉的牌，并不时在废扑克里扒拉来扒拉去的，按理说诈金花的时候没发完牌时不允许翻没发的牌的。翻翻我俩什么牌跑掉了还说得过去，但是很少玩家会让人去翻看没发过的牌，这是为了防止有人做对比，特别是豹子对豹子的时候，翻翻牌，就知道自己家的豹子大不大得过对方了。

但是包海并不在意，他的精神头在是不是跟或者是原价跟还是涨码跟上面。可见他是输得多，有点糊涂了，这样的事情都看不见。他俩你几百我几百地互相斗着，刘宏的一只手在没发完的牌里划拉着，在别人眼里，他是乱划拉，但是我看得清楚：他找了三个 K 和三个 10，并且编辑了顺序。看他编辑的顺序，应该是第一张 10 在第三张，第一张 K 在第四张，第二张 10 在第七张，第二张 K 在第八张，第三张 10 在第十一张，第三张 K 在第十二张。我们的顺序是：小海、我、包海、刘宏，按照刘宏编辑的牌发下去，就是刘宏的豹子 K 对包海的豹子 10。

刘宏知道这把他最大，下把他就有洗牌权，他还洗不出来两家大牌来，所以提前捡出来。知道自己大，所以跟多少手刘宏都不会买底的，最后这把以包海买了底钱结束，刘宏斗进去 4000 元钱左右，包海也差不多输了这么多。他俩亮完牌后，刘宏就把钱给划拉了回去。大家继续下底钱，我冷眼看着，他把自己上一手牌和包海上一手牌放在牌下边，摞牌洗了一下，上面的基本没有洗到，然后就在手里抽拉了几下，牌中间留了个不容易让人察觉的小缝隙，洗好后，他把牌放在桌上，让大家切牌。

小海知道那里有个缝隙，他俩有过交流，所以知道刘宏会留缝隙。根据他们之前的约定，小海伸手就要去切牌，我估计小海肯定会对着缝隙切下去，立刻伸手过去切，错过缝隙，随便切了一下。我之所以挡住小海，是不想让牌局上出现这样的事。我们三个人对一头猪，不需要这么做。一把下来可以杀他不少钱，以后还玩不玩了？我想的是细水长流，多玩几天。

刘宏眼睁睁看我把他做的桥给切走了，脸上露出不满的表情，瞪了我一眼。我装作没看见，数着手里的钱。在面上他不敢怎么样，拿起牌开始发。我们三家都没有什么好牌，大家乱诈一通，包海很强硬地跟牌，于是我们都跑了。具体包海手里是什么牌，我就不知道了。玩嘛，得有个来回的过程，除非明天不玩了，可以一下把他腰包里的钱搞光走人。

我们三个人和包海来来回回地割着肉，到下午6点左右，包海带来的钱全部输光，我们也结束了战斗。包海大概输了4万左右，我输了8000多，小海赢了1万多，其余都在刘宏手里。小海按照牌场规矩，丢给我200元彩喜，也丢了500元给包海。按理说刘宏也应该丢给包海三五百的彩喜——人家钱都输给你了，给人家留个吃饭买烟的钱。但是刘宏一点反应也没有，当然不给彩喜钱也正常，谁都不会说什么。为了不叫包海起疑，我们三人各走各的，走的时候约定第二天在这里继续。

晚上，我们三个聚在一起吃饭分钱。分钱过程中，钱的总数和包海说的输钱数字对不上，扣除开始另一个哥们儿赢走的500元，房间费100元，大概差了3000元。我估摸着包海说的肯定是实话，那3000是被刘宏给贪了。人家牵的猪，带我们一起吃猪肉，我和小海也只能睁一只眼闭一只眼。只是我更鄙视刘宏了：你想多拿就明说嘛，多大个事啊，值得这样藏着掖着吗？我和小海互相看看，不再追究，反正丰收不怕鸟来啄。

晚饭时，刘宏假惺惺地说他买单，我也没客气，找了家好饭店，点了好几人闸蟹。饭桌上，刘宏说起那把三个K对三个10的牌，言语间很是惋惜。我只好装糊涂说："没切上。当时也想切那个缝隙来着，但是给切歪了。"还宽慰他说："这样不也掏光了他嘛，慢慢来，别着急，早晚都是咱的。"

等菜的工夫，我详细把我发牌时候给谁家大牌的暗号和刘宏说了一下，说完就专心吃起了大闸蟹，有人请客，不吃白不吃。刘宏和小海交流着看暗号和抬底钱的经验。正吃着，忽然看见刘宏用手拽自己的鼻毛，估计他很久没有修剪了，鼻孔里都露出好长的鼻毛。他和小海说着话，不知道怎么地拽下来一根鼻毛，在手指里来回捻着，还不时看一看。我想：这个人怎么这样啊，我们正在吃饭呢。忽然他把那根鼻毛拿起来放在嘴上，用牙齿轻轻咬着。我觉得一阵阵反胃，什么大闸蟹，一口也吃不下了，找个借口赶紧结束了饭局。从那以后，每次和别人吃饭，遇到不喜欢的人，我就把刘宏咬鼻毛的事说给他听，结果是听的人吃不香，我这个说的人也吃不下。

晚上我们三个一起去桑拿洗澡睡觉。刘宏知道我牌洗得好，在休息大厅里他拿出扑克，想和我研究一下洗牌的技巧。我委婉拒绝了。说实话，看他在牌桌上的表现和贪污小钱的德行，我很不喜欢他。他，只是临时的杀猪同伴而已，看在共同利益的分上，应酬一下，谁会和钱过不去啊？杀完猪各走各的，我认识你刘宏是谁啊？赌品里看人品，很多时候还是很有道理的，这种眼比针尖小的人没必要结交。

晚上睡了个好觉，梦见第二天包海给我们送来了好多好多的钱。我装了满满一麻袋，扛在背上爬坡，走得好累。

30 〉不怕比老虎猛的对手，就怕比猪猡笨的同伴

早上醒来才发现自己是蜷在沙发床上睡的，沙发床没放下来，能不累吗？起来一看，只找到小海，刘宏不知道哪里去了。我俩出去找地方先把肚子解决了，就给刘宏挂电话。他说直接到麻将馆集合，办点事马上过去。

我和小海晃晃悠悠去了麻将馆，先占一个房间再说，等了一会刘宏也来了，他还带了一个朋友来，我以为那人来打秋风，赢了甩几个钱给他就完了，这样的

事经常能遇到。当时我用眼看看刘宏，意思是这个人是什么来路，刘宏说了些废话，听话里的意思，那只是他一个哥们儿，来看热闹，和局无关，不知道我们三个人之间的事。看看时间，包海快来了，我们三个人先装模作样玩了起来。不能等他来了再玩，那样就有点假了。因为有外人在场，我们三个人斗得蛮激烈。

半个小时不到，包海就来了，他看我们已经玩上了，急忙参加了战斗。他一上来，场上局面更加激烈了起来。那天他带了不少钱来翻本，猛诈底钱，有时候我们三个人都唬不走他。他虽然是个猛人，但是架不住我们三个人一起算计他，何况我洗牌的时候还能千他一下，当然逃脱不了输钱的命运。三个人对付一个人，互相抬牌，太暴露。我在包海有大牌的时候多跟几下，输给他一些钱。小海也懂得适时放弃，还会故意输几个小钱给包海。演局是一个过程，一口吃不成胖子。可惜刘宏不懂这个道理：大了就猛上，不大就立刻跑掉。可能头一天他捡的那副豹子对豹子的牌没有派上用处，一直耿耿于怀。所以玩的时候，他总是在寻找捡牌机会。我实在看不下去了，就故意把他翻过的废牌弄乱。包海傻我们都知道，可是进进出出赶麻将局的人不少，也有人过来看眼，旁观者清，他这种搞法，也太惹眼了。

玩了不知道多长时间，我忽然觉得内急，就去厕所方便，过了好一阵才回来。我回来时，发现桌子上堆着厚厚的钱，原来包海和刘宏正斗得热火朝天，谁也不让谁，看样子是大牌遇到大牌了。我感觉有点不妙，但是双方都死死捂着牌，生怕别人看到自己的牌后暴露了让对手跑掉。看两人的神色，都是志在必得的样子。刘宏面无表情，包海下多少他跟多少，没一点犹豫。包海呢，一副生怕刘宏会买牌的模样，300元一下300元一下的，不停往桌子中间扔钱，看样子是豹子遇到豹子了。斗到这个时候两人心里都明白对方是豹子，要看两人心理承受能力了。看双方都想置对方于死地的表情，我就想知道：谁发出的豹子？

我看了看小海，小海没有任何表示，木木地看着他俩互斗。不大会儿工夫，俩人都下了4万左右。100元底钱的诈金花局，一把牌俩人分别能下到4万，何等激烈。还说是朋友，朋友之间这样斗，看来关系也不咋地。

小海看出斗下去不是事，就动员说："你俩比一下就完了，这样扔，什么时候能扔到头？谁大谁拿走，你们看，我和老三成看眼的了，要不你俩玩得了。"

我也顺着小海的话说："赶紧买一买得了，你俩还没完了啊？还带不带我们

113

玩了?"

我俩这么说是提醒刘宏别太过了,当时已经够显眼了。刘宏看来是急眼了,说:"我为什么要买?要买也是他买。"

包海也说:"我也不买。爱谁买谁买去。"

刘宏手里斗没钱了,就从他朋友那里拿钱继续跟,看来这小子本钱没少准备,提前研究好了。只是谁出来杀猪带这么多钱啊?

我总拿话提醒他,白搭,人家根本不理我。直到包海手里没钱了才结束,他用600元买了刘宏的底牌看,手里还捏了一张100元的,估计就剩这一百了。买的时候,他作出潇洒甩牌动作,把扣着的三张牌翻过来亮在桌子上,是KKK的豹子。这样的牌拿钱是基本没问题了,毕竟三个K遇到三个A,那是小得不能再小的几率了。可是包海不知道,和老千一起玩牌,哪里有什么几率不几率的啊?刘宏我都不用去看,拿脚丫去想都知道应该是三个A。一翻,果然三个A。

他很得意,把三个A丢在包海面前,说:"叫我买?简直是笑话。我能跟死你啊,跟你一辈子我都跟。"说着话就去整理桌子上的钱。包海手里还捏着那张唯一的100元钞票,呆呆的,他还不能接受三个K被三个A杀了的现实。他下意识地揉着手里单薄的钞票,眼睛里全是不可置信,他还不相信自己输了。这一把他跟了5万多,加上我上厕所前他输出去的1万多,差不多一共输了7万左右。

我也有点不能接受,心想:你个倒霉的小海,人家给你桥你就切啊?你傻×啊你?我当时心就有点凉了,合计着也只能拿这么多钱了,这个局算是废掉了。

事后才知道我冤枉小海了,原来刘宏不知道怎么找到了包海切牌的习惯,把桥留得恰到好处,刚好是包海习惯切牌的位置。他捡好牌,洗好,把牌放在桌子上。小海想抢着切牌,但是包海不让,因为小海经常切牌,而且大多数小海切过的牌,包海总拿不到大牌,没拿到几次底钱。这个其实只是包海的错觉,我们三个做局,无论谁切他都拿不到好牌的。包海非要切,小海也就没辙,他觉着包海切不到那个缝隙。谁知道倒霉的刘宏研究好了,就等包海上钩。这也难怪,其实每个人切牌都有习惯动作和切牌位置,所以有很多老千都会利用这个。想想你切牌的时候是不是也是用指肚随便一拿就完了?很多人都这样,当一副扑克被老千理得非常整齐的时候,只要有桥,这样切牌就会自己中招,成功率在80%以上。刘宏就是利用了包海的习惯动作实现了自己的出千目的。

刘宏理着钱，理出来后就交给他带来的哥们儿。我们都以为就此结束了，没想到包海还想捞点。可是他又没带那么多钱，看刘宏在整理钱，好像下了很大决心，沉思了一下，对刘宏说："哎，刘宏啊，你倒点钱我用用。"

刘宏当时愣了一下，似乎在想要不要借钱，包海有点不高兴，说："怎么？你不相信我？不是怕我不还你吧？"

刘宏打着哈哈说："看你说的，大哥，你借钱我能不借吗？你要拿多少？"回过头，对那个拿钱的哥们儿说："你点1万给大哥用。"

包海说："1万？1万能干什么用啊？你拿5万给我用。"

刘宏一听，有点迟疑，5万超出了他的想象。小海递个眼神给刘宏，示意他借5万给包海。当时叫刘宏搞了这么一下，虽然有点窝火，但是看样子，还可以继续宰包海一些。因为包海委实是太傻了，属于巨有钱巨憨的类型。就凭一把牌把所有的钱都押上去这一点来看，他也是很贪心的。不贪的话，谁会这么做呢？所以我也鼓励刘宏借钱给他。那情形，是最后的战斗了，转天没法再搞了。我想抓住胜利的尾巴，能多宰一点是一点。

包海看刘宏还有点犹疑，就急了，说："你看你，好像我借钱不还给你似的，我是那样的人吗？来，拿5万给我用，你要不放心我给你打个条。"说着话就在包里找笔和纸。刘宏看我和小海都有让他借给包海的意思，也就借驴下坡，说："好。我借了，条就不用打了。我还能不相信你吗？"说着话把5万元钱放到了包海面前。但是包海好像觉得刚才没一下借出来钱有点没有面子，为了证实自己确实是有能力还，非要写欠条，刘宏呢，也就收下了这张欠条。事后，就是这张欠条把刘宏送进了监狱。

包海有了钱，我们继续玩。刘宏再没这样捡牌，因为周围有很多看眼的人。最后就变成我一个人发牌出千，我拿到发牌权就发两家差不多的不大不小的牌，然后让他们互斗，我坚决不跟着抬。小海偶尔在刘宏大的时候抬一两手。但是刘宏在小海大的时候抬很多手才放弃。这些都不算大事，就是感觉刘宏有点心急，想一口把包海跟前的5万吞下去。

包海输急眼了，手上牌稍微大点，平时早该买底，他呢，只要有人跟就猛跟到底，明显是傻子玩法。看来他是想捞本，只是捞本不是这么捞法，更何况还有三个老千合伙对付他。所以他这5万也飞快地流到了小海和刘宏的口袋里了。我也输了 2 万多，都是下的底钱。再往后，我不洗两家牌，随便发牌、切牌，包海都没有大牌。看来包海倒霉到家了，喝凉水都塞牙。

这 5 万元在他手里不到 3 个小时就被瓜分了。包海还不认输，他又跟看眼的人借钱，他的人缘确实不错，大概大家都知道他家底丰厚，不怕他还不起。他从周围三个原先一起和他打麻将的哥们儿那里借了大概 1 万多，不一会儿，都输给我们。

赌得兴起，人都不知道饿了，那会儿已经下午 3 点多了。包海没钱了，我想走，大家中午都没吃饭呢。包海拦住我，说："别走啊，看我输这么多。你们怎么也得给我个翻本的机会，好不好？我现在去取钱。"

人家都这样说了，我们怎么能拒绝呢？何况还是给我们送钱的，我们便在原地等。他急匆匆出去，开车去附近的银行取钱，取了 8 万。都是嘎嘎新的百元钞票。他先把借周围人的钱还清了，没还刘宏钱，他说，完了一块算，那意思好像是他预感自己拿钱来继续赌就能翻本似的。和包海一样心理的赌徒占绝大多数，总幻想能够在赌桌上翻本赢钱，但是哪个不是口袋空空地离开的？

这些钱啃起来有点费事了，但是再难也要啃啊。一直玩到 6 点，包海手里还有 4 万左右没啃下来，主要他点气有点起来了，刘宏、小海还有他自己发牌的时候，总能拿到好牌，把底钱拿走。周围看热闹的一个个都回家吃饭去了，就剩一个平时和包海走得挺近的哥们儿还在观战。我们从上午 10 点多一直战斗到现在，什么都没吃，都忘了什么叫饿了。

又玩了一会儿，大家都有点急了。我们急是想赶紧把钱拿下走人，包海是急于翻本。刘宏最急，几次在自己牌大的时候翻废牌，总想捡牌。而我每每都伸手划拉一下，把他捡的牌插进去。刘宏看我和小海都不配合他，又开始唧歪了，下底钱的时候，就使劲摔钱，以发泄不满。偶尔也拿言语来点我俩，那意思是叫我们给他配合一下。我装成木头人，假装啥也没看到；小海低着头，没任何表示。

越着急，点气越差。包海自己洗牌，小海切牌，竟然发出来小海豹子 6、刘宏豹子 9、包海豹子 J。三个人斗得天昏地暗，开始我只是看着热闹，等我察觉出有点不对的时候，他们每个人都跟进去快 1 万了，谁也不想放弃。我觉得有点不好，我做出一边看热闹，一边手里随意摆弄着废牌的样子。他们三个人专心斗着，没人在意我，都以为自己的最大。我简单理了几下扑克，看了废张，就知道外面是6、9、J三个豹子。但是我不确定豹子J在谁家。

我用询问的目光看了看小海，小海知道我在问他手里是什么牌，就把手放在眉毛上挠着。我又去看刘宏，刘宏看小海把手放在眉毛上，就把自己的手放在头上，好像在顺头发一样。这个暗号是麻将桌上的暗号，6是眉毛，9是头发。我们之前就约好了，诈金花也这样互相报自己的豹子牌，以防互相冲突或者互相抬杠。小海和刘宏都以为包海牌小，所以都不让。对完暗号，我把手握成拳头摆在桌子上，那意思是告诉他俩：逃命吧，别跟了。这个也是我们约定好了的，如果伸开手，就是你们的牌最大。握成拳头就是不大，快跑的意思。

小海看到我的手成了拳头，很干脆地把牌合了进去，不跟了，说："我知道你俩也不大，把我同花赶跑了，我认了。"刘宏也把牌合了进去，说："你同花跑了？我也同花。"说着看看包海，说："看来大哥你不是铁龙就是豹子。"包海把自己的牌扔到桌子上，脸上流露出惋惜的神情，那意思是好不容易抓把大牌，怎么下这么少底钱。包海收着桌子上的钱，刘宏拿起包海的牌，看了看，看样子他跑得心不甘情不愿，看完了恨恨地把牌丢下。不要以为包海是老千，这样三家豹子的事情还是普遍存在的。

这一把牌让包海拿回去了不到2万。我看着小海，再看看刘宏，他俩也明显急躁了，要不怎么会跟进去这么多呢。但是明面上我什么也说不出来，其实我也急躁，这么点钱死活啃不下来，说他们贪心，我何尝不是？摆在那里嘎嘎新的百元钞票诱惑着我，我不是神仙，而是看到钱就眼红的老千。

所以当刘宏再次捡牌的时候，我选择了沉默。刘宏太执着了，只要他觉得自己有牌权，就想去捡牌，我呢，总是搅和，也烦了。再看看，那包海太彪了。心底飘有一丝侥幸：一把把他钱下没了走人，永不再来。但是我心里还有一丝警惕的：我绝对不去切牌。

就是这一丝的侥幸让我们栽了跟头，也是这一丝的警惕，让我免除了牢狱之灾。

那一把眼瞅着刘宏捡了KKK对JJJ的牌。我看了看小海，他也没有什么反应，那意思是由他去吧。刘宏洗好牌放在桌上，示意可以切牌了。我把手缩回来整理着钱，绝对不能去切。等包海自己切，估计就他随意切牌的手法，很容易切中的。

小海伸手想去切，我也不确定小海当时的想法，是故意切中还是故意切不中？我看他伸手去切，就在下边踢了他一脚。小海被我踢了一下，顿一顿，把手收了回来。刘宏呢，殷切地望着小海，巴望着小海顺着缝隙切下去，看小海忽然把手缩了回去，有点失望，又来看我，那意思是让我配合一下。我低下头，假装没看见。

　　包海开始也没有切牌的意思，但看大家都不去切牌，就随手过去切了一下。切得很薄，没切到。刘宏只得拿起来发牌，发完了剩下的牌离那个桥还有段距离。这一把谁都没有大牌，小海跟了一下，我和包海跑掉了，刘宏也跟了一下，小海是个对，但是没买，也跑掉了。小海这么做不是要让给他做牌，而是为了节省时间。这样刘宏又拿到了发牌权。他简单倒了几下，还是那个桥，这次他把那个桥做到了上面。刘宏好像找到了规律，他发现包海有点懒，似乎不愿意使劲伸胳膊，牌放得远，伸手一切完事，所以切得比较靠上。之前刘宏想叫他切，把牌放在他面前，包海切牌得劲，所以切得比较深。

　　很多老千都会在牌里埋伏桥让别人上当。桥的功能并不就是互相打配合来用的。有的桥做得粗糙，是很大的缝隙。但是刘宏做的桥缝隙很小，几乎看不到，但确实存在。

　　我呢，有点鄙视刘宏，刘宏呢，也清楚我和小海不愿意配合他，所以也很鄙视我俩的玩法，觉得我俩玩牌太腻歪，不够狠，看来他一个人私底下也研究了怎么单兵作战了。

　　刚才刘宏故意往我们面前放，意思是让我俩切，但是我俩没动。包海切到上面去了。这把刘宏还是这样放，但是把桥做到了上面，他可真执着啊，我心里赞叹着。小海还想伸手，我又踢了他一脚，他收回了手。小海使劲咬了一下嘴唇表示对我的不满，他花800多新买的裤子给我踢脏了，他不好低头看裤子有多脏，就歪着头咬着嘴唇发狠，我看他那表情，又蹬了他一脚。

　　包海看大家都不伸手切，过去切了一下，这一下真的切中了。我拿起来一看，巧了，我还是个金花呢。但是我可不跟，钱在自己手里才叫钱，我直接把金花扔了进去，看刘宏和包海互斗。两个人马上就进入了白热化状态，谁也不说话，就低着头往桌子上猛扔钱。

　　局基本是结束了，我们把自己的钱都拿了起来。小海也趁机看裤子上的大脚印，看样子很是心疼，一边拍土一边狠狠瞪我。他俩来回扔着钱，谁也不肯先买底，生怕少赢了。我有点不耐烦了，说："你俩扔到哪年是个头？干脆赌手里的钱得了。"

大家都心急，包海和刘宏马上就同意了，他俩简单查了一下自己都有多少钱，就全部下了，谁大谁拿走。到这个时候了，没有人在乎谁买谁不买的。结果当然不用说了，当包海看到刘宏扔出来三个K的时候，脸上写满了失望。刘宏也不废话，和他带的那个哥们儿直接整理钱。我一看，妥了，可以走人了，站起来想走。但是包海还不想放弃，他对那个一直没有走的朋友说："你借点钱我用。"拉着我说："别走啊，再玩几把。"

那个看眼的说："别玩了，就你这样玩，有多少得输多少。"

包海说："什么话啊？怎么叫有多少输多少？赶紧拿点钱我用。"

他那朋友说："还玩？你不觉得两把豹杀豹，杀得有点巧？"

我一听，敢情看眼的看明白了，但是他这句话马上就把火惹到了自己身上，刘宏听了火了，说："你他妈的会不会说话？什么叫有点巧？"刘宏那个哥们儿跟着帮腔说："你想找点不自在是不是？怎么个巧法？怎么输了钱还想诬赖啊？"

这个时候，包海终于有点醒悟了。一般来说，人赌输进去就二乎了。"二"是土话，意思是憨。包海被朋友这么一点，总算醒悟了，他好像发现新大陆一样，站起来指着刘宏说："对啊，怎么这么巧啊？刘宏啊，你小子和我耍鬼了吧？"

刘宏也急了，辩解说："怎么说话啊？你自己切的牌，哪里有鬼你说，你说我看看。"

包海虽然说不出来，但是他认准自己被套了，气得嘴唇直哆嗦，指着刘宏说："你赶紧把钱还给我，要不然别说我怎么地你了。"那一刻他也说不出会怎么地。

刘宏那个哥们儿就不让了，说："怎么地我都接着，还钱？没门。你说刘宏耍鬼，来，你给我说说鬼在哪里？谁规定的诈金花里豹子遇到豹子就一定有鬼？那还斗他妈什么劲？"

那个看眼的看来是个怯懦的人，一着急就更语无伦次了。而刘宏带的那个哥们儿，明显是社会上的混混，很蛮横，谁也不惧似的。

包海当下没了主意，估计看当时自己讨不到什么便宜，发狠说："那5万不算事了，爱找谁要找谁要去，你们等着，这个事情不算完。"说着话他就想走。

但是这话一说，刘宏那个哥们儿就不乐意了，说："你说什么？5万元你不还？你敢！今天不拿钱来别想走出去这个门。"

我开始还劝说几句，看形势不妙，马上想溜，趁还没牵扯到我和小海，离开是非之地再说。我急忙拉了小海一下，说："走，和咱没关系。"然后拖着小海出了麻将馆。

事情演变到这个地步是我没想到的，当时我还在恨恨地想：那个看眼的嘴巴怎么这么贱呢？我俩刚出门，就看见那看眼的也出来了。

我俩找了个地方先吃饭，边吃边等刘宏消息。后来很久都没有刘宏的消息，着急了就挂了过去，原来在医院呢。后来才知道，他俩把包海给扣了，让包海叫人带5万元来，立刻还钱。那个看眼的出去后马上给包海的弟弟挂了个电话，告诉他麻将馆里发生的事情。包海的弟弟马上找来几个哥们儿赶了过去，进去把刘宏和刘宏的朋友一顿好打，还把他俩的钱搜罗了个精光。可能打得挺重，俩人就到医院去包扎。我俩还到麻将馆去看了一眼，地上都是木屑碎片，一看就是刚刚发生了激烈的打斗。麻将馆的老板看到我们很不高兴，说："你看你们搞的都是什么事？以后别来玩了，这里不欢迎你们。"我们也懒得和老板废话，其实就是想验证刘宏说的是不是实话。

回去后，我和小海算账。小海赢了一些，我输了一些，算下来我俩有1万多元的收益。我俩也确实很憎恨这个刘宏，反正也不想继续和他交往了，他挨揍活该，这钱没算他那份，我和小海俩人分了。

说起来我俩做得也蛮不地道的，但是在这条路上，这样的事情太多了，老千与老千之间没有你讲究还是我仗义一说。今天可能为了钱走到一起，为了共同的利益一起出力，明天也能为了钱把你给卖了。就是那么回事，看开就好了。

31 › 后患无穷

刘宏知道我俩不可能再去找他了，再没有和小海联系，这次杀"猪"就以失败而告终。本来以为这事过去了，没有放到心上，只是偶尔想起来的时候会惋惜一番。谁知还有好多麻烦事等着我呢。

有一天，我正在家里睡得香，电话响了。我迷迷糊糊拿起电话，一看时间是上午9点半，电话是小海打来的。我就想骂人了，别人不知道我的作息，小海你不知道啊，哪里有这么早给人挂电话的嘛。小海知道我上午基本都在梦中，有什么急事非要上午给我挂电话呢？以前他从不在这个时候给我挂电话啊。我接起来，刚想骂他，就听小海在电话里用很平稳的声音说："老三，你在哪里呢？"咦，这不是小海的风格啊！以前小海给我挂电话开头肯定是："三哥，你在哪混呢？带兄弟我一个啊？"他从不喊我老三，一直喊我三哥，今天这个小子要反水了啊？我当时也没太在意，就说："在家呢，什么事？"小海接着问："你在家啊，你家在哪里啊？"我刚想回他：你他妈的都把我家门槛踏平了，还问我家在哪儿？可话到嘴边又收回去了，不对啊，肯定不对，小海怎么会这样问我？他闭着眼睛都能找到我家，想到这里，我猛地一激灵，不好，出事了，小海肯定出事了。是哪里出事了呢？我来不及多想，就装成很平和的样子说："我家？你想来认认门啊？好啊，你在哪呢？我去接你。"

小海就顺着我的话说："那咱俩在哪里见？正好我有个事要和你说。"我说："你就说啊，到底什么事？"小海说："还是见面说吧，电话里一句两句说不清楚。"我答应下来，和他约了个地方，11点见面。

放下电话后，我什么睡意都没有了。看来小海出事了，这个电话是在钓我呢。到底是哪件事被人抓了把柄？我坏事做得可不少，我也不知道究竟有多严重。看来小海够意思，没说出我住哪儿。但是我坐不住了，简单收拾一下就出门了，找个酒店先住着去，家里不安全了。

可是小海出了什么事呢？道上的人绑了他？好像不太可能。被警察抓了？他全家都是警察啊，而且都是有头有脸的。随便哪个派出所，只要说是谁谁谁的亲戚，派出所的所长都得客客气气的。这个场面小海给我摆过谱的，到底咋个事嘛？我到处挂电话找人落实小海的行踪，但是没人知道。

到了11点，电话准时响了起来，是小海，说他到了，问我在哪里。我说："我在回家的路上，没来得及告诉你，实在是不好意思啊。小海，我家来电话说我弟弟被车撞死了，我得赶紧回去看看。我现在在开车呢，正在高速上，什么事都等我回来再说啊。"我哪里有什么弟弟啊，小海知道我是家里最小的，估计他明白我跑了，还在电话里假惺惺地说着别伤心之类的话。好歹我俩配合过无数次，这点默契还是有的。

在酒店里惶惶地住了一个晚上，第二天上午11点多小海又给我来电话了。这次他说话正常了，他在电话里告诉了我事情的原委。原来刘宏被打了以后，实在是咽不下这口气，正好手里有包海给他打的欠条。他估计自己去要或者找朋友去要，肯定要不出这个钱，就想到了去法院。我听说差点乐了，简直是比我还法盲。他以为有欠条，有包海的签字，法院就能帮他要回钱来？

法院受理了以后，找到包海。包海就说刘宏诈赌骗他的钱，这个欠条是在赌桌上如何如何写的，还找了证人作证。法院又找到刘宏，开始刘宏不承认，但是人家有证人。刘宏嘛，干脆说包海抢劫他，把他的钱都抢走了。法院再去找包海调查，包海说刘宏拘禁了他，跟他家人要钱，所以算解救，而且是拿回属于自己的钱，不算抢劫。法院一看，还挺复杂的，又是抢劫，又是诈赌，又是拘禁，就把案子直接交到了公安局。

公安局一接手，直接把双方抓了起来问话，把小海和我牵涉进去了。刘宏什么都交代得一干二净，警察先找到了小海，小海死活不承认诈赌的事，就说在一起赌钱不假，但是绝对没有参与到刘宏出千的事情里面。警察就叫小海找我，小海就装糊涂说只知道我手机号，并不知道我家住哪里。于是警察就叫小海钓我，小海也只好装样子给我挂电话。谁知道我根本不上钩，把那些警察气坏了。

因为那些都是一线的警察，所以小海没说自己是谁谁家的亲戚。后来找个机会和这些警察的头头说了说，那头头一核实还真是，最后也就没追究诈赌的事，就认定参与赌博，罚款，放了出来。但是警察们还在到处找我，听小海的意思是找我做个材料。我哪里敢去啊，爱找谁找谁去，你们要有本事就找到我，叫我自己送上门去，想都不要想。

下午就和小海见了面，小海说没事了，我好个高兴。但是那些警察放了小海可没放过我，看钓不出来我，就又用了个损招。跟小海分手后，我接到个电话，电话里传来一个很好听的女声："先生，你好，请问你是13*********号的机主吗？"我说："是啊，有啥事啊？"那边就说了："你好先生，是这样的，你最近拨打过国际长途或者漫游吗？"我说："没有啊，你问这个干什么？"那边就说："是这样的先生，我是移动公司的，最近发现你的手机可能被人盗用了资料，也就是说，你的手机被复制了，产生了很多的费用。但是根据我们的数据，你的电话最近一直在市内范围内使用……"说了一长串，有很多专业术语，主题就是一个，我的号码不安全了，需要我拿本人身份证到指定的营业厅去查询，而且还必须在两天之内。这通忽悠，吓出我一头冷汗，差一点就相信了。因为来电显示上是一排的0，整得还是蛮专业的。

估计他们查到我申请手机用的身份证和我本人不符合，所以非要登记我的联系地址、其他联系电话。不对啊，我总觉得里面有蹊跷，我反问她："你说你是移动公司的，那么我问你我这个号码是从什么时候开始用的？"那边回答得也机灵，说："实在不好意思，先生，我这里不是营业部门，是技术部门……"又是一顿忽悠。我一听，别扯了，骗鬼去吧，使劲骂了她一句就挂了。

过了一个小时，电话又响了，来电显示是个座机号码，我就接了。那边一个男人的声音说："你好，我是某某公安局的某某科某某大队的，我姓温，现在有点事情要找你核实一下，请你配合我们的工作，到我们办公室来一下，有些事情需要找你了解。"

我说："你要了解什么你就说吧，我在外地呢，去不了啊。"

那边很严肃地说："据我们的系统显示，你还在本市。刘宏你认识吧？"

我说："刘宏？认识啊。"那边就说："那你应该知道我们找你有什么事了。事情不大，但是需要你到场来说清楚，做个材料。我现在口头传唤你。希望你能来，如果要我下拘传票的话，那样可能大家闹得都不愉快。而且事情本来就不大，你要是来了呢，我们能认为你有个好的态度。"

我说："大哥，别和我扯了好不好？你吓唬小孩呢？告诉你，我没时间，你下传票好了。"说完不等他回话就把电话给挂死了。虽然我说得轻松，但是心里是一直不轻松的。被警察天天惦记着，不是啥好事。

后来小海找到他姐夫，把事情一说，告诉他姐夫说："老三要进去，我也跑不了，所以你得帮忙摆平。"于是他姐夫出面把姓温的警官叫了出来，我也去了，一起坐下来喝喝茶。这个姓温的警官也没敢驳小海姐夫的面子，但是面上的事还是要做，毕竟是法院转过来的案子，最后他的大领导要看卷宗，没有我的口供说不过去。他们领导有指示：所有牵涉到的人必须到案，必须有材料才能交差。刘宏在里面把所有的事情都招了，如何打麻将对暗号，如何吸引包海上套，如何在玩扑克时做鬼，都讲得清清楚楚。这个傻子，真是坦白得彻底。

最后就按照他的意思去分局做了个材料，交了罚款。当时赢的钱算是赌资没收，在材料里写得明白，没有参与诈赌，刘宏是乱咬人，事情是刘宏一个人的说法，没有任何人可以给他证明，也没有证据。那两把牌，当时是刘宏自己洗牌，包海切牌，和我们没有任何关系。就这样，算是把我俩给抖搂清白了，随便刘宏如何咬，从哪里说他都站不住脚。

案子后来到了法院，刘宏因为赌博、诈骗和非法拘禁，被判了 5 年。他那个哥们儿因为参与非法拘禁，判了 3 年。包海和他因为聚众赌博被处罚款，没收赌资 15 万，但是最终没有认定他抢劫。

我说：抢回自己的钱不叫抢劫？但是螃蟹说：赌资不受法律保护，所以不能认定是抢劫。为了这件事我俩好顿吵，最后也没辩出个一二三来，谁也不服谁。

32〉猫有猫道，狗有狗道

不要以为只有我这样的专业老千会做局骗人，赌桌上稍微动点花花心思，两个人组成小团伙，耍点小手段，就能割得你肉疼。我知道的一个小老千，并不是专业的选手，他出千的方式也没有任何技术含量，但是也能杀凯子，而且杀了不少凯子。

这个小老千没有固定职业，原本是社会上的小混混，后来做了一个替班的出租车司机，干白班，每天下午4点左右交车。交完车，他们一群车豁子（我们这里对出租车司机的称呼）就凑一起诈金花玩。他们玩得不大，就1元底钱，5元封顶，10元买牌。这伙人每天玩几个小时再回家，谁赢了，偶尔拿钱请大家在街头烧烤摊喝几杯，互相吹吹牛，以此消磨时间。一个人点背了，一天最多输个二三百块吧。

这个小子，开始不是啥老千，就凭运气和大家玩。日子一久，谁也没赢到什么钱，赢的钱都请客吃烧烤花了。我看他们这个小局基本都为烧烤摊和饭店作贡献了，盘点下来大家都输了。一次两次无所谓，时间久了，这小子回家交不上账。不光他这样，几乎所有的车豁子都这样。于是他们都觉得不过瘾了，互相商量涨涨价码。于是变成了2元底钱，10元封顶，20元买底，大家都能接受。局涨上去以后，人越来越多，到了交车的时间，这些车豁子就从城市的各个角落聚集到一起玩。

写到这里，我想起一句话，小赌怡情，这句话是狗屁。看看现在败落了的赌徒，哪个不是从小赌开始沉迷的呢？可能有定力超级好的，但是我没遇到过。时间久了，参加的人也多了，输点小钱不要紧，架不住天天输小钱。每天都去赌钱，体格也受不了，于是有人就开始想歪歪道了，就是这个小老千。

他最早的要求不是很高，每天能赢个几百就满足了，能请赌友吃个烧烤，再剩个一二百，可以回家交账。但是他实在也想不出啥好办法赢大家，要技术他没有，要道具他不会，也没有那个条件。想来想去，还真让他想出招了：针对游戏规则设计陷阱。他们诈金花的游戏规则是，三家跟牌不可以买底，必须是两家斗才可以买。俗话说猫有猫道，狗有狗道，凯子也有宰凯子的玩法。一般我遇到这样的局，即使可以到场上神不知鬼不觉出千拿钱，我也不玩，拿100万忽悠，我也不玩，在我的经验里这样的局坑死了无数人。这几年规则有所变化，基本是让买三家的底牌，但是必须拿三倍的钱去买底牌。

他出千的方式很简单，就是扛人家。早年有些人组织的局，要欺负生人，这种方式很普遍，比如说，某一个玩家拿了三个A，按说稳赢了，在这里，没用。

人家就是跟，一直跟到这个人拿不出钱为止，不能买底亮牌比大小，抓什么也白瞎。遇到这样的情况，能怎么办？谁也不跑，也不能说什么，规则允许的，说白了这就是抢钱，利用规则让人吃哑巴亏。一般而言，本地有点根基的人，不会吃亏，这种局主要是宰外地来的凯子，很多地方都这么干。如果一个金花局上来了一个貌似很憨的陌生面孔，只要有一个人牵头，其他人都会心照不宣地配合。赌徒嘛，遇到这种事情都想分一杯羹的。

这个小老千想利用规则骗钱，但是局上都是熟人，很少有外地凯子可以宰，他只得另辟蹊径。他联络了另一个输了不少的车豁子，两人一拍即合。某天，吃完烧烤一起回家，在路上就开始研究起来了。两人研究来研究去，设计出一套可行的方法来。

方法很简单，就是他俩其中一家拿到大牌的时候，给对家提示，对家接到提示，手里不管什么牌，就算是小牌杂牌也不跑，一直跟。这样做一是不让别人轻易买底；二是可以多吸一些钱进去，反正自己一方有大牌保护着，底钱别人轻易拿不去。如果发现场上别家的牌很可能会很大，一直猛跟，感觉自己把握不大，马上提示小牌的一家跑掉。下轮下底钱，拿大牌的一家就可以直接买别人的底牌，即便输了，不会亏太多。现实中，同时好几家都拿大牌的几率很小，而且他们只是拿到了同花以上的牌才提示对方来跟，杂顺、对牌基本不作提示。这时候，两家各凭手上的牌诈，小牌该跑就跑，中滴溜的牌想斗也斗几把。

金花局上有两家这样打配合，赢钱是很轻松的事情。他俩当天就在路上约定好暗号，比方说：拿到金花，在上钱的时候说"我跟一把"，继续跟就说"我再跟一把"；如果拿了同花的顺子就说"我跟一次"，"我再跟一次"；如果是豹子就说"我跟一下"，"我再跟一下吧"，即以最后一个字的不同来告诉对家自己是什么底牌，好让对家在跟的时候心里有数。接到同伴的提示，手里那小牌的一方可以根据场上局面，适当涨涨码，场上其他人只会以为抬价的人在投机，而不会想到大牌其实在另一家。觉得差不多该诈底了，拿大牌的一方上钱不说话，对家马上跑掉，下轮好让同伴买底。

看起来很简单的小团体配合，几天时间，其他车豁子就输得有点扛不动了。自然而然，赌局提高了价码，改成玩5元底钱，20元封顶，40元买底。这些车豁子，手里的钱输得差不多了，借债的借债，动积蓄的动积蓄，赌局一天天火爆起来。有几个定力好的，输没钱就退出了。他们每天跑车那几个钱，除了交份子钱，基本都输了。还有一些执迷不悟的输得肉疼，幻想大赢一笔翻回本来，车也不正经跑了，每天搞到钱都早早交了车去赶局。

这群车豁子里也有明白人，其中有个小子几天输了1万多，觉察出来不对劲，但是哪里不对劲一时还心里没谱，于是他决定先观察观察。看了一个晚上，他虽然没有观察出来他俩出千的暗号，但是他知道这两个人是一伙的，一方在对方牌大的时候跟底不让别人买底牌。他有心现场揭穿，但是他不能确定谁家牌大，哪家是配合抬价的。这个小子说他彪吧，他也不彪，起码看出了点门道。说他不彪吧，还真彪，到这时候了，还去玩，可能想着拆穿他们要点钱回来吧？

又观察了几天，那两个老千的把戏还真叫这个小子研究出来了，他看出每次说话的拿大牌，不说话跟的人手里是小牌，但是他还是没研究出来大牌人手里究竟是什么牌。这个东西事后说起来就这么简单，但是短时间内破解，还真不容易。这个时候，这个小子已经输了快2万了。

这个小子弄明白他们的猫腻，在他俩出千互相绑着跟底的时候，毫不客气地把那家的小牌翻开，跟大家说他故意上钱不让大家买底的，并指着另一个老千说这两个人合伙千大家的钱。大家也都有点怀疑，这个人这么一说，再翻开那家的牌，一群人开始吵吵，纷纷向他俩要钱。当时大家很团结，就一句话：不给钱不让走。

原先挑头的小子一口否认，但是大家认定他们捏套设计大家，说什么也不让他离开。这小子看糊弄不过去，就说挂电话叫人送钱来。大家才放开他，看着他打电话。那小子在电话里也不提钱，直接说：我在哪里哪里，迅速来，出事了。然后坐下来，用挑衅的眼神看着所有人，那意思是他找来了援兵，这些人能奈我何？！

不大一会儿，果然来了很多人，大概有20多个。也不知道这小子的同伙这么短时间里从哪里划拉来的，一个个虎剌剌的。那小子一看救兵到了，竟然给大家训话起来，说：今天我承认捣鬼了，但是钱我还是要拿走的。大家一看，来的都不是善茬儿，纠缠下去要吃亏，都默不出声，这种情势下，只能自认倒霉了。

由于那个拆穿他把戏的小子输得最多，这老千还算有点"讲究"，丢给那人1000元，当场说：给你1000，其余的钱就那么地了，完了带大队人马扬长而去。

剩下这些车豁子眼睁睁看着那个老千卷走他们的血汗钱，却无可奈何，他们都没有所谓的社会关系，不知道从哪里找打打杀杀的混混追讨，何况为了万八千的好像也不值得，互相安慰说花钱买了教训了。但是心里憋屈啊，唯一的发泄途径就是在自己的车队里到处宣扬这件事情。一传十，十传百，渐渐地，这座城市里几乎所有的出租车司机都知道车尾号多少多少的替班司机敲诈大家的钱。

刚开始，那出千的小子还和没事人一样，天天开车去拉活。后来，事情传开，大家都疏远了他，他就觉得面子上挂不住了。某天出车时恰好遇到当初拆穿他并到处宣扬此事的那个哥们儿。这个老千怒火中烧，开车将那哥们儿的车别在道边。那哥们儿刚下车要看看怎么回事，那小子不由分说，用车里锁方向盘的锁把人家好个打。当时大街上就塞车了，有人看到打起来了，便报了警。

警察来了竟然还制止不了他，这个老千居然连警察一起打。警察只好要求增援，最后来了 3 辆警车，才把他制服。后来警察了解到是由赌博引起的斗殴事件，就把这个小老千教养了两年。

33 › 小心驶得万年船

这个车豁子老千，猛是够猛的，就是算计不够，真正的老千高手行骗时神不知鬼不觉，杀"猪"全身而退后，被宰的凯子不服气还想着翻本而找不到证据，其中关键在把握好整个过程的细节，方方面面都要考虑周全。老话说，小心驶得万年船，一点没错的。

从别处听来两个倒霉小老千的故事。有句老话叫做"瓦罐不离井上破"，老千嘛，一般都栽在赌桌上。但是这两个不是，出千时没暴露。那咋还倒霉了呢？说出来可笑，他们是在赌场的厕所里被人逮住的！

他俩一个是倒卖海产品的小贩，一个是事业单位的。他们是怎么凑到一起，怎么合伙出千骗钱，我并不清楚，别人就跟我说了他们被拆穿后的糗事。

他俩的活动据点是在居民小区里的一家麻将馆。这个麻将馆占了一楼和地下室，一楼有四个房间，外面的过道里放了一张大沙发和一个茶几。茶几的对面是个很小的服务台，一般是老板的姐姐或者是老板娘在里面。吧台有一个小门，是留给狗进出的。老板家养了一条纯种雪橇犬，大概70多斤，雪白雪白的，看上去很是威武，但是平时性情无比温顺，只要是客人，都可以摸它或者和它一起玩。

地下室有三个房间，没有窗户，还有一间是厕所，男厕所里有个蹲坑和两个站坑，蹲坑是带门的那种。

很多时候都是事业单位的小子带朋友来，然后喊卖海产品的小子一起凑局。对于他俩的所作所为，老板心里是很清楚的，但是他装糊涂。现在麻将馆的老板基本上都清楚自己的麻将馆里合伙骗人的是哪些人，有点势力的老板一般会将这些人赶走，杜绝有人在自己眼皮底下出千，因为有这样的人长期搞凯子，麻将馆办不长久，日子一长把周围的人都打没钱了，谁还来？不过也有很多麻将馆，客源本身就不太好，只要有人来玩，老板才不管他们互相之间怎么做呢，睁一只眼闭一只眼就过去了。

这家麻将馆的老板属于后者，所以这两个小老千就把这里当成骗钱的据点。事业单位的小子为了来和卖海货的小贩子凑局，经常是上班时去单位点个卯就来麻将馆报到了。他俩合伙宰了不少人，每天平均能分个几百块，小日子过得挺滋润。他们玩得不大，5元起步的穷和，谁点炮谁上钱，一个人点背的话一天能输千儿八百的。

有个姓张的小子，在他俩设的局上玩了有段时间了，每天都要输上几百块。这一天，他们在一楼的包间里玩了一下午，晚上散局，算好底钱各自离开。这两个小子没少赢，按照另外两家说的数额，他俩应该赢了2000多。他俩故意磨蹭着等大家都走了才动身，要算一下一共赢了多少钱，好分赃。

等大家都走光了，他俩却怎么也算不明白，因为两人手里就赢了1500左右。要么是走了的那两个人没说实话，多报了输的钱；要么他俩中一个藏心眼了。总之，两个人算了半天死活对不上账，没奈何，先把手里的钱分分准备回家了。

这一下午打麻将，战斗很激烈，几乎没顾上上厕所，两个人想去方便一下再走。于是，他俩就到地下室厕所去尿尿，两个人边尿边互相算着钱，互相指责对方藏心眼了。同时也将下午的牌局复了一下盘，哪一把接到对家的暗号，可巧自己家确实没有牌给；哪一把的暗号报错了，拆了张给对家，结果对家没什么反应，等等。他们随意聊着，交流着经验，无所顾忌。两个人正说得热闹，忽然有人推开蹲坑的门，两个人愣住了。下午和他们一起玩麻将的姓张的小子铁青着脸，走到他俩面前。

原来，散了局他也没走，直奔厕所，正蹲里面拉屎，听到他俩争论着进来了，就一声不出地听着。他俩说的话，他是一字没落全部听到了耳朵里。照理说，事情都被人家知道了，还有什么好辩解的，应该给人家好好赔个小话或者还钱才对。但是他俩死活不承认刚才说过的话。这个姓张的小子，虽然生气，但一是长得单薄，二是当时就他自己，打不过人家两个人。三个人一直从地下室吵到一楼沙发旁边。两个老千要走，姓张的小子死拽着卖海货的小子不让他走，非让他俩说个清楚不可，又在吧台对面沙发那里吵了起来。

那个卖海货的小子仗着自己有把力气，口气大咧咧的，说："绝对没有的事，你想讹诈还是想怎么地？你画出个道道来，我接着就是了，你要觉得是个事你报警去就是了！"那姓张的小子被他戗得接不上话，但就是死拽着不让他走。

当时一楼三个包间里都有客人在打麻将，外面一吵，都丢下手里的牌，跑出来看热闹。一会儿，大家听明白他们三个人吵架的原因：两个小子出千打合伙麻将骗钱。

这个话好说不好听，当着这么多客人的面，说麻将馆有老千，老板娘在吧台里坐不住了，走出来说："你看你们成天在一起玩，怎么还搞这样的事情？"说话，指着那两个老千说："你俩以后不要来我这里玩了。"这话与其说是赶他俩，其实是说给旁边看眼的人，无非是想表白一下：他俩在我的麻将馆里出千骗钱，我们是不知道的，我这里不欢迎打合伙牌的。

卖海货的小子不乐意了，指着老板娘说："你这话什么意思？你的意思是我俩合伙在骗钱呗？你有什么证据这样说我们？"

老板娘被她这一将，没话反驳，就过去往外推他，一边推一边说："你们要吵，出去到大街上吵去，我这里还要营业呢。"

那小子被老板娘推了一把，更不乐意了，反推了老板娘一把，说："你推谁呢？"他这样一推，可就坏了事了。老板娘还没反应过来，有"人"不乐意了，谁啊？那条巨大的阿拉斯加雪橇犬。

别看它平时很温顺，但是看有人动了它的主人，护主的性子就冒了出来。它一看，好家伙，敢打我主人（我估计这条狗当时这样想的），就悄无声息地走到卖海鲜的身边，冷不丁对着他的小肚子狠狠地咬了下去。

那小子"嗷"的一声叫起来，本能地去踢那狗。那狗咬完了松开口，并未就此罢休，直接一扑，就把那小子扑倒在地，对着那小子的脸又是一口，当下那小子脸上血淋淋的。那倒霉狗咬人之前一声也不出，搞突然袭击。直到它把人扑倒了，老板娘才反应过来，急忙上去把狗抱开。

那小子捂着脸嗷嗷叫着疼，满地翻滚。

忽然出现这样的变故，大家都蒙了。那狗虽然被老板娘抱住了，但是还在龇牙，看样子嫌不过瘾，还要上去咬。老板娘拼命把狗拉进吧台里，关上门。那个事业单位上班的小子跑出去喊来出租车，拉了卖海鲜的去医院处理伤口。事情变化太突然，等人家走了，那个姓张的小子还愣着神儿呢。

当天没要到钱，姓张的很不甘心，第二天来麻将馆找他们俩。哪儿能逮住呀，这两个小子像人间蒸发了一样，再没出现过，估计是躲了。后来姓张的遇到几个经常在一起打麻将输了钱的，把事情讲给他们听。大家很愤怒，想找他俩说道说道。其中有人有他俩的联系电话，打过去人家就说忙，没时间玩，说到打合伙牌的事，自然是死活不承认，磨叽到最后那两个小子干脆连电话都不接。

还好有人隐约知道那个事业单位的小子在什么地方上班，于是几个人一起去那小子的单位打听是否有这个人，一打听果然有。那小子看找到单位来了，怕在单位闹起来对自己影响不好，只好乖乖吐赃。奈何该吐多少，是怎么也算不明白了。每次赢的钱都是两人对半分，还有给麻将馆的桌钱、赢了以后请客的钱，整个就是一笔烂账。最后，他说大概赢了不到2万块，就拿这些还给大家，其他的钱都在卖海货那个小子手里，当时说好那个小子承担另一半。但是这样算起来，钱依然不够。他们俩赢钱要支付麻将馆的桌钱和烟钱，一天有100多，这还不包括请大家吃饭的钱，别看100不多，架不住时间长，也是一笔不少的开销。

这些人凑一处合计了一下，有钱赔回来，有多少先拿多少吧，有几个横的先把自己输掉的钱都拿走了，剩下几个没拿到钱的就等着那个卖海货的小子退钱了。但是联系来联系去，那个小子拒绝还钱，他说他的脸破相了，还没处找人赔偿呢，总之就是一句话，要钱，没门！大家谁也找不到他，就知道他是卖海货的，具体在哪里卖，谁也不知道。

那些没拿回钱的不乐意了，反正在事业单位上班的小子承认了，就找他还。大家算准他怕单位知道，于是天天去单位找他，他始终躲着大家。一来二去这些债主就都没了耐心，在多次找他未果的情况下，直接找到了他单位领导，把他在外面打麻将骗钱的事情原原本本说了一遍，希望他们领导能处理他，这还不算，这些人在那小子的单位逮谁就跟谁说这事。

最后，那小子单位如何处理的不得而知。那小子知道他们找了领导以后，反而变横了，干脆告诉他们说："闹到领导都知道了，想我再赔钱，没门。"想来这个小子因为打麻将骗钱，而在单位里闹得臭名昭著，被人指指点点的，也是很倒霉的。

所以说，细节决定成败，特别是作为一个老千，任何时候都要谨慎小心，时刻不得大意。

34〉麻将桌上门道多

麻将是最大众的赌博方式了，街上小区哪儿都有麻将室，麻将桌上的老千最普遍。自动麻将机的出现，让以前很多麻将作弊的方式不好用了。以前我写的基本都是如何偷牌、换牌或者是两家配合的出千方式，比如那两个倒霉的小老千，也是靠打配合出千的。日常生活中，很多人没事打几把打发时间，不可能在家里专门配置自动麻将机，还是手动洗牌码牌的更多些。手动洗牌的出千方式很古老，看起来好像落伍了，但是杀伤力还是很大的。

没有自动麻将机的时候，因为可以自己洗牌和码牌，所以给很多老千可乘之机。一把牌推倒后，很多牌是花色面朝上的，四家先要把牌翻过去再洗，洗几下再码牌。这个过程足够让老千选牌了。

低级的老千一般喜欢把同一花色的牌归拢到一起，比如自己手边收集的都是万子，筒子推到下家的手里，条子，他可能都推到对家手里。这样码起来，他就能知道对家码的牌里条子多，下家的牌里筒子多，自己的手里万子多。这样无论从哪家开始抓牌，老千都能算到后面的牌里大都是啥。可不要小看了这个，这点小技巧足以要了你的命。牌局上，老千可以针对要抓的那一垛里什么牌多，而有选择地留张弃张，比如下一垛牌里万多，那抓到万子全留下，筒、条两口牌的也打掉。根据牌堆里会出现什么牌有目的地留牌，和牌的机会有多大？傻瓜都知道。很多人打麻将可能都遇到过这样的情况，你认为这很正常，确实很正常，谁也说不出啥来。严格说，这不能算千术，却有着千术的杀伤力。也许有人对此嗤之以鼻，觉着这也太小儿科了，但是只要有人这么做，麻将局的赢家绝对不会是你。低级不低级，谁赢谁知道。

　　再中级一点的就是自己码牌，把编辑好的牌码成四对。麻将抓牌，每隔六对是一家的牌。中级老千手快，他会飞快码好牌，把自己捡好的四对牌两两隔六对摆放在自己码的牌堆里，这样可以抓回编辑好的牌。但是，这牌去谁家得由色子说了算，中级老千就会在色子上苦下功夫。

　　早期用专业作弊色子的不多，一般牌局上基本都是麻将牌自带的色子。不经过长期练习，用没加工过的色子，很难打出自己想要的点数。所以很多老千都会专门练习打色子。他们丢色子的方式很简单，就是顺着自己的手掌边缘向下丢。如果总保持一个高度、一个力度的话，这样丢色子，很容易丢出固定的点数。不信的话，你可以自己找颗色子，用同样的力量，从同样的高度，顺着手掌边缘往桌上丢一下看看，不用十次，你就会找到色子在手里如何摆放能掉出固定点数的窍门，一颗色子或者两颗色子都可以的。仔细观察一下，很多老千玩麻将时，色子都是从手掌边缘落下去的，就是这个道理。他绝对不会扔色子，那是凯子打法。

　　这么码牌的先决条件，是自己坐庄。轮到他坐庄，他就会这样码牌，放在自己门前的任意隔六对的位置，具体在哪个位置，需要色子决定。这对于常年玩的人来说太小儿科了。

　　有的老千不会丢色子，说丢几点就能丢几点，有点难度，但是他很会取巧和利用机会。其他三家还在洗牌码牌的时候，他已经码好牌了，趁大家忙活着手里的牌的当口，他把色子拿在手里，等着打色子。其他人将要摆好牌，他马上掷色子，准确说，那不能叫掷，应该叫摆。你看着他是掷，其实，他利用你的注意力还在马上要码好的牌垛上，把色子"摆"在那里。那时，你摆好了牌往前推，你的经验告诉你：庄家打色子了，然后你赶紧看看打出来的是几，至于他怎么打的，你并没在意。抓起牌来，人家起手就一手好牌，你赢的机会有多大呢？穷和讲究不缺大碰、幺九、不缺门，编辑好排序的老千，想要什么，都能到手里，占据了多大的优势？推倒和有大碰、7小对、清一色等大和，有了自己码好的牌在手里，成一把能翻你几番。场上要有一个人这样玩的话，其他三家的钱都是他的。

还有更狡猾的，随便一丢，不管那是丢了几点，他马上把色子收起来，谎报一个自己想要的点数，开始抓牌。大家想想，玩的时候，你有几次真正详细察看人家打的色子是几点呢？这些老千就是利用人们的这种心理，蒙混过去。而且这样的老千很会转移别人的注意力，比如他要打色子的时候，他会指责别人的牌摆远了，让那人往前推推牌。麻将桌上，我要别人往前推牌，在边上看眼的人也会去看人家上牌，就是这个道理。当然了，现场能转移注意力的理由很多，都是冠冕堂皇的，别人不去做也不行。就在你忙或者看别人忙的时候，人家色子打完且收回去了。说几就是几，没人会怀疑的。

这个是他坐庄时候的码法，不坐庄时，他也没闲着，他也码牌。他会把编辑好的牌放在自己面前那垛牌的一侧，伺机将抓到的牌与其调换。我说的调换可不是牌都抓好、整理后把不需要的牌与码好的牌进行调换，而是在抓的时候一气呵成。比如我码好4张东风，放在自己门前最左侧的位置。我右手去抓牌，我不是把牌抓回了家，而是把牌直接放到我面前那垛牌的最右侧。左手把我码好的牌直接拿回家去。

可能有人会说了，你当别人眼瞎啊？这样拿牌？对，就是当其他人眼瞎，我就这样拿了，他们就是看不见。玩过麻将的人都知道，抓牌的时候，每个人的注意力都在自己抓的牌上，都急切地想知道自己抓了一些什么牌，一边抓牌，一边把各种同类花色的牌摆放到一起，没有人去关注别人的手在做什么。这就是打麻将人的悲哀。都说是娱乐一下，输赢不在乎，那都是昧着良心说的话。就是玩个扑克，比如QQ游戏里的免费游戏，不带彩头，玩家一样会计较输赢。哪把牌好，哪一轮出错了，都会争论不休，争得面红耳赤、恶语相向。他们图个啥啊？前段时间看报纸，有一篇报道说：两个人打扑克坐对门，为一把牌的钓主还是跑副争吵了起来，最后竟然动了刀，结果一个人死于刀下，一个人进了监狱。他们还是玩不赢钱的，他们这是图个啥呀！类似的事情在我们周围少吗？我相信，每个人的周围都有这类悲剧发生着。

人这个东西就是这么奇怪，总是有不服输的心理。在各种或大或小的赌局中，输了之后，不甘心、接受不了现实、幻想翻本，种种心态让人越陷越深。可是，有老千在，你不输谁输呢？输钱的赌徒，输掉的不单单是钱，还有骨气、志气。写到这里，我又想起以前输得一塌糊涂的我。那个时候我输光了，实在找不到人借钱了，因为没人借给我，我的名声早臭了，只是我自己不知道。我睡不着的时候就拼命地想我认识的那些人，一个个滤一遍，合计明天找谁借钱去翻本。别的事情都不重要，哪怕只见过一次，我照样能开口借钱，只不过人家都像躲瘟疫一样躲着我，我一分钱都借不到。现在回想起来，那个时候我脸皮之厚，堪比城墙。

言归正传，针对老千不坐庄时候的码牌，有的人给起了个很好听的名字，叫虎头龙尾，看名字就知道，是个怪胎。也有人根据这一原理变换了一下作弊方法，也有个好听的名字，叫顺手牵羊，就是在自己面前那一垛的最右边码两张一样的风牌，风牌的对子好碰。他抓牌的时候，不是一次抓四张，而只抓两张，在抓回来的过程中路过自己的牌垛，顺便把那两张风牌带回家，这样一来，他取回来的牌还是四张，其中有两张是他事先准备好的一对风。不要以为你能看到老千作弊，老千会利用自己抓牌的手掌巧妙地遮挡住抓的牌，你根本看不清他手里究竟有几张牌。

还有一种情况也很常见，经常会有玩家多牌或者少牌的情况。遇到这类情况，得区别去对待。一般自己主动说自己少了一张牌或者多了一张牌，那基本是他自己少打了一张或者多打了一张。还有很多时候是别人发现某人多牌或者少牌，那牌不对的人可能就是个小老千。他没有打错牌，通常他手里有两张牌，增加和牌的机会。只是看你查牌，没敢拿出来，要是拿出来就露了。这样的老千是采用换牌的方式出千的，看起来少牌的，手里总会多出一张两张，借给自己门前的牌垛上牌的机会在头尾处换牌或处理牌。有的人先打后抓，这类人要去注意。

自己不主动承认多牌，那基本是还没想好该怎么取舍。

　　遇到这样的人，怎么处理呢？基本都是这一把不准他和牌和做杠了，做一次相公而已。很难单凭这个认定他出千了。

　　有的人可能不知道千术是怎么回事，但是老麻将油子，因为常玩，可以通过手指去读牌。很多麻将油子在上家为取舍牌为难时会用手指去读牌，通过手指的感觉来判定他即将要抓的是什么牌。如果发现那张牌自己不需要，等上家打出来，他假装恍然：哦，你没打啊？我以为你打了。能吃能碰，就通过吃碰躲过不想要的牌。可不要小看这些人，常年打麻将让他们练就了摸一下就知道手里是什么牌的本事。如果打出来的牌他能吃，而下边那张牌他更需要，他会选择抓牌。麻将桌上一张关键牌起的作用我不说你也知道，对于这样的玩家，除了说他几句不地道，还能怎么办呢？其实这也算老千伎俩，只是用的人太多了，反而不奇怪了。这个叫做"读牌术"。

　　有了基础，小老千们稍微练习一下，就可以在牌局上用"读上拿下"的作弊方式换牌了。比如上家打出来的牌他没用，而他读的牌也没有用，轮到他抓一张打一张，他不抓他读过的牌，而是把下面那张抓走。"读上拿下"不是啥高难度的技术，一般人练一天就能学会了，关键看胆子够不够大。这种情况发生在该抓恰好在两垛牌上面那张。经过长期的练习，还能练成"读下拿上"。如果该抓的是下面那张牌，展开手指，利用中指、无名指、小拇指挡住牌，抓走旁边那垛上面的牌，收手的时候迅速把刚才读过的牌填上去。要做得没有破绽，得下点工夫。手法好的老千，做得极为隐蔽，所以打麻将时，看到五个手指张开抓牌的人，要小心了，没几个好人。

　　有的老千不坐庄的时候洗牌码牌特别慢，不是他手不利索，他是故意的。他先码两垛自己需要的牌摆在自己面前。一般玩手动麻将都喜欢在自己面前码两个6一个5，然后摆成一排。大家都这样码，他也这样码。其他三家都码完了，他还在慢腾腾地码着。这时候坐庄的肯定是着急，一般在看他码完了还没摆成一排的时候，就打出色子了。老千等的就是这个机会。他看到色子的点数，脑子里立刻就开始算每个人抓牌的次序，如何摆放能让自己抓到捡好的牌。算好了他就不慢了，他很快就把牌摆成一排等坐庄的来抓。千万不要以为他是随便摆的，怎么摆他心里有数着呢。表面上看他两手一掐摆成一排，其实掐多少，哪个先哪个后，他都计算好了。

还有很多老千通过手指读牌的方式，判断是不是有用的牌，然后在还没动过的牌垛里偷牌换牌，或者从桌子上打出去的牌里偷牌换牌。

麻将桌上，打配合的情况就更多了，除了场上的配合，看眼的也可能是场上某人的同伙。比如点炮上钱的局上，知道别家和什么，肯定不会输。

有一次，我到一个朋友那里玩，其中一个吹嘘说自己水平高，从来不点炮，果然，几圈下来，他没点过一次炮，我便留意起他来。场上四个人打，周围围了好几个人，其中一个看好几家牌，平时玩的时候，这样的人会被大家讨厌，但一般人碍于面子不会将这人赶走。有一把，他已经听口，抓了一张三筒，正要打，一个看眼的说："今天天气不错，该洗车了。"这人放下三筒，拆了张，打了一张前面打过的牌。又有一把，这人又要点炮，他同伙问另一个人说："车停在哪里了？"这小子换了一张打出去。看了一圈，他们的暗号总是跟车有关。我心里冷笑：你这暗号也太单一了。场上有我一个哥们儿，我实在看不下去，这小子又拿到点炮的牌，正要打，他同伙又提到了"车"。我开玩笑似的说："快开走你的车吧，磨叽半天了。"场上这小子知道被人看出门道，只得不换张，咬牙打了出去。场上其他人哄然大笑，说："哈，你小子也能点炮呀！"

35〉自动作弊麻将机

下边咱们讲讲自动麻将机。

自动麻将机因为方便、省事，所以很快就普及开了。不要以为自动麻将机的出千方式只是两家玩配合，也不要以为自动麻将机就不能利用洗牌出千。自动麻将机不出千则已，出千会要人命的。有人用能够出千的自动麻将机跟你玩，掏光你口袋里的钱，那是小菜一碟。如果不想死在自动麻将机上，还是那句话：不玩，它永远都千不到你。如果你以前玩过，不知道怎么输光光的，或者有亲朋还好这口，咱还是讲全了，让大家死了也知道自己是怎么死的。要想避免被千，关键在于怎么识别自动作弊麻将机，遇到自动作弊麻将机，怎么预防。

自动麻将机出千是因为安装了出千的程序，可以做到起手听牌和和牌。首先是色子，必须要换上作弊色子，这种色子可以通过线圈产生的磁场进行控制，想打几就能打几。其次是感应器，也就是红外线接收的装置，这东西一般安装在自动洗牌器入口下方的部位。再就是选牌器，也叫芯片，芯片中提前编好了一套程序，选牌器一般安装在洗牌器入口的地方，感应器连接着选牌器，感应器也是电脑提前设置好程序的。感应器工作的时候，选牌器也跟着工作。因为麻将机在洗牌的时候，每一张牌都要经过洗牌器的入口，选牌器就会根据提前设置好的程序进行选牌。

选牌器的功能像哨兵，洗牌的时候，进入洗牌器的如果是程序里允许的牌，就放行，这张牌就会通过入口，进入到特定的位置。如果下一张牌不是程序里选定的牌，选牌器就会弹出一个撞针，把这张牌撞掉。

明白了运行原理，识别是否自动作弊麻将机就很容易了。打开看自动麻将机，洗牌器的入口处如果多了两个小盒子一样的东西，且这两个盒子是用两根电线连接的，那这个麻将机就是作弊麻将机了。你可以拍着桌子跟桌主要钱了。

如果你没有机会打开桌子看，也不要紧。事先找一块磁铁，砸一些下来，磨成粉末。然后，把磁粉丢在色子碗周围。很少有人会注意这些粉末的。抓好牌后，要是看到磁粉都朝一个地方有规律地集合，就可以要求把所有玩家的牌推倒来看了，肯定有一家已经听口了，起手听，你不输就有鬼了。如果你懒得做这个，那只好伸直脖子挨宰了，谁叫你是一只猪呢？不宰你宰谁呢？

还有一种最直观的办法，计算洗牌时间。正常的自动麻将机，从打完一次牌，把牌推进机器内部，开始计算时间，到新的一副牌升起截止，正常洗牌是1分钟。我曾经掐过表，准确时间应该是1分20秒左右。而带程序的自动麻将机因为有选牌挡牌的步骤，所以时间会慢。我也掐表看过，快的2分半钟，慢的3分半钟都有，主要是由机器里牌的随机性所决定，因为机器很多时候不能很快选到合适的牌。

如果洗牌时间超过2分钟甚至更长的时间，那这个麻将机我建议你拆开看看，里面肯定是带程序的。用自动作弊麻将机出千的老千起手听，别人打下来，他也不和。他会慢慢打，反正过 10 多手他会自摸。

现在的自动作弊麻将机有泛滥的趋势，很多麻将馆都有这样的机器。我估计是老板留着杀熟用的，生人他宰不着。自动麻将机作弊的杀伤力相当威猛，它可以做出任何大牌来，就是 13 幺也不过按一下遥控器的事。不要以为自动作弊麻将机仅仅有起手听、起手和的功能，它还可以设置一些可以自摸的程序。比如说麻将机自动给了一把上手听的牌，和二、五万，那 10 来手左右的地方就会有 4 张在一起的二、五万等着来摸。4 张在一起，不管别人碰或是吃，怎么也能轮到一张。所以根本不需要别人点炮来和，耐心等待自摸好了。

麻将因为普及，所以玩的人特别多。写下这些，希望给各位一个参考，看看自己都是怎么输的，能够审视自己以为只是消遣时间的娱乐行为。如果你不会打麻将，我希望你把这些东西告诉你可能赌输了很多却依然沉迷于麻将的亲朋好友，说不定你在无意中能挽救他的一生。

36 〉念书念傻了的大学生

有很多人在我的博客上留言，说要拜师学艺，我一概拒绝，我还要劝那些人，趁早把心思和聪明花在正道儿上。一旦沾上赌，又不能抽身的，下场一般都很惨。写到这，我又想起了他，很多年没有他的消息，他的样子却总会浮现在我的面前，让我无法忘却。

他叫董强，是一个玩色子的老千。任何人一遇到他，都会留下深刻的印象。小伙子乍一看，特别帅气，特别精神。只是无论是炎热的夏季还是酷寒的冬季，他都戴着一顶帽子，把脑袋捂得严严实实。

我和他是在一个掷色子的赌局上认识的。掷色子是一种古老的赌博游戏了，各地的规矩不尽相同。他们那个局的规则是：一个人先下 10 元的底钱，然后拿三颗色子往碗里丢，看谁的点大。一般先看第一轮，第一轮如果谁先丢出 4、5、

6或者豹子，别人就没有机会再丢了，直接通杀，所有的底钱都归他所有。

如果没人在第一轮丢出通杀的点来，就进入下一轮。以上一轮最大的点为准（掷色子里最大为6点），大家追上一轮出现的最大的点。不是所有人都有机会进入第二轮。如果第一轮丢出1、2、3来，或者丢出的点比较小，就意味着没有机会进入到下一轮，只能等下一把重新下底钱。比方说，第一轮丢出一个5点来，而这一轮没人掷出豹子或者是4、5、6，这一轮最大的点数是5，那所有丢出比5点小（1、2、3或者1、2、4或者2、3、4）的人都没有机会进入第二轮。只有丢出5点的人才可以参与到第二轮的竞争。第二轮依然是淘汰赛，没有掷出最大点数的出局。经过几轮淘汰赛，比出最后一个胜利者结束。胜利者就可以赢走桌面上所有的底钱。进入第二轮以后，有人丢出豹子或者是4、5、6，通杀，比赛结束，开始新一盘比赛，大家重新下底钱。

除了通杀的豹子和4、5、6，以及直接出局的1、2、3，规则要求必须掷出两个相同的点数，才能计算点数。计算点数的方法是，去掉相同的点数，剩下那颗是几点，点数就是几。比如三颗色子，丢出3、3、4来，那就是4点。如果丢出5、5、2来，那就是2点。如果丢出1、1、5来，那就是5点。如果没丢出两个相同的面，就得继续丢，直到丢出来的有两个相同数字的为止。顺子2、3、4，3、4、5，也不算点，必须重新丢。这样的规则下，赌局充满了不确定因素，特别刺激，所以很多人一玩就上瘾了。

这个赌局就是董强摆的，地点就在他家。他家附近的混混啊，赌徒啊，一到冬天，没有事了就都聚到他家玩。这样10元底钱的局本来和我没有任何关系，平时就是遇到了，我也没有兴趣去玩，更懒得看热闹。一是我觉得这样的局太瘦，就是拼命赢，赢个两三千了不得了，再就是这个赌局太吵闹了，赌徒们喊起点来一个个都歇斯底里，有的赌徒玩一下午，嗓子都能喊嘶哑了。轮到自己丢，就希望是个大点，所以都会拼命喊叫。别人丢的时候，就希望人家丢出个小点来，所以也拼命喊叫。在这个局上呆一下午，晚上回家睡觉的时候，满耳朵里依然回响着那些声嘶力竭的喊声。谁愿去受那罪？

我是被三元叫去的。起因是三元一个铁哥们儿的朋友的弟弟在那个赌局上输了不少钱，叫我去看看。那个朋友和三元的铁哥们儿闲聊的时候说起自己的弟弟，就会叹气，感叹自己的弟弟不争气。大学毕业了，没找到工作，高不成低不就的，整天四处闲逛，比我还闲。不知怎么的，就被人拉去玩掷色子，每天都输个三五百的。一开始没觉得怎么样，日子久了这么一算，输进去近1万元！他一个没工作的，没有经济来源，编出各种理由跟父母和哥哥要钱用。后来他哥哥发现他去赌博，就开始控制他的花销。奈何，这小子赌瘾已经很深了，家里人也不可能随时看着他，他竟然偷偷翻哥哥的口袋，每次偷一二百块去赶局。他哥哥很无奈，闲聊时无意和朋友说起。三元的铁哥们儿听了，说可能被人千了。道上混的人讲究哥们儿义气，他当时就大包大揽说可以请人去看看局。

我本来跟三元这个铁哥们儿没有深交，但他为我出过头。他曾经跟三元一起收拾打我的人，为我出了口气，所以知道我的一些事。他找到三元，希望三元出面叫我帮着看看。三元一说，我哪能推辞。我对那个哥们儿印象深着呢，是个猛人，那次打架，人家已经躺在地上一动不动了，他还拿酒瓶子上去对人家脑袋猛砸。人家曾经为我上阵冲锋，我连这点要求都不能答应人家，太说不过去了。

三元从中间一串联，我们先互相见了个面。见面那天，那小子的哥哥搞得很隆重，专门选了一间不错的饭店，订了包间请我吃饭，搞得我还以为自己是什么领导干部呢，那阵势我自己都有点不好意思了。估计是三元那哥们儿把牛吹得有点大了，要不人家也不能这样郑重其事。我和三元到的时候，人家早早等在那里了。三元的哥们儿一看到我，立刻介绍说："这就是和你们说的老三，什么赌他都搞得定，我们中间没有谁敢和他一起赌钱。"然后分别给我介绍那哥俩，哥哥叫猛子，弟弟叫大昆，一看就是那种老实人。

猛子听三元的哥们儿介绍，马上过来和我握手，说："久仰，久仰，今天终于见着了。"他毕恭毕敬地跟我寒暄着，弄得我更加不好意思了。万一去了看不出什么来，那可丢人了。但是大昆表现得很冷漠，一副很不情愿的表情，看样子可能是碍于他哥哥的面子，不敢不来。

吃饭的时候，我问他他们局上一些具体的情况，他都是心不甘情不愿地应付着我，那意思是，你们瞎操心个什么事，偶尔还不满地扫他哥哥两眼，意思大概是嫌他哥多事吧，还不耐烦地嘟囔："我们就是朋友在一起耍耍玩，值得你们这样兴师动众的？就我们玩的那个小草局，能有什么鬼？"我一看，光凭两片嘴，好像说服不了他，得想点招先让他服气。正好我兜里带着色子，就拿出来扔给他，说："咱俩赌一下吧，你赢了我，我给你100元，你要是输了，你给我5元，怎么样？"他以为我在开玩笑，扶了扶眼镜，疑惑地看着我。我从兜里拿出钱来，放在桌子上，说："他们三个人给我作证，咱俩掷色子玩，你要赢一把就赢100，你要输一把就给我5元。我没说错，你确实也没有听错，怎么样？敢玩不？"

他一听我要和他赌，立马就来了精神，三元和他那个哥们儿也在极力撺掇着叫大昆和我赌。大昆看看哥哥猛子，跃跃欲试又有点畏惧。猛子点点头，大昆看哥哥同意，很兴奋，估计心里合计：看我赢你几百块，让你们吹。刚才还蔫了吧唧的大昆马上张罗着找碗，饭店里没有合适的碗，我心里又好笑又好气，说："就在桌子上丢吧。"说完，把色子递给他，让他先开始。他也没客气，摇了半天把色子丢出去，色子落定，是5点。大昆很是得意，扬着眉毛看着我。5点在掷色子里是大点，很难追的。但是我那色子是老千色子，基本是要几打几的，想赢他简直太轻松了。我没说话，拿起来随手一丢，是4、5、6。他拿出5元，放到我面前，又拿起色子，丢出去。他怎么使劲都没用，我次次都丢4、5、6杀他。开始几把，他以为我运气好，但看我次次都丢4、5、6，好几回摘下眼镜揉眼睛，好像不相信会这样。后来几次，他态度越来越恭敬，还用很崇拜的口吻问我是如何做到的。看来他念书念傻了，竟然没有怀疑色子有毛病。我不管他问什么，都不回答，赢了就和他要钱，不一会儿，他身上75元都被我赢了过来。

他的兜见底了，再拿不出钱来，我就问他："你还玩不？"

他对输了钱的事并不上心，见我次次丢出4、5、6，还以为自己真的遇上赌神了，一个劲儿问我："大哥，你是怎么做到的？"

我说："你想想啊，你认为我是怎么做到的？"

他又扶了扶眼镜，还是觉得不可思议。看他的表情，一点也没有怀疑色子有问题，世界上这样的呆瓜很多，说半天也是浪费唾沫，最后我也没有告诉他为什么。只是他彻底服气了，看来我的目的达到了。吃饭的时候，大昆的话明显多了起来，主动把那个掷色子局上的事情说给我听。饭后我把赢的75元还给了他。

吃完饭，大昆带我们去那赌局。车子走了很远，来到郊区一户居民房前。大昆说："就是这里，我们都在董强家玩。"我让他们三个在外面车里等候，我和大昆进去。

我们到的时候，已经是下午了。屋里有5个人在玩，他们看到是大昆来了，就招呼他上炕来玩，看来彼此很熟了。他们在炕上玩，炕中间有一只碗，大家轮流把三颗色子往碗里丢。从他们跟前钱的多少，我马上判断出哪个是董强。他肯定是大赢家（不赢钱谁会在家里支赌局），他手底下有一堆零钱。看来，局上没有托儿，要破解非常简单，董强是赢家，鬼肯定出在他身上，我得看看他是怎么玩的。

我仔细端详了一下董强，挺精神的一个小伙，在屋里也戴着一顶帽子，似乎是嫌帽檐影响视线，把帽檐转到脑后，一边招呼大家下注，一边聚精会神丢色子。我的眼神转到他手上，吓了一跳，那手白得吓人，好像是得了白癜风，皮肤没有一点血色，只有腕子上稍微有点肉色。

37 〉八面玲珑的老千

他手里的色子已经脏得不成样子了，看样子利用率很高。几把下来，我便看出色子的猫腻，那是 3 颗密码色子。我心里有点乐，10 块钱的局用密码色子，真有点大材小用了。

所谓密码色子，也叫梦幻色子，就是专门用于赌博的作弊色子，隐蔽性强，所以很少会引起别人的怀疑。这种色子本身是互相配套的，每一组色子的密码不尽相同。比方说，一组两颗色子，其中一颗色子和另一颗色子的数字有对应关系，有 1＋1、1＋2、1＋3、1＋4、1＋5、1＋6、2＋2、2＋3、2＋4、2＋5、2＋6、3＋3、3＋4、3＋5、3＋6、4＋4、4＋5、4＋6、5＋5、5＋6、6＋6 等组合，每一套色子的组合都是一样的。比如是 1＋4 的组合模式，其中一颗是 1 点，另一个则是 4；一个是 2，另一个则是 6；一个是 3，另一个则是 1；一个是 4，另一个则是 2；一个是 5，另一个则是 3；一个是 6，另一个则是 4。你只要掌握了这种色子的配套密码，就可以根据算式，打出自己需要的点数。一般牌九或者二八杠局上，密码色子用得特别多。这两种玩法一般由打色子决定从哪一门发牌。庄家洗牌时编辑好牌，就可以利用密码色子决定发牌次序。由于密码色子打出的点数乍看上去没什么规律，因此不容易暴露。比如牌九局上，还是 1＋4 的密码色子，庄家洗牌时将杂牌放在最上面一张，第二张是大牌，最好由末门开始发牌，那就需要打一个 8 点出来，就打 2 和 6，牌从末门开始发，庄家就可以拿到事先编辑好的大牌。三颗色子的组合更复杂一些，但是原理都一样，三颗色子的组合也叫次密码色子。为什么加次呢？因为他的组合是固定的，所以玩的时候，一般老千首先会注意牌局上的色子点数会不会在短时间内总打出同样的点数。密码色子后来经过多次改良，变得稍微复杂一些，可以多样组合，但也都是有规律可循的。比如改良版 2＋3，可以丢出 7 点，也可以丢出 11 点，还可以丢出 3 点，发现其中的奥妙没？怎么丢，色子落地后都是天门。每一套密码色子的内部密码都不一样，需要看色子的配套说明书。

密码色子隐蔽性再好，也是怕验看的。但是日常里，大家玩的牌九局也好，二八杠局也好，麻将局也好，谁砸过色子？我敢说，几乎没人砸过。这就是赌徒的悲哀，不是他天生信任别人，而是玩的时候脑子里根本没有这根弦，总认为在一个公平的赌局上。这样的事情太普遍了，很多人从来没想过玩的赌具是否有问题。比如很多人都爱打麻将，有几个会意识到麻将可能是老千麻将？有几个意识到色子可能是密码色子？10 个里有 9 个都不会留心的，能玩就行。再比如，玩金花的时候，有几个人会想到仔细检查一下扑克呢？肯定没有。在没看过我写的文章之前，有多少人想过赌局里还有老千的存在？

密码色子的使用率还是蛮高的，因为只要掌握了丢密码色子的技巧，想丢出什么点数都可以。但是只要有人提出砸开色子验看一下，骗局马上被拆穿。看炕上的人的表情，除了我，没有人对色子有一丁点儿的怀疑。看色子脏成那个样，估计被这些人丢了几万次了。在我这个职业老千眼里，这个骗局太简单了。

到我看出里面的问题时，大昆又输进 30 元了。董强玩得很狡猾，每次他先扔，就搞个 4 点、5 点，坚决不搞豹子和 4、5、6。在掷色子游戏中，4 点、5 点已经很难追了。而别人先丢的时候，他基本是打出相同的点数，好进入下一轮，看起来想细水长流地慢慢掏钱。但是我看他拿色子的手形，再对比别人拿色子的手形就知道，色子肯定是他提供的。

心里差不多有谱了。又开始下注了，大家一个人押 10 元，然后丢色子。董强第一个丢，他丢出一个 5 点来。大家都担心自己追不上，一圈快完了还真没人能追到 5 点的。大昆最后一个丢，他上家丢出了个 2 点，该他了，我过去把色子拿在手里说："大昆，我帮你丢一下。"大昆当然没有意见，这种局上，别人替着丢的情况很多。有谁觉得自己手气不好，也会找别人帮着丢一下，转转运，所以其他人都没意见。

我把色子拿在手里，使劲搓动，其实是为了找好角度，估摸着差不多了，就丢在碗里，丢了个 5 点出来。这一把我和董强持平，于是就我俩一起进入下一轮。董强没在意，以为我碰巧丢出来 5 点。第二轮还是他先丢，他丢出个 4 点来，然后得意地看着大昆，示意让大昆丢。大昆刚想去拿色子，我没说话，直接把色子拿起来，丢了个 4 点。于是我俩还得继续比。炕上那些凯子纷纷感叹，我俩怎么总打平？因为我是外来的，其他人都和董强认识，感情上比较亲近，都替他喊点。第三轮，董强好像嫌磨叽，直接丢出来个 4、5、6，把钱赢走了。我没机会再丢色子，做出无奈的表情，没说话，继续站那里看热闹。看着凯子们形形色色的表情，我总想笑，但是我极力忍着，我有比看戏更重要的事情要做。

董强收起钱，开始新一局。众人押好底钱，该丢色子了。这把董强的下家第一个丢，轮到大昆的时候，场上最大是 3 点。大昆对我的水平很有信心，他好像忘记我是来看局的，错把我当成帮他赢钱的高手，他没丢色子，而是对我说："大哥，再帮我丢一下。"我也没客气，拿起来丢了个 4 点出来。轮到董强，他嫌桌上的底钱少，也丢了个 4 点出来，我俩再一次进入到下一轮。只有两个人对决，不分谁先谁后，谁都可以先丢。一般来说，赌徒比较喜欢抢色子先丢，因为他怕另一家直接丢出豹子或者 4、5、6 来。但是先丢的风险也很大，如果自己丢出 1 点来，或者 1、2、3 来，那另一家就不用丢了，可以直接拿钱了。

看我没有动静，董强拿起色子来先丢，是个 5 点。轮到我了，我把色子拿起来，笑眯眯地盯着董强看，董强被我看得有点不自在，催促我说："别磨叽呀，快丢，这么多人在等着呢。"我没说话，调整好手里色子的角度，也丢了个 5 点。我明显感到董强有点吃惊了，他瞧瞧我，可能在猜测我的身份？我呢，故意要和他的点一样，桌面上那几十元，我看不上。我就是想要弄他玩几把，反正我外面有人，他丢几点我就跟几点，就像猫捉老鼠那样，观察猎物的恐惧和不安，也挺有趣的。董强是个很精明的人，没有表露出诧异的神色。

这一轮打成平手，还是我俩继续比试，看谁能拿走桌上的底钱。董强已经怀疑我知道色子的秘密，所以他抢过色子，直接丢出个 2 点来。这小子够伶俐的，打出一个 2 点，有好几层意思，一来糊弄炕上那群傻子：他不是次次丢大点；再来就是想收买我，用桌子上的底钱讨好我，毕竟我没有当面揭穿他；也有一种可能，他不能十分确定我知道了色子的秘密，试探我一下。色子停止滚动，董强做出紧张的样子，看自己是 2，脸上露出惋惜的神情，说："怎么这么小呀。"我看他演得还挺像那么回事，蛮有意思，我心里说：小子，哥哥我和你耗上了。我拿起色子，继续使坏，也丢出来一个 2 点。看色子落定，我故意说："咋这么巧呢？"

　　一起玩的人都帮着董强喊着点，看我居然丢出个 2 点来，都来了精神。我俩进入下一轮角逐。看样子，他们都希望董强能赢了我，都叫着要董强丢个豹子杀我。董强看我打出 2 点，马上就知道我会玩密码色子，只是周围的那些傻子们没看出哪里不对劲，不停催促着让我俩开始。董强犹豫了一下才把色子拿起来，我看他的手型就知道他在找 1 点，他拿着色子寻思了一下，好像在琢磨怎么打，那些傻子可能以为他在祈求运气眷顾，终于，他好像下定决心，把色子丢进了碗里。旁边的傻子们大声喊着：豹子！豹子！豹子！虽然色子还在碗里蹦着，旋转着，但是我知道那是两个 3 一个 1，肯定是个 1 点。果然，当色子在碗里站稳的时候，就是个 1 点。董强放弃了，这一把我赢了。

　　董强的戏还得做下去，他看看我，我也盯着他呢。外人看来，就是正常的赌输的样子，可是我知道他眼神里的意思：他搞不清我是什么来头，我怎么知道色子的秘密的；我来这里的目的是什么；他拿不准我为什么不拆穿他。那眼神中有询问，有狐疑，也带着点威胁。看着他复杂的眼神，我感觉逗他玩是一件很有意思的事。就大昆还傻乎乎的，一边收着钱，一边招呼大家下底。

　　董强看我盯着他，赶紧转移视线，去看众人下底钱。我看我也玩够了，该给三元他们一个交代了，他们就在外面车里等着呢。密码色子验看很容易，砸开色子，不怕董强不承认，三元他们出马，不怕董强赖账。

　　董强行动了，他反应够快，扭转了事情的走向。

　　他先招呼炕上的人说："你们玩啊，这一把我不下底了，我去下厕所。"说着话他就下了炕，满地找自己的鞋。其他人没在意，继续玩着。董强穿好鞋，往外走的时候轻轻拉了我胳膊一下，那意思是叫我出去一下，他有话要说。

我先不打电话，看看他要说什么。我跟着他到了外间，他犹豫了一下，觉得外间说话不是很安全，拉我到院子里。我还在装傻，跟着他来到了院子里。他故作神秘地跟我说："大哥，我知道你明白，你别说啊，咱俩合作，赢了一个人一半。"

我装作好奇的样子问道："能赢多少钱啊？好像挺瘦的，这个局。"

董强听着，皱了皱眉，似乎有点不高兴，说："这个局还瘦？一天拿个五六百呢，天天拿也不少。"

我撇撇嘴，意思是我没什么兴趣，说："一天五六百能分我多少？再说了，我也没有时间天天来啊。"

董强看我有点活心的样子，就抓紧拉拢我，说："大哥，咱俩一人一半，你看，我出色子和钱，你什么也不用管，就跟着拿钱就行了。只要你有时间就来，来了我就带你一份，你看怎么样？"看样子这个小子还是蛮讲究的一个人，他好像生怕我不答应似的，紧紧握着我的手，像表决心一样地和我握着。

38 〉董强的悲惨往事

我被他握得浑身不自在。倒不是怕他，而是因为他的手实在吓人，白得瘆人。被一双惨白惨白的手握着，我估计谁都不好受。我想把手抽回来，可是他好像看出我来者不善，抓着我的手不放，使劲套近乎。他好像怕我不答应似的，哀求我说："大哥，就算帮帮忙。"

我看他这么热情，也不能发作，只好和他说实话，说："我不是来赌钱的，也不是来捣乱的，我是大昆他哥哥猛子叫来的。猛子认为你们设局骗他弟弟的钱，所以叫我来看看这个局是不是个天仙局。"

董强一听就有点着急了，连着说："那怎么办？那怎么办？"

我说："什么怎么办？把人家大昆输给你的钱还给人家就完了，还能怎么办？"

董强哭丧着脸，说："大哥，我不骗你，我手里真的没钱还。"

我一听就有点不高兴了，这话哄傻子呢。不过这跟我没什么关系，因为要钱不是我的事情，我来了，看出赌局上哪里有毛病就可以交差了。要钱是他们哥们儿的事，我不想跟着掺和。于是我跟董强说："这个你别跟我说啊，你自己和他们说去。现在猛子他们都在外面等着呢。"

董强伸脖子看看外面，远远看到三元他们的车。三元在车外，探头探脑看着院里，眼睛盯着董强，不知道我和董强说些什么。董强看到强悍的三元，很是害怕，身子向后缩缩。三元他们等着我的召唤，那架势随时可能过来收拾董强。

董强看出来那车里的人就等我一声招呼，手抓得更紧了，好像我是救命稻草一样，继续说着小话："大哥，帮帮忙，帮帮忙大哥。我真的没有钱，帮我和他们说说，我并不是故意去骗大昆的，我是实在没有办法的。"

嗬，这小子还哭起穷来了。我问他："你没钱？看这架势一天也不少划拉啊，光大昆就输给你近一万元，你说你没钱，我不信。"

董强一听我说不信，立马就急了，连连说："大哥，千万帮忙啊，我不是不讲理的人，我也知道骗钱不对，可我是真的没有办法啊，每天骗的几个钱都叫我买药吃了。"

我一听，难道是瘾君子？问他："买药吃？你磕药？"

听我这么说，董强知道我误会了，他没答话，松开手，把帽子摘下来。这一摘不要紧，又吓了我一跳。帽子下面，光秃秃的一颗脑袋，董强的秃头和普通人剃的光头不一样。他头上平平滑滑，连个毛孔都没有，看着比他的手更瘆人。戴着帽子看，他很帅气，摘了帽子能吓死鬼啊！

我问他："你这个是什么病啊？怎么这么吓人？"

董强伸手给我看，说："我为了治这个病已经花得底朝天了，你看我的手，也是这样。"

面前这个人，不再是精神帅气的小伙，我好像面对着一个怪物，那感觉叫人很不自在。我问他："你的手和头都怎么了？是什么病？"

他和我讲起了他的过去。早些年，他被朋友喊着去一个色子局上玩，想搞点钱花。带他去的人从外地买了一瓶可以用机器探测的药水，趁庄家不注意的时候把药水涂到色子上。涂了这种药水的色子，可以通过一个传感器探测点数。有人探测，需要两人配合。用在色子上的药水是放射性物质，而且必须是高浓度的，用久了对人体有害。老千们都知道这东西是带有放射性的，所以用的时候尽量会鼓动菜鸟去接触药水，让别人用，而自己只进行探测，或者提供这样的道具，跟着分钱。

董强倒霉，第一次使用，就被人现场抓住了。那些人没有打他，从他身上搜出了探测工具和药水，把钱都拿走，然后把药水兑在水里，让他把手放里面。有个小子还将稀释后的药水倒在他的头上。结果，就一个月的时间，他就变成了现在这个样子：手上和头上的毛发掉得一根不剩，浑身乏力，活也没劲干了，失眠、头疼、恶心，动不动就感冒。去医院检查，医生说他的免疫机能不行了，没有办法治疗，只能靠药物维持。据他说，他赢的钱都用来买药吃了。治疗的药非常昂贵，一盒就要800多元。一盒药10天就吃光了。光吃药不行，还得打针，一剂进口针要3000多，一个星期必须打一针。家里原先也没有多少积蓄，他实在没招，就靠天天骗点小钱过日子。除了买药、打针，这些钱根本不够用，时不时还得到处找亲戚借，而亲戚们都知道他赌钱，都不愿意借给他。最近连药都不能连续吃了。说话的时候，他的眼泪一直在眼圈里滚动着，看起来很无奈。最后，他叹口气说："大哥，不瞒你说，我连媳妇都没有，这辈子已经算是交代了，天天苟且活着而已。"

根据我对这种药水的了解，再看他的头发和手，知道董强说的是真的。我以前见过卖药水的人手指上有一小块的白皮肤，和董强手的颜色一样，那个人也是沾了药水。

我虽然相信他说的每一句话，但是事情不是我能做主的，毕竟我是被朋友找来帮忙的。另外，董强在我的眼里只是个可怜虫而已，可怜归可怜，事情还是要给朋友一个交代的。当时院子里很冷，我被董强磨叽得不行，也有点烦躁。跟我诉苦，有什么用？

三元还在院子外焦急地望着，我对他招了招手。三元这半天就等着我招手呢，他连蹦带跳跑进了院子里，来到我俩面前，问我："怎么个事，老三？"

董强很畏惧地看着三元，那边猛子还有三元的那个哥们儿也都下车跟着跑了进来。他们一起问我是什么状况，我说："就这个哥们儿出千骗大昆钱。"

三元的那个哥们儿看我说得这么肯定，再看董强那畏惧的神情，就知道我说的是真的，抬手就给了董强一个大耳刮子。董强捂着脸退了一步。猛子还想上去踢一脚，我连忙把猛子抱住，说："你们都别打他，他是个病人，有话好说。"

三元疑惑地问："病人？什么病人？"当时董强已经把帽子重新戴上，所以外观上一点看不出他有什么毛病。一句两句也说不清楚，我就没详细解释。三元看董强好像很老实，走过去搂着董强的脖子，说："哥们儿，我们不难为你，把钱吐出来就算完。要不今天就放了你的血。"

董强被三元这样一亲热，浑身发抖，显然惧怕得要命。他看我还算好说话，就一个劲哀求我说："大哥，帮我说说情，我什么都没隐瞒你呢，你一定帮我说说情。"

我当时拉着猛子。猛子那样子，要不是我拉着，还要上去打，我哪里能放手啊。我抱着猛子，不让他过去。三元的哥们儿看起来还想上去捶董强几拳，我怕场面控制不住，万一真把他打个好歹，不是个事儿，就喊三元："三元，我说了他是病人，能不能不动手啊？"我和三元走得特别近，跟他那个哥们儿关系一般，所以我只能对他喊叫。三元一看，知道我有点急了，放开董强，回身去拉住他朋友，不让他动手。

我们在外面一闹，屋里炕上玩的人纷纷跑了出来，看究竟发生了什么事。三元指着他们说："和你们没关系，都给我滚。"

三元话音刚落，马上就有个小子不乐意了。那小子似乎是当地的一个混混，觉得三元命令他，他要就这么走了会很没有面子，就接着三元的话说："你他妈的那嘴能干净点不？你叫谁滚呢？"

三元的那个哥们儿正有气没地方撒呢，听那小子顶嘴，立刻就有了出气目标。他毫无预兆地冲过去照着那小子就是一顿老拳。那个混混反应很快，能回几拳，两个人打了起来。三元一看那小子还敢还手，也冲了过去，帮他那哥们儿揍那小子。两个打一个，那小子没有招架之力，被打倒在地。三元他们放开他，那小子一骨碌爬起来就往院门口冲。我以为他要跑呢，谁知道他是奔着院门口那个铁锹去了。他跑过去把铁锹操在手里就要冲过来，三元和他那哥们儿看那小子动家伙了，都把自己的警刺亮了出来。锃亮的警刺有半条胳膊那么长，上面有一条很长的血槽，看着都吓人，何况还是在两个凶神恶煞一样的人手里。

那个混混也不傻，本来手里有铁锹让他勇气大增，但是一看三元和他朋友拿出警刺来了，反应更快，丢下铁锹就跑。三元有心追，但是看人家跑的那个速度，无论如何是追不上的，就没动。三元那个朋友追了出去，又折回来，估计是觉着自己跑不过人家。

这边看热闹的一看动家伙了，又是兴奋又是害怕。三元叫他们都滚蛋，他们一个个走出了院子，可又不愿就此离开，想看看究竟是怎么回事，也有看热闹的意思。虽然离开院子，都没走，就在院门外聚集着，不时往院子里望。周围的邻居和过路的，也在院子外远远地看着。

董强怕丢人，就央求三元说："大哥，咱们进屋里说啊，这么多人看着呢，不好。"我们也觉得不好，就跟着董强进了他屋里。

我们径直来到大炕。大昆还愣在那里，一副没找到北的样子，他以为他哥哥不讲理，带人对他朋友动粗呢。看三元虎刺刺地押着董强，连连说："别这样，别这样，我们就是一起玩玩，他们没对我怎么样。输就输了，咱别要了，这样要钱是抢劫，要惊动警察咱们就都玩完了。"

三元很看不上大昆，只是碍于猛子的面子，没好意思说什么，猛拿眼神剜他。看大昆还有要说下去的意思，就说："报警？你问他敢报警吗？大昆，你不知道什么事你就别说了，这还不都是为了你。"

大昆正要回嘴，猛子脸上有点挂不住了，也是，有这么一个傻弟弟，真没辙，说："你纯粹是个彪子啊？三元哥说得对，都是为了你，你赶紧闭嘴。"

大昆毫不示弱，回敬道："我们玩得好好的，你带人来又是打又是砸的，还不让说啊？我再说一次，你们这样做是犯法的，我也是为了你好。"

哥俩先吵起来了。但那是人家哥俩之间的事，我们也不好说什么，一时间气氛就有点尴尬。还是董强机灵，打起圆场，说："一人少说一句啊，消消气，消消气。"一会儿去安抚哥哥，一会儿又去安抚弟弟，还真是个八面玲珑的角色。

大昆很听他劝。大昆作势要跟猛子动手，董强按住他的肩膀，劝了几句，大昆便收起架势，也不说话了。但是猛子不买账。董强拍猛子肩膀时，猛子好像忽然找到了出气的地方，抬手就给了董强一个大嘴巴，说："滚回你妈酸菜缸子里去，你还做起好人了。赶紧把骗我弟弟的钱给我拿出来，咱们今天就算完了。"董强也真能忍，挨了这一巴掌，竟然还赔着笑脸，连说："大哥，别动手，咱们好好合计，好好合计，中不？"

我看炕上的碗还在，色子也剩下两颗。那一颗不知道被谁拿走了，也可能是慌乱中掉在什么地方了，我就找了一圈，没找到。我估摸着不好找了，两颗就两颗吧。我反复丢了几次，得找找规律。密码色子嘛，每套色子的密码不同，不能一概而论。当时我能看出这色子是密码色子不假，但我是靠观察董强丢色子的姿势和当时色子的点数，才打出同样点数的。

我在碗里丢了七八下，差不多找到了计算方法，就叫大昆："哥们儿，别吵了，来，我给你玩个东西。"他本不想过来，被他哥哥一把给拖过来。我把两颗色子拿起来给他看，说："我给你丢个5和6。"说着话，我把色子丢在碗里，果然是个5和6。他又露出崇拜的神情，那意思好像我丢色子水平高。我看他还没开窍，就把色子递给他，说："你也能丢出个5、6来。来，你拿着，丢一下给我看。"

他拿着色子丢了一下，没打出5、6点，毕恭毕敬地说："大哥，怎么练的?"

我实在忍不住了，哈哈笑了几声，对他说："还用练啊? 你这样丢色子。"我让他一颗色子5点面朝上，一颗色子3点面朝上丢。他不太相信，迟疑了一下，丢出色子，果然是个5和6点。我要他那样重复了几次，他照做，每次都是5、6。他好像丢上瘾了，自己猛丢起来。

我问他："你懂了没?"

他似懂非懂，说："这个色子有问题?"

一句话把我噎得半晌说不出话来。他见我不说话，又扶了扶眼镜，脸上写满了问号。别说，我当时真有对着他脸上捣一拳的冲动。

大昆傻，董强可不傻，趁大昆没反应过来，上去拉着大昆的手说："哥们儿，实在不好意思，我该死，骗了你的钱，我也是实在没有办法。"

三元插话说："你哪来那么多废话? 赶紧给钱，给了钱绝对不难为你。"

董强连忙对三元赔着笑说："大哥，一切都好商量，都好商量。你先别火，先别火，消消气，消消气。"说着话，又跑到三元跟前，一手搂着三元，另一只手在三元胸口上下摩挲，好像这样就能抚平三元的怒火一样。三元呢，被他搞得不知所措。伸手不打笑脸人，董强姿态这么低了，打他也不是，骂他也不是。

但是猛子可不吃这一套，他急着要钱啊。见董强讨好三元，有点不耐烦，上专拉开董强，说："别和我们搞这些洋相，一个字，钱。说别的都没有用，你今天拿也得拿，不拿也得拿。"

董强被他拽了一个趔趄，依然赔着笑，说："大哥，别这样，你看外面围那么多人，不好看。邻里邻居的，传出去好说也不好听。这样好不好，今天我做东，咱们去饭店里坐会儿，大家交个朋友。"

我们透过窗户一看，果然，看热闹的人把外面整个围墙都趴满了，男的女的老的少的，好像来这里看新娘子。以前我带螃蟹回老家，院子外就是这个阵势。董强的提议，我们都同意，谁也不愿意给人当耍活儿看。于是我们几个装作互相很熟识的样子，有说有笑地出了董强家。看热闹的人见我们刚才还要打要杀，忽然又好了，搞不清怎么回事。在他们充满好奇和不解的目光下，我们开着车离开董强家。

39 〉没有永远的对头，只有永远的利益

到了饭店，找了个包间。反正董强说请客，三元没客气，满满当当点了一桌子菜。董强觉得过意不去，去吧台要了4盒烟。三元怕他溜了，一直跟着他。董强看出三元的心思，亲热地拉着三元的手说："大哥，我不是那么不讲究的人，你都认得我家，我能跑吗？我说我请客就是我请客，我真心和你们交朋友呢，你放心好了。"

酒桌上，董强表现得十分殷勤，频频敬酒，频频认罪。席间，猛子要钱心切，起了点小波澜，不过都被董强一一化解。这小子，整个一自来熟的家伙，叫人哭笑不得。酒桌上有一个活跃的人，气氛变得很热闹，不知道的外人看着，还以为我们是很好的朋友呢。董强赔了无数小话，罚了自己无数杯，搞得大家都很满意。虽然气氛融洽，但是根本问题还是没有解决。众人酒足饭饱，话题还是回到还钱上，这个话题是无论如何回避不了的。只不过，吃喝一顿后，猛子也不那么猛了，说："哥们儿，首先感谢你的招待，但是我弟弟的钱无论如何你都要还

的，所以咱们还是说说干货，别总去扯那些有的没的，你也不要以为请我们吃了这顿饭就可以不还钱，那是不可能的。"三元和他的哥们儿都不说话了，不知道他们是不是有点喜欢这个小子了。说心里话，我还真很欣赏董强，可惜他形象有点吓人。

董强很会把握机会，他心里很清楚还钱的问题迟早要提出来，此时众人都对他有了好感，他要抓住这一点。所以猛子话音刚落，董强一把把自己的帽子拿了下来，露出了他那秃得吓人的脑壳。这一下就把三元他们给震住了。那个样子确实吓人，跟我乍见之下的反应完全一样，谁承想戴帽子的帅小伙竟然人不像人鬼不像鬼？巨大的落差足以让任何人惊讶得说不出话来。包厢里没人说话，三元打破僵局，问："你那头怎么这样？癞痢头？"

董强就等着别人问呢。我看得真切，从答应他请客吃饭开始，他一直牵着众人走。三元他们的注意力暂时被他的头所吸引，于是董强就讲起了他搞成这样的缘由。他的记性真好，每一个细节都讲到了，绘声绘色，说到动情处，还配合着泣不成声的表演。他口才一级棒，加上事情本身就很悲惨。说完了，三元眼圈都跟着红了，三元的哥们儿低着头，不再咄咄逼人地看董强。猛子也被搞蒙了，流露出可怜他的神情。我看着大家的各种表情，心里想笑，可是这样的场合我要笑了好像也不太好，只好忍着。这个董强也太会表演了，毕竟我领教了一次，所以这次董强无论如何煽情，我也找不到原先那种可怜他的感觉了。因为我看他表演的成分比较多，虽然我相信他说的都是真的。看来，董强可不是简单的角色，从拉我出家门，危机一次次被他化解，能把形势扭转得这么好，不是一般的伶俐，我心里暗自对他竖起大拇指。

董强说完了，酒桌上一片沉默。猛子无意识地转着杯子，不知道该怎么开口。我看气氛有点尴尬，咳了一声，说："我都说了他是病人不能打，你们还不信。"说完我就去转那桌子上的圆盘，把烟转到我面前，点了一支抽着，看猛子想如何解决这个事情。董强这个状况，要钱没有，要命更不可能，还有一身病，更不能暴力解决了。

猛子好像很为难，他也不知道该怎么办了，但是要叫他就此放弃，他还不甘心，就问董强："你没有同伙？"意思是如果董强有同伙，或者可以找董强的同伙要钱，转嫁一下要钱的对象。

董强可怜兮兮地说："我自己都不够用呢，还找同伙？就我自己。大哥，真是不好意思，实在不行我给你跪下磕头赔罪了。"说着话还真的跪下来了。说："大哥，我人在这里，你怎么处理我我都认，只是和你商量一件事，千万别去找我父母要钱，他们为了我已经把家底都花进去了，实在也拿不出钱来还你的。你要是去找他们要的话，他们会伤心死的，你就给小弟一个面子吧。"说着话就要磕头。

我一看，有点闹过了，赶紧把他扶起来，说："你闹不闹啊，赶紧起来，不会去找你父母的。起来，起来。"

三元这个时候看出点门道来了，看出这个小子在博取我们的同情，要是我们同情他，他或许会以为我们就会这样算了的。其实我心里早就盘算好了，钱不是我的，我没有发言权，我就是看看，不说什么，看猛子到底如何处理。但是三元说话了，他说："你别搞得可怜兮兮的，说那些没有用。看你小子也不错，也知道你拿不出钱。你看这样好不好，你家这个局我们也没有给你拆穿，你还可以继续玩。这样，你还继续玩你的，大昆天天来拿钱。你赢多少就还多少，你想不还钱那是不可能的。那是 1 万元，不是在这里吃一顿饭那三百五百的。"

董强似乎连这个钱也想赖掉，连连作揖说："大哥，我每天搞点钱吃药打针呢，要是你们都拿走了，我可就够呛能坚持住了，我缺了药不行的。"

三元说："那拿一半分给大昆你看行不？当你俩合伙了。"

董强更会装，说："一天才能赢多少钱？好的时候 500，不好的时候 200。我也不敢天天去赢，偶尔还要倒一些钱出来，这样的局才能长久玩下去。也不敢赢大了，我要天天都赢钱的话，谁还跟我玩啊？就那几个钱买药打针还不够呢。大哥你行行好，行行好。"

我一看，好嘛，推得一干二净的。原先在院子里许诺分给我一半呢，一看大家对他和气了就都不算事了。只是我和他在院子里说的话就我俩知道，三元他们不知道。三元一时也不知道怎么办，便不吭声了。董强很会看人，他看我一直不说话，估计我不会说出来，所以他跟三元说话的时候，特意可怜巴巴地望了望我。我没接他的眼神，故意低下眼去看着桌子，算是默认了他的意思，继续沉默，给他吃个定心丸。

大昆这个时候火了，忽地一下站了起来，说："我一直拿你当朋友，你却连我都骗，你说你是个什么玩意儿？今天说什么也不行，这个钱是死活跑不了的。你这也不行，那也不行，那你自己说怎么行？你自己说。想不还钱？门都没有。今天你不给钱，我就开了你的瓢。"说着，他提起桌子上一个空酒瓶子，作势要砸董强的脑壳。大昆拿酒瓶的手因为怒气不停颤抖着，估计是真来气了。董强一看大昆要动手了，连忙绕着桌子说："大昆别这样，钱现在我还不了，但是我也没说我不还呢。我有办法还你的钱，你让我把话说完好不好？"大昆就围着桌子去抓董强。

董强眼神扫了一遍桌上的人，直接跑到我边上，拉着我说："大哥，我有办法还钱，帮帮忙，你看他不听我说话要打我。"说着话躲到了我的一边。

大昆提着酒瓶子撞了过来，要打董强。大昆从我右侧过来，董强就躲在我的左侧。三元坐在我右手边，正好大昆要从他后面冲过，三元一把拽住大昆，说："看把你能的。一边坐着去，这里没你说话的份，让董强把话说完。"

大昆似乎没把三元放在眼里，嚷嚷说："他骗我的钱，怎么没我说话的份？"

三元是个暴躁的人，猛一下站了起来，说："你怎么还想和我比量比量啊？"

猛子一看三元要恼，连忙喝住他弟弟。不妙，钱没要到，自己人倒要内讧了，这倒霉的董强，我心里骂着。我过去拉住三元，三元很听我劝，恶狠狠瞪着大昆教训说："你个彪样，刚才是说谁抢劫犯法了？不看你哥哥的面子，我还真不惯着你毛病。你毛躁什么？董强都说有办法还，你就不能让他把话说完啊？他要说的办法不行，出门你随便打，别在这里打，没人管你。"说着，又坐下了。

大昆依然气咻咻的，但不敢顶撞三元，站在那里瞪着三元。猛子把他拉回座位，总算消停了下来。三元没再理他，转头问董强："你说你有办法，究竟是什么办法，说说看。"

董强长长舒了一口气，就把他的打算跟我们大家说了出来。原来他有一个远房的亲戚，叫杨涛，非常有钱，是个好赌的人，总去他家看他们赌博。但是他对于他们玩的 10 元的局没有兴趣，兜里有零钱的时候，偶尔上来丢几下。他总是建议董强他们玩大一点的，一次 100 的底钱。董强也想提局，他稳赢。但是其他人都不敢玩这么大的。一把 10 元对这些常来他家玩的人来说已经很大了，最早是玩 1 元钱的，后来涨到 2 元，再到 5 元，最后涨到 10 元，实在涨不动了。叫这些人玩一把 100 的，那是不可能的。董强有心想和杨涛玩，奈何玩不起来，主要是两个人玩，其他的人看热闹不太好。董强有心骗他几个钱花花，曾趁着人少的时候提出和杨涛玩几把 100 元一次的，但是杨涛对董强手里的几百元不屑一顾。最主要的原因是：杨涛看董强是亲戚，不好意思和他玩。

董强一直在找机会想组织人千杨涛一下，但是苦于找不到搭档。做他的搭档得符合两个要求，一是能拿出让杨涛眼红的本钱，诱惑他出来赌；再就是会玩老千色子或者会在色子上出千。董强已经把周围认识的能玩的人都千得差不多了，都是一群猪，和他们谈不到配合的事。今天遇到我们，就想和我们合作一下，他拉杨涛上来玩，我们配合他赢钱。

原来他是想利用我们。我很怀疑他，他的话我可不敢信。我问："怎么能证明你说的都是真的？不是给我们下笼子吧？"

董强诅咒发誓说不是笼子，他说："大哥，你们这些人，我哪里敢给你们做笼子啊？再说了，想骗你好像不太可能。你一来我家，能在几把之内抓住色子的密码，这样的人太少了。我玩了这么多年色子，每次抓别人密码色子上的密码，都得费很长时间呢，大哥你 5 分钟就给对出来了，大哥你真高。"一顶大高帽扣我头上了。我也是个俗人，听着那叫一个舒服，难怪别人说千穿万穿马屁不穿。在三元两个朋友面前，我感觉特有面子，不自觉地挺直了腰板。猛子和大昆投来崇拜的目光，我鼻涕泡差点冒出来。

三元也跟着凑趣，说："想在赌上瞒住老三的人没有。我不是吹，你那些东西在老三眼里都是小儿科。"

我一听，他咋也帮我吹上了？赶紧岔开话题，问董强："看样子你研究很久了，你说说看你怎么研究的？你估计能下他多少钱？"其实最后那句话才是我最关心的。我又不是雷锋，凭什么帮大昆把钱赢回来啊？我要看看里面有多少油水，少的话，爱谁去谁去，我才不去呢，我认得他是谁啊？

董强讲了半天，大致意思是带他过来玩，下个 10 多万应该没有问题，只是勾引他上局好像有点难度，主要是他有地方玩，不像以前去他家那么频繁了。何况我们也不可能天天在董强家守着他来，要是专门去把他叫来玩又不太好。三元也是听懂了我说话的意思，一听到能拿个 10 来万，来了精神，说："可以试一下，要是真能拿 10 来万的话，你拿 3，我们这些人拿 7，你看行不行？不行的话我们不做。我们是来要钱的，不是来帮你宰猪的。"

董强本来还要争取，但是三元很坚持，不答应就不玩，而且大昆的钱还必须从董强那份里出。我一看，八字还没一撇呢，就讨论分钱的事，未免太早了。我打断三元，问董强有什么好办法能把杨涛引上局。董强暂时没有什么好办法，只是知道在哪里能找到他。于是我们决定先去看看杨涛本人，然后再决定下一步怎么做，这是我们当时唯一可行的方案。

40 › 傻子局上钓傻子

从饭店出来，已经是下午2点多了。董强说那个杨涛每天差不多这时候都在一个地方玩，他知道，于是我就跟着董强去找杨涛。杨涛在离董强家不远的一个小村子边的小卖店玩。现在，农村边上的小卖店基本都是变相的赌窝，特别是到了冬季，没有农活，随便进一家，都有局，只是局大局小的区别而已。

我跟着董强来到小卖店里。柜台前站了几个人，三三两两说着话。看见董强，都问他今天家里怎么没局了？董强和他们打着哈哈，带我进了小卖店后面的小屋。屋子里盘了个炕，炕上炕下全是人，一个个使劲伸着脖子看炕中间的桌子。原来他们在玩闷子。

所谓闷子就是往一个钵子里扔玉米，有点像街头上的猜瓜子游戏。猜瓜子的游戏是找一个碟子，用乒乓球拍做碟盖，庄家当着众人的面将瓜子（6颗以内）放到碟子里，迅速盖上碟盖，让众人猜里面是几。一开始，就有好几个人抢着下注，还有人赢走不少的钱。渐渐的，来不少看热闹的也开始押钱了，刚开始还能赢点，几把过去，就开始走霉运了。明明看见进去4颗，可一开出来怎么就变成3颗了呢？一次次不甘心，一次次下注，不一会儿，兜里的钱就都跑到摆摊人那里了。我以前写了很多街边的骗局，那些人就是利用人们的贪心和自以为是骗钱的，那猜瓜子的摊主手心里都藏着"瓜子"，一般人不易发现。猫腻就在乒乓球拍上，事先在里面挖个洞，放入小磁铁，需要作弊的时候，打开隔板，将涂有铁粉的那颗瓜子吸进去，隔板盖上，4颗就变3颗了。这么跟人家赌，那钱还不都泥牛入海了？

他们的局和玩猜瓜子的原理一样，只是用玉米粒替换了瓜子。庄家用三根手指头捏一些玉米，最多5颗，使劲摔进钵子里。玉米粒在钵子里跳来跳去，有的可能会弹出来。庄家要趁着人没看清里面剩了几个，迅速用硬纸壳盖上，然后让大家猜里面还有几粒。在钵子前，有一张纸，纸上画有五块押钱的区域，押一赔一。我一看，这个玩法怪啊，以前还真没玩过。会算概率的人肯定不玩这个，五家分别都是押一赔一，谁玩谁是傻子。

但是，从扔玉米到盖上盖，有一个时间差，这个时间差足以让很多自以为眼快过庄家动作的人充满自信地下注。押钱的人围在桌子边，能够清楚地看到钵子、玉米、庄家的手、作为盖子的硬纸壳。外围也站了很多人，都是看热闹的。再看桌上、炕上到处是蹦出来的玉米粒。外围的人看到别人赢钱了，都有跃跃欲试押两把的意思。但是终归还是看热闹的多，真正在玩的也就那么四五个人。其中有一个留着小胡子的胖子，嗓门最大，最能叫唤。董强冲他努努嘴，告诉我，他就是杨涛。

杨涛押得不大，基本200或300押一下。大部分时间里，有很多人能够押中。对庄家来说，一家赢四家输，怎么都能盈利的。世上竟然还有如此傻瓜赌法，确实够雷人的。有一把很有意思，庄家盖盖子动作慢了，我明明白白看到盖盖子时里面就剩3粒玉米。不但我看得清楚，杨涛看得也很清楚。因为我在杨涛的正后面，我俩的视线角度是一样的。庄家让大家下注，杨涛激动得不行了，断定里面就是3粒，好像是害怕里面的3粒玉米跑了，他连忙一手按住庄家盖钵子的硬纸壳，另一手从怀里掏出一叠钱来。他大概以为稳赢了，怕押晚了人家不带他似的，数都没数，就把那一叠钱都押在3上面。

看那厚度，大概有3000左右，估计他腰包里就这些钱了，要是还有的话可能都会押上去。他信心十足，觉得3000不够押，还从边上一个哥们儿的手里抢过来押在3上面，解释说："这把你别押了，钱先拿给我用。"他和那人应该很熟，那个人没有异议，但是提醒他说："老杨，你悠着点押啊，你怎么也得看准了啊。悠着点，悠着点。"从那个人的角度看，大概不能确定里面是个几。杨涛连连摆手，不让那个人说，仿佛怕别人跟着他押似的，说："生不生孩子就这一手，我认了。"那意思是这一把他押定了这个3。我也看得很清楚，也认定是个3，但是叫我押钱，我可不干，我还没搞明白什么状况呢。

庄家等大家都押好钱，就问："再有没有押的？没有我开了啊。"说着话把纸壳拿开，里面有4粒玉米。怎么变成4粒了？当时我只顾看杨涛的表情，没注意庄家的动作。我判断，庄家应该是在开宝的时候做了手脚，从钵子口拿硬纸壳的环节他有小动作。我来这里是为了钓杨涛，不是捡漏的，我想通过他在赌桌上的表现来看他是什么样的人，然后对症下药，好给他下个套。

杨涛一看开出来个4，不住拍着桌子，质问道："明明是3个，怎么成4个了？怎么可能？怎么可能？"

庄家接着他的话说："明明的事多了去了。怎么？你有问题吗？"

杨涛不再搭话，起身离开桌子，站一边看热闹，看样子是不想玩了。他的脸上满是狐疑和不解，但是没有失望。我看得很真切，杨涛算是精明人，懂得适时罢手，不会胡搅蛮缠。看来要钓他确实有点难度，单凭董强和他的亲戚关系，未必能说动他。

赌局还在继续，我看看董强，再看看杨涛，忽然有了主意，我知道该如何钓他了。主意拿定，马上行动。我拿出钱来，使劲往前边挤了挤，那意思是我要下注。

我手里攥着300元，挤到最里层，没有马上下注，而是做出要押钱还拿不定主意的样子。别人看来我是在仔细研究下一把会出什么，其实我眼睛余光看着杨涛。我的目标是他，我要做样子给他看，别是他没在看热闹，那我输了钱就冤枉大了。果然，杨涛没在看热闹，和边上人闲聊着，听话音马上就要走。这边庄家的盒子盖上，招呼大家押钱。我没心思看庄家扔的是几，后续做了什么小动作，懒得看。不能让杨涛就这么走了，我得让他记住我。玩家都押好了，庄家要开了，时间紧迫，再不表现表现，就没机会了，我大声说："等一下！"

杨涛正要走，听我这么一喊，转回头来。我心里话：有门。我这一声，其实就是叫他的嘛。我看到杨涛看了过来，继续扯开嗓子对庄家说："别开，我押钱，我要押你的底钱。你带多少的？"庄家满不在乎地说："多大都带，一百不嫌少，一万不嫌多。"

杨涛看有人想捞庄家的底钱，就凑过来看热闹。呵呵，我就是等他来看呢，我得输点进去，好给他留个印象。但是真的让我去捞庄家的底钱，我才不干呢，我又不是钱多烧的。我在包里翻来翻去，翻出2000多元。说实话，再多确实舍不得。2000多元买杨涛记得我，足够了。桌上下注的，都是二三百元的，再多就浪费了。再者说，买了印象，后面他是否上钩还是个大问题呢。我数都没数，满不在乎地把钱丢在"4"上，说："一万啊？那可没带那么多钱。我今天出来就带了点零花钱，都押了，我押4。"完了转头埋怨董强："你怎么不告诉我这里有局可以玩？要知道的话，我带点钱来玩啊。"董强反应够快，很是配合，说："我知道这里有局，但是这个局怕你看不上眼啊。我想着这个局对你来说有点小了，就没和你说。"

我自顾自和董强说着话，告诉杨涛，是董强带我来这儿的。至于庄家怎么开钵子，我不管，有鬼随便捣去，我还真不想赢呢。我输了，庄家开出来个3点。周围那些看热闹的过来安慰我，为我惋惜。也有人说我真牛，敢押这么多钱，和杨涛有一比。我心里冷笑：你们比个毛啊。杨涛是以为自己看得准下了3000多元，我是为了叫杨涛记得我下了2000多。我这个下的是饵，为的是钓这条鱼。这点钱，我迟早要拿回来。庄家收走我的钱，我依然谈笑风生，跟董强说："输就输了，下回有局你记得提前说一声呀。"董强应承着。杨涛一旁看着，我知道我的目的达到了，他应该是能记得住我的。

杨涛看完这一把就要走。我过去拍拍董强的肩膀说："不玩了，今天也没带钱。走，咱俩找地方败败火去，明天拿钱来玩几把。"

董强也做出和我很铁的样子说："就去上次你带我去的那家吧，那里真不错。"

我说："咱哥俩，你说去哪儿咱就去哪儿，一点问题也没有。"说着话，我俩勾肩搭背，跟杨涛前后脚出了小卖店。

出门，沿着村里的小路走了一阵，董强想上去和杨涛打招呼，被我拽住。董强过去，就是我们主动上前攀谈，虽然我心里急不可耐地想把杨涛拉上赌局，行动上却急不得。我得装出很有派头很矜持的样子，最好让他自己跳进来。

我们和杨涛保持着五六步的距离，边走边说。董强一个劲奉承我。我呢，也做出很受用的样子。我们沿着村边的小路慢慢地走着，杨涛发现我们走在后头，就停了下来。等我们过来，他主动和董强打招呼。我继续摆谱，对他爱搭不理。杨涛似乎听到我和董强的对话，好意劝我说："兄弟，明天还想来玩啊？我劝你别来玩了，我怀疑他们有问题。"

我装傻到底，问他："能有什么问题啊？不可能吧，你说哪儿有问题？我怎么没看出来。你可拉倒吧，别说了，我不信。"说着话我从他身边走了过去。董强跟杨涛说了句回见，赶紧来追我。走了很远，隐约听杨涛在身后说了句："这个傻×。"我假装没听见，心里回嘴：你才傻×呢，你妈的才是个大傻×，你爸爸是和氏璧。这样一来，立刻觉得舒畅了好多，心情也好了起来。

　　晚上和三元、猛子、董强在一个饭店的小包间里碰头，我把我的想法和大家说了一下。我的计划是让董强教杨涛玩密码色子，就说我是个凯子，让董强说动杨涛两人合伙来千我。我就装个凯子上去和他们玩，先让杨涛小小赢我几把，把他的赌瘾勾起来，然后放大点局，等杨涛对色子有百分之百信心、多大都敢押的时候，一把把他拿下。

　　对于勾引他上局我觉得是没有问题的，他总去玩闷子，如今他认为闷子局有鬼，暂时不会去了，附近没有其他的赌局。下午我在他面前表现出很彪的样子，像我这样又彪又阔绰的凯子，谁遇到都会心动。而且，我和董强给他留下我俩很熟的印象，就董强那口才，我觉得说动他来千我没有任何问题。技术方面，当他面换个色子，对我来说，小菜一碟。关键环节是如何能让杨涛认为这个局滴水不漏，如何才能让杨涛带那么多钱来玩？因为只有他认为能稳拿钱的局，才会带大钱来。如何叫他一把下那么多钱和我赌，倒是其次，这个只要他上局了，就没有问题。赌局上的人最好勾引了，我就不信一叠叠钞票放他面前他不眼红。

　　董强听了我的顾虑，连说没有问题，他负责搞定。我们又研究了一番，编派出了合理的理由：我老三是个有钱的凯子，赌得大，还傻得很，还爱装，不是随便叫就去玩的。想玩可以，先亮货，带个一万两万的我不伺候。只有这样的说辞，才能找机会把他的大钱给赢过来，不然人家陪我玩了一局，不再玩了，前面为了引他下水输出去的钱就永远归人家姓了，那我就真成冤大头了。这样的事情不是没有，很多呢。

　　除了我和董强，还需要一个群众演员。商量了半天，选定三元的朋友。三元长得太吓人了，满脸横肉，一看就不是啥好人，去了把人吓跑就不妙了。猛子不会赌。大昆虽然会赌，但是社会经验少，演这样的局恐怕不合适。人家杨涛精明着呢，可不是大昆这种书呆子能糊弄得了的。

　　分工完毕以后就分手了，随后几天等着董强动员杨涛。我们等消息的时候感觉时间过得异常慢，也就是6天。最开始一直没见董强来，以为被董强放了鸽子。三元没事就去董强家找他，每次都能在他家里找到他。董强总是答复快了快了，正在动员；或者说那边已经活心了，再稍微等等。第六天，董强屁颠屁颠地来找我们，说："成了，明天晚上在我家开局。"

原来，董强当天晚上就去找了杨涛。先是和杨涛一起唠嗑，渐渐地，话题说到下午玩的闷子局上，讨论了一会儿闷子局，自然而然把话题给引到了我身上。杨涛就问董强在哪里认识这么一个傻鸟。董强就编了一套词，说和我是哥们儿，有钱还大方。再后来一步步说他搞了套色子，很是神奇，可以要几打几，还神神秘秘地演示给杨涛看。言谈间透露出这个色子在自己的小局上不能用，就是用了也赢不了多少钱，这么好的东西，拿不到大钱，真是太可惜了。董强说希望杨涛帮着找个傻子一起玩。开始杨涛也没答应。董强也不急，连着几天没事就去找杨涛，最后把杨涛说活了心思，两个人都把目标定在了我的身上。但是杨涛不放心，把色子拿回家研究了两天，因为董强的密码色子需要背密码。

经过6天的努力，董强把杨涛动员成功，说好对我下手了。杨涛准备了15万元，其中10万是他自己的本钱，5万是给董强做本钱摆样子的。我们也赶紧准备本钱。

猪来了，而且是头自以为是的猪。

41〉谁的天仙局

第二天，我们准备好钱，专门挑了三颗特别的色子，和董强拿来准备玩的色子做了详细的对比，确定外观、大小都一致。这三颗色子很神奇，其中两颗随便丢，无论怎么丢，都是两个5点，第三个无论如何丢都是1点，就是扔出花来，也是这样的组合方式。这三颗色子是关键时候掉包给杨涛用的。

晚上，我和三元的朋友早早来到董强家。董强的父母都在，这是两位憨厚的老人，他们对董强时不时召集人来家里赌钱好像习以为常了，我们去玩，见怪不怪，忙着给我们端茶倒水，给我们烧炕。他们偶尔会看着儿子，爱怜之中带着无奈。真不知道如此朴实的父母，怎么养出董强这样滑头的儿子。杨涛也到了，人凑齐了，我们的局马上就要开始了。看我们要玩，两位老人去另一个房间看电视了。

　　杨涛带了两个人来，一个是打扮妖艳的女子，带着浓浓的风尘味，看样子应该是个小姐。还有个男子，岁数和杨涛差不多。杨涛说那是他一个朋友，就是跟着来看看热闹。但是那人站在那里，一动不动，目光炯炯，看人的时候眼神却阴森森的，也不多话，不时看着我们这些人，看来是个很精明的家伙。我用话试探他，问他有没有兴趣来两把，他摇摇头拒绝了。来看赌钱的，要是个赌徒我还真不惧。可惜他不是个赌徒，我不由得对这个人多了几分戒备。我跟大家开着玩笑，互相没话找话寒暄，逗他多说话，想根据他的穿着打扮和言谈举止，猜测他的职业和身份。

　　闲扯一阵，话题转到赌局上。杨涛居然请教起掷色子的规矩。这也太装了，不会玩，来玩什么呀？这杨涛，精明是精明，但是有点演过头了，拿糊弄傻瓜那一套玩我，看来是真把我当成呆瓜了啊？这样也好，他心里看不起我，对我自然少了几分提防。说起钱来，杨涛马上变了样，毫不客气，开口就问："底钱都带够了没有？没带底钱我可不和你们玩啊。"这话正是我想问的，他问起也好，我和三元的哥们儿连忙把钱拿出来展示一下。不知杨涛是想眼馋我们，还是想在那个小姐面前显摆，脱鞋上了炕，找个热乎的炕头盘腿一坐，从包里拿出一叠叠的钞票，码在自己面前，放得整整齐齐的。那小姐一见花花的钞票，马上变得多情起来，麻利地脱了鞋上了炕，坐到了杨涛的身后。她手里剥着瓜子皮，每剥出一个瓜子肉，就送到杨涛嘴里一个。杨涛很享受，人家喂他，他就低头用嘴去接一下，那做派叫人很眼热。

　　三元的那个哥们儿很有意思，学杨涛的样子上炕盘腿一坐，把钱拿出来摆在自己的面前，只可惜没人喂他吃瓜子。看他撇嘴的样子，我有心想喂他吃瓜子肉，但是我没瓜子啊，就算我有，他也未必肯要呀。可惜他摆的造型，人家根本没兴趣。我脱了鞋上了炕，拿出1万放在自己面前。董强也拿出1万来。董强的钱我帮他凑了5万，杨涛帮他凑了5万。无论结果怎样，他都是旱涝保收的。杨涛带的哥们儿斜着身子坐在炕沿边，也不多话，看看这个看看那个。我被他看得心里乱七八糟的。

来之前我们都合计好了，三元的哥们儿随便丢色子，丢出来几就是几，绝对不允许他按照密码丢。怕他装得不像，没有和他讲解这套色子的丢法，说白了他就是一个牌搭子，陪衬的角色。董强则关键得多，要见机行事，他要时不时赢杨涛，把钱归拢到他的手里去，以免我们输太多到杨涛手里去。我把握钱的进出。掷色子局轮流坐庄，比如杨涛上一把庄，哪怕他赢了，下一把也要换给他下家先丢，所以这样的局很好把握输赢的。我故意找了个抬眼就能看到杨涛那哥们儿的位置坐下，我对他不太放心。说他是跟着来看热闹的人吧，不怎么像，没有板着脸来看热闹的，好像谁都欠他钱似的，所以我很是在意他。

杨涛坐在炕头，我背靠着窗户坐着，是杨涛的下家，除了可以随时观察杨涛带来的那个哥们儿，更主要的是这方便我算计他。

我们说好规则，每人 200 元底钱一把。一切就绪，董强把色子和碗拿到炕上，我、董强、三元的哥们儿，每人拿出 200 元要下底钱。杨涛拿出一捆钱直接丢中间，那派头，那气势，着实吓了我一跳。他说："一把一把下底钱太麻烦了。大家一个人丢一万出来，谁赢了谁在中间钱堆里拿 800 元走就是了。"一边抽着烟，一边得意洋洋地看着我们。不知道的，还以为他一下押了 1 万。我在心里骂着：不就想在小姐面前显摆吗？有啥了不起的啊？但是我装出恍然大悟的样子说："对啊，大哥这个办法不错，来回数多麻烦啊。"掷色子局一把赢走全部底钱，不需要追加押钱，杨涛的这个提议还不错。

说起来，人们赌钱，最享受的是赢钱后往回搂钱那一瞬间的感觉。把钱都下在中间一点点拿，真叫人找不到赌钱的感觉了。还好我是来演局的，不在乎这个感觉。同样，杨涛也是来演局的，也不需要找赌钱的感觉。还能在小姐跟前摆摆阔，算是一举两得了。

赌局开始了。一切按照我们设计的路线进行着。杨涛开始还比较沉得住气，慢慢遛着我们。他先丢色子的时候，会刻意丢 3 点或者 4 点不大不小的点出来，让我们追。这样的点起码让自己不会输在起跑线上。我们乱丢，出 1 点和 2 点的机会也不少，即便打出 3 点或 4 点，也就是继续和杨涛进行下一轮。第二轮杨涛偶尔演一演，继续与我们持平，不过大部分时间还是叫我们输掉。要是董强先丢，很不客气，直接丢个5点或者6点让大家追。开始我都是随便丢的，出几就是几。杨涛呢，肯定要和我追平的，等着和我进入下一轮，哪怕比我小一点都不干。董强做得比较好，我先丢出小点的时候，他随便丢，是几就是几，当我点大的时候，他偶尔故意追平，或者自己丢个小点输掉。就这样彼此算计着演下来，速度很慢。玩了一个多小时，我才输出去4000元左右，三元的那个哥们儿才输了3000元左右。毕竟我们还是偶尔能乱丢出来大点啥的，而董强比较会掌握火候，总会找一些机会适当输给我们一些，让我们的钱不至于太快输给杨涛和他。

董强这么做，是要用实际行动告诉我，他真的是和我一伙的。之前，我并不是很信任他，上局后，一直在观察他如何演局。他要是猛掏我们的钱，那我还真得好好合计合计。来之前，我还和三元他们一起讨论过，万一出现董强给我们做套，和杨涛合伙算计我们，我们就来硬的，当场拆穿他们的色子，要钱走人。这样拿他们几个钱走，一点问题也没有。但是看董强的表现，我知道他是在极力配合我。

三元那个哥们儿大大咧咧的，好像没心没肺一样，丢个啥就是啥，整一个木头人，不太会表演。有时候我看他那呆瓜样，心里也替他着急，还寻思：大哥，你喊两嗓子，你输了着急一下吧。但是他竟然啥反应也没有，好像是个傻子似的，人家拿中间的钱他都没什么反应，甚至连人家是否多拿了也不去查一下。我看他这个呆瓜样有点哭笑不得，但是又不好明着说什么。虽然我已经教过他如何扮输急眼的赌徒，可他好像都不记得了似的。我有点担心被杨涛看出破绽，谁知错有错着，在杨涛眼里，三元那哥们儿输赢不在意的架势，那叫风范，老板的风范，有钱人的风范。杨涛总去恭维他，可能真把他当有钱的凯子了，也可能看他很矜持，想和他套套近乎。我也想和杨涛带的那个严肃的哥们儿套近乎呢，因为我被他看得头皮发麻。

开始杨涛演得还不错，知道偶尔丢几个小点出来让自己输。玩了一个小时以后，杨涛开始急躁了，一次一个人下200元在杨涛看来有点慢。他总有意无意拿话说局有点瘦，意思是希望我们能先提出来把底钱涨一涨。我们早就算计好了，坚决不能提，就200元一次钓着他。我偶尔也在自己丢色子的时候来把通杀，以保证我们的钱不会那么快被他吃掉。或者在杨涛点大的时候追平他，进入下一轮，好把时间拖长久一点，慢慢磨掉他的耐心。人心都是贪婪的，谁都不会例外，这么多钱摆在他的面前，而他每次只能拿走一点点，他很快就会沉不住气的。

时间一点点过去了，杨涛越来越急躁。他的急躁表现在自己先丢色子的时候，总是一把直接丢个4、5、6，或者用豹子通杀我们，连一点机会都不给我们，估计是觉着我们真的很傻很天真。玩了近3个小时，我俩一共输出去快3万了。这个期间我没忘观察杨涛带来的那个哥们儿，他从开始到现在，竟然没有说过一句话。但是我发现一个问题：他也没有抽过一根烟。任何一个老千都是从赌徒开始，慢慢成长为老千的，会赌的人没有不会抽烟的，熏也熏出来了。这样看来，他应该是个外行，或者是杨涛带的帮手，怕出意外？这只是我的想法，我得探探他。

有一把轮到我先丢色子，我故意半握着自己的手掌，掌心里什么也没有。我伸出三个指头把色子拿了起来，指尖不停移动着色子，看起来我是无意识摆弄色子，其实我是在找通杀的点。找到后，故意在碗的上空顿了一下，才把色子打出去，我直接丢出来3个5的豹子，通杀。这一套动作其实是把指头上捏的色子收回来，把掌心的色子丢出去的过程，但我实际丢出去的还是手指里的色子，我掌心里没有色子。我是在演示换色子的手法，如果是个老手，一定会有所反应。杨涛的那个哥们儿竟然还是一点反应也没有，依旧是那副死沉沉的表情。我心里一块石头终于落了地，原来是个傻鸟，装酷来了。我心里骂着他：妈的，你想吓死几个人啊？

我不是怕他，只是担心万一是个老手，可能会影响到我们这个天仙局的完成。杨涛前面赢钱不怕，他要敢中途提出不玩我都不会让。要是他执意不玩，我就拆穿他们的色子有问题，把他赢的钱要回来，搞不好还能敲几个钱下来。但是我不想搞成这样。我要让他自己把钱拱手送过来，这样可以省却很多想不到的麻烦事。试探完了，我松了一口气，他愿意装酷就装好了，懒得再看他了，专心对付杨涛吧。

随着赌局的进行，我又发现一个问题：炕烧得太热，大家手里都有汗水，我们玩的色子，你丢一下我丢一下的，几个小时后，色子就变旧了。我衣服口袋里的色子这么拿出来，显得太新了，差别很明显，不做任何处理地换上去，傻子都能看出来。

我脑子迅速转着，在想如何让我口袋里的色子变旧。好像光用出汗的手心磨色子效果不是很好，我在别人丢色子的时候，就在自己的手上搓灰。搓了几下，愣没搓下来灰来。我又试图从脖子上搓点灰下来，搓得自己都疼了，也没搓下来。不是我有洁癖，是因为那天刚从桑拿房睡觉出来，身上的灰都被人搓走了。我有点郁闷，平时一搓就有，关键时刻需要它，咋就没了呢？我的动作，那几个老爷们没在意，那小姐注意到了。她用异样的眼光看着我，大概是我搓灰的动作恶心到她了，那眼神分明在说：你这个人怎么这样？这么多人呢，你怎么搓起灰来了？但是我哪里顾得上理会她怎么看啊，还是继续搓。那小姐不时投过来鄙夷的目光，我有点别扭，没好气地看了她几眼：你没事盯着我看什么看啊？我好看啊？

　　我身上实在搓不下什么灰来，只好在炕上收集着各种灰。炕很热，手心里很容易攒下汗水。我隔几分钟就把手伸到口袋里蹂躏那三颗色子。手从兜里出来，也没闲着，在炕上摩挲着到处找灰。董强家炕上铺着地板革，扫得特干净，表面上一点土都没有。别人打色子时，我掀开靠墙的地板革，好多的灰啊！我高兴坏了，找到机会我就用沾了灰的手在口袋里揉色子。这么折腾了半天，也不知道效果如何。我当然不敢当着大家的面拿出来看。我估摸着色子被我蹂躏得旧了，就借口说要上个厕所。董强家的厕所在院子里，没灯。我用打火机照着看，可以拿出来用了，然后，我放心地回来继续玩。

　　下炕去厕所时，我又好好观察了一下杨涛带的那个哥们儿。从厕所回来，我又从他身后上炕，在脱鞋的时候故意磨蹭了一下，从他身边上炕，趁机接触他的身体。我用手在他腰周围摸了摸，不怕别的，就怕他带什么家伙，怕一会儿出什么事情。我发现他身上没带什么东西，就放心了许多。

　　这个时候，杨涛更加急躁了。我示意董强，可以开始了。局演到这个程度就可以了，我们要收线了。

42 〉挖坑

我上了炕以后，董强更聒噪了。他东说一句，西说一句，听起来是在神侃，但都有个重心，拐着弯往底钱上说事。有一把，他故意丢了小点让我们赢，无奈地说："200元一把底钱太瘦了，要不咱们涨涨码吧？"

我接着他的话说："乐和乐和得了，你怎么还拼命啊？200元还瘦？一次赢600元呢，不少了啊。"

董强拿起身边的钱，像模像样地点了点，说："我赢了快1万了，这是200元一次底钱，要是1000元一次底钱的话，我现在就赢5万了。"说着，用手比量出很夸张的厚度。

我反击他说："1000一次底钱？你怎么尽想好事呢？要玩1000一把底钱，估计你丢色子的手都得颤抖，那个时候还不一定你输多少了呢。我和你认识这么长时间了，你我还不知道吗？平时扣扣缩缩的，买个雪糕还要买5毛的，不要一块的。200元一次你手都在打哆嗦，还敢提一把1000的？"

董强一听，似乎被我踩到痛脚，嗓门也提高了，说："你看你，咋么么小看我？来，咱俩格外再下1000的外带，你赢了你拿走，我赢了我拿走，你敢不敢干？别和我说那些没用的。"所谓外带就是在底钱200元以外单独和董强赌的。他俩要是赢了的话，只可以拿走底钱下的200元，董强赢了就可以全部收走，我赢了也一样。他俩赢了，我就和董强比我们之间的点谁大，无论我俩谁丢出1点，都直接输掉。

我做出鄙视董强的样子，说："你看你个×样，说说话还喘起来了。"说着我拿出1000元丢在一边，表示可以和他外带。他二话不说，也甩出1000元。就这样，我俩外带了起来。

第一把是三元那个哥们儿丢色子，他随手丢了个5点，这个点很大了，但是杨涛直接丢了 3 个 3 的豹子拿走了底钱。三元那个哥们儿木然地看着人家把钱拿走了。按理说这一把就结束了，要进入下一把，但是我和董强互相外带着呢，我和董强之间没有分出输赢，所以杨涛丢完了，我就拿起色子丢了个 3 点，董强丢了个 4 点。他真是个好演员，很嚣张地把 2000 元一把抓了回去，对我说："外带你也是个二。怎么？服不服？还带不带了？""二"的意思是有点憨，一般说：你真是个二。

我说："不就是 1000 元吗？你没见过钱啊？来，咱俩继续外带。"

下一把由杨涛开始丢色子，他直接丢了个 6 点，除非丢出豹子或者丢出顺子才能赢他。但是这样的机会太渺茫了，那小姐看了这么长时间热闹，也知道 6 点是大点，很难追，跟着兴奋起来，不住拍杨涛的肩膀称赞他丢得好。杨涛因为坐在炕头的位置，很热，脸上油光光的，被小姐奉承得满脸得意。他带的那个哥们儿此时终于露出笑容。

轮到我了，我伸手从底钱里数出 800 元来丢在杨涛的钱堆里，说："这个点我是追不上了，但是，我要赢董强的 1000 元找个补贴。这个钱你拿着，我追不上你了，但是我万一追上了，你可得还回来。"

杨涛还假装推辞了一下，把 800 元拿在手里，说："不能拿，不能拿，你们还都没丢呢。你们丢丢看，实在没我大我才算赢。"话虽这样说，但是他也没有把那 800 元放回去的意思，就在手里把着，好像这钱已经归他了一样，脸上也是一副自信满满的表情。

我丢了个 5 点，一来不想大过杨涛，他的贪念刚被我们勾起来，得让他再继续自满一会儿；二来我想逼董强也丢个 6 点或者更大的点出来，让董强把底钱拿走。我俩在没玩的时候都说好了，董强必须把把赢我，让董强把底钱拿去，我以为这样可以给杨涛更大的刺激。可是董强不着急，他丢了个 5 点，和我持平，看来他不想和杨涛争底钱，只是想把我的外带钱赢去。轮到三元的哥们儿，他把色子在手里搓动着，第一次喊了句"豹子"，就把色子丢了出来。可惜他不知道应该如何丢，只是喊了个愿望，丢出来的是个 2、3、5，属于没有点。得再丢一下。他又大喊了一声"豹子"，把色子丢了出来。这一把丢出来两个 2 点一个 3 点，这样算 3 点，他也输了。他好像很失望，自己点烟抽去了，对我和董强的较量一点都不在意。

我和董强都是 5 点，要分输赢。我先丢，直接丢了个 1 点：两个 6 配一个 1点。直接输给董强。我拿起来那个 1 点的色子，骂道："操你妈的，你哥哥都是6，你非要当个 1 点，你有病啊？信不信我把你丢炕洞里烧了。"那小姐看我拿色子气急败坏地骂，捂着嘴偷笑。杨涛赢了底钱，很满足，将那 800 元放进自己的钱堆里去，看我在骂色子，竟然教训起我来："兄弟，不要骂色子。这个东西很神的，你越骂它，它越和你作对。别不信，我就在心里叫它是爹，每次扔，我都说，爹啊，你大一点吧。这样每次都能出好点。赌钱这个东西很邪的，你要敬他们，我说的你别不信。"他一番话把大家都说乐了，那小姐乐得不行了，撒着娇，用拳头捶他，指着色子，跟他开玩笑："快，快，你爹被人骂了。"我也乐得要命，但是没法去接那小姐的话。杨涛带的那个哥们儿也乐出了声。

　　董强连续赢了我三把，开始吹嘘起来，我冷眼看着，杨涛很是羡慕。他快要掉坑里了，换谁遇到这样的好事不想跟着捞一把呢？我们还得再努把力，我继续装憨，满不在乎地对董强说："赢了三把就不知道自己姓什么了啊？敢不敢带一下 2000 的？"说着话我点出 2000 元摔在董强面前。董强一点也不畏惧，点出2000 元，扔在我 2000 元旁边，说："2000 就 2000！就你那背点，多少我都敢和你外带。这把你就算瞎猫撞上死耗子赢了，我还赚你 1000 呢。"杨涛看我俩顶上牛了，也想参与一下，说："你俩总外带，不如咱们把局给涨涨码啊？一把 1000的底钱，行不行？"他的贪念终于被我勾了起来，但是我不能答应他。我的计划是一次给他拿下，现在时机还没到，还得再诱惑诱惑他。

　　我说："1000 的外带是我和董强之间的事，我俩不管谁赢了，拿着这钱一起出去潇洒，不和你们赌那么大。"

　　董强接着我的话，讽刺我说："你看看，你点背吧，谁都想踩你，连老杨从不玩大的人都敢和你叫板。你昨天晚上是不是没做什么好事啊？遇到白虎了吧？"

　　我摊摊手，无奈地说："我说你小子昨天领我去洗桑拿，还那么大方给我付小姐小费，原来咒我啊？"其实这只是做戏而已。要知道，我从不去桑拿找那些乱七八糟的人，嫌脏。我们没事的时候偶尔会讨论这个问题，一个小姐在桑拿间里一天起码得接 20 个客人，整一个公厕。可能是我保守，也可能是我总赌钱，比较忌讳这些。当时说这些，只是为了让杨涛陷得更深。

　　杨涛看我不愿意涨码，不想放弃，恳求似的对三元那个哥们儿说："要不咱俩也外带点吧？三百五百的都行。"三元那个哥们儿淡淡地说："玩200元的底钱对我来说就可以了，咱们娱乐娱乐就得了。别玩那么大，就是玩玩打发一下时间，我不和你外带。"杨涛看动员不了三元那个哥们儿，而董强和他一伙，他参与进我和董强之间的外带，似乎是抢董强的生意，所以他就没提要参与我和董强之间的外带。

董强当然又赢了。当时是董强比我先丢，董强丢了个4点，我丢了个3点。当我的3点站稳的时候，董强哈哈大笑，毫不客气地把4000元一把划拉回去。我板起脸来耍着脾气，把色子从碗里拿起来使劲摔在碗里。色子一下蹦得老高，一个蹦到地上，两个蹦在炕上。杨涛那个哥们儿赶紧把掉在地上的色子捡起来放回去，那个小姐也满炕去抓色子。好一通忙活，三个色子又回到我们中间。董强脸也拉下来，跟我说："老三，咱输钱了不能输人啊，输这几个钱对你老三来说那是毛毛雨，至于摔色子嘛？"

我哼哼两声，对董强说："真倒霉！一个回头钱也不见。你敢不敢和我带5000元的？我就不信了，一把我也不赢。"

董强耸耸肩，装作无所谓的样子对我说："5000就5000！谁怕谁啊？我现在手里的钱都是赢你的，拿你的钱再赢你的钱，多大我不敢和你干？大不了再输给你。"说着话，他先点出5000元丢在我面前，挑衅一样地等着我也点5000元出来。我没示弱，立刻也点了5000元出来，表示和董强再来次外带。

杨涛一看我俩杠起来了，十分眼红，对我说："你着急翻本啊？我给你个机会，我和你外带2000元吧，让你捞捞？"说着话他点出2000元，在手里晃呀晃，好像在眼馋我。我当然要拒绝他了，心里狠狠地骂道：你个猪，谁和你外带啊？真是的，我想一把赢光你手里的钱。我说："看我倒霉点是不？你去找他（三元的哥们儿）外带去。我今天就和小董耗上了，不是钱的事，是为了一口气，要不他以后不知道出去怎么宣传我了。我今天非把这个面子找回来不可。"

杨涛看我这样说，就不再坚持和我外带。遇到我这样的凯子，眼睁睁看钱被别人拿走，插不上手，谁能不着急呢？

这一把我又输给董强。我直接丢出个1点来让自己输掉，董强都不用再做戏丢一下。董强看我丢出个1点，立马就笑起来，一点没客气，把钱给拿走。我装出很不甘心的样子，作势要拿着色子，被董强一把抢过去。他还要丢色子，他还可能赢到底钱。

董强说我："你就那丧门点了，都不用动手，你看没看到？你就直接把钱送过来得了，你丢多少次都一样。怎么？还不服气？"说着话，他在碗里随手乱丢，丢出来1、2、6的面子来。他指着碗里的色子，似乎是故意气我，跟我说："看到没？没有点我都拿走了你的钱。这叫什么？这叫财运来了鬼都挡不住。"1、2、6属于没点，必须再丢，一直丢出有两颗一样的面为止。我故意板着脸盯着董强看，一脸无奈，要叫杨涛以为，我自认运气差。董强继续丢色子，居然丢出来个1点。气人没有这样气人的，还好我俩是在演戏，要不是演戏，遇到这样的点，我真能把碗和色子都给摔了，也太气人了。

董强努力表现出嚣张的欠揍样，撇撇嘴，那意思是没拿到底钱无所谓，作出不把我气死不罢休的坏样，点着赢我的5000元，脑袋随着数钱的频率上下点着，嘴也没闲着，自言自语说："有人给咱补贴啊，底钱不要就不要了。无所谓啊，底钱才几个钱？不稀罕。"说着话故意看向我，看我瞪着他，马上推了我一下说："老三，输这几个小钱不至于这样吧？你就是点背知道吗？今天你不适合赌钱。要我是你，我就认了，不玩了，今天就你那手气，有多少得输多少。"

我赌气似的对董强说："赢了5000元看你给得瑟的，没有个蛋子拽着你你能上天啊？赢这点钱就飘起来了啊？你小子没见过钱怎么地？"

董强马上纠正我说："不是5000元，是1万，是1万。"说着话把赢我的1万拿起来在手里拍着。

我把手里剩的7万多元全部推到了董强面前，说："咱俩一把出个输赢敢不敢？"

董强好像被我的举动吓到了，问我："你真的假的啊，老三？就一把全赌了？"

我说："谁和你开玩笑？你敢不敢吧？输了我拍拍屁股走人，赢了你以后别再那么嚣张了。看你赢了点小钱就不知道自己姓什么了，我最看不惯你这样的人。"

董强推辞说："怎么成咱俩单独的局了？大家一起玩嘛，你看你怎么还恼了？"

杨涛也在那边劝架（外人看来，我是因为董强的挑衅而着急了），说："怎么玩玩还急眼了啊？你俩不带我们俩玩了？"

我说："不是不带你们玩，我就看不惯他那小人得志的样，赢了几个鼻涕疙瘩，就不知道自己姓什么了。你问他敢和我赌吗？我给他十个胆子他都不敢。”

董强毫不相让：“你真的假的？你真的要和我一把赌了？”

我说：“谁和你开玩笑啊？你敢不敢吧？”

董强露出兴奋的表情，挺起腰来，毕竟要在杨涛面前装一下。董强不能直接拒绝，因为在杨涛眼里董强无论怎么和我赌，都稳赢的。而我扮演的角色是送钱上门给人家的凯子。董强要是直接拒绝的话，杨涛会觉得假了。董强把自己眼前的钱也一推，问我：“真的要和我赌啊，老三？你当我怕你啊？赌就赌。”我就着他这个劲，把自己面前的钱往外一推，说：“你个样吧，谁不赌谁是孙子。”

董强脸上露出一丝犹豫，似乎是没有想到我会把钱都推了出来。董强最早以为我在开玩笑，当意识到我是和他玩真的，便有些不好意思了，为难地说：“老三，咱俩关系那么铁，不至于赌到这个程度吧？我就是和你玩玩，你怎么和我动起真的来了？”

我得装成气急败坏、不管不顾的凯子样，说：“什么叫动起真的来了？你赢我的 1 万元不是钱？关系铁？关系铁，你赢了怎么拿走了呢？你怎么没说不要啊？赢了我还猛刺激我，我是给你刺激的人啊？”

董强露出讨好我的神色，赶紧过来给我顺气，说：“老三，你消消火，消消火，我逗你玩呢。”说着话就要把刚赢我的 1 万元还给我。

我一把把他的手给打开，说：“你骂我是不？我老三输不起钱啊？我是输了钱就要的人吗？那钱归你了。那是你赢的，但是我就想和你再赌一下。你就说敢不敢吧。”

董强迟疑地说：“多大我都敢，只是老三，咱俩还没到这个程度，干啥非要分个你死我活的啊？”

我说：“你废话怎么那么多啊？你就说赌还是不赌吧。”

43 〉盖盖儿

　　这边我和董强对赌的时候，杨涛就坐不住了。他伸手过来清点我面前的钱，计算着董强应该拿出多少和我赌。谁知，董强忽然讲起哥们儿义气，推辞起来。杨涛听董强说不和我赌，有点急了，劝董强说："人家死活要和你分个输赢，你看你那小胆吧，赌一手怕什么？"

　　董强摇摇头，坚决地说："我和老三那关系你不知道，我怎么好意思赢他的钱。"这话合情合理，在这个时候，他得撇清自己，那意思是告诉杨涛：演局呢，我上去骗老三的钱会叫人起疑，我不好下手。

　　我接过话茬，对杨涛说："你跟着忙活啥啊？你胆大啊？咱俩赌手里的钱得了。你不敢吧？你胆子好像也大不到哪里去。"说完我不再理他，继续跟董强较劲。我要让他以为我对他根本没啥兴趣，是一门心思要跟董强赌，我得让他自己提出跟我对赌的要求。

　　按照我们最早的设想，勾起杨涛的贪念以后，由董强动员他来和我赌。情况发展似乎更顺利，都不需要董强开口，杨涛自己把棍子伸过来了。被我这么一刺激，杨涛以为机会到了，像我这样的"软柿子"，谁捏不是捏啊。他眼睛闪着精光，表情也生动起来了，接着我的话说："不就一把赌了吗？多大个事，有什么胆子大胆子小的？"

　　半路杀出个程咬金，我得做出怀疑的神色，让他以为我掂量他的话是真是假。我跟杨涛抬杠说："你说什么？多大个事？"

　　杨涛看我问他，说："对啊，不就是赌手里的钱吗？多大个事呢？有什么敢不敢的？"

　　我提高嗓门，说："你的意思是我不敢呗？我吓唬他呗？"

　　杨涛一看我恼羞成怒的样子，连忙分辩说："我没有这个意思，我是看大家

175

玩得好好的，你俩非要外带。现在外带火人了，咱们还玩不玩了？你非要赌手里的钱，赌完了咱们还玩不玩了啊？赌手里的钱谁都敢，和胆子大不大没有关系。都是拿一样多的钱来赌钱，谁还惧谁啊？"

他的话正中我下怀。我立刻将矛头对准他，他才是我的目标，自己送上门更好，不用董强再去动员了。我把钱往他跟前一推，说："你胆子大啊？来，你个熊样，我和你赌手里的钱。"

杨涛冷不防被我一将，没有心理准备，愣在那里。但看他的表情，是喜大于惊，好像中了头彩似的。

董强假模假样劝架说："老三啊，别冲动。我不和你赌是不好意思赢你的钱，人家可不惯你毛病。你手气太背了，就别去和人家赌底钱了。"

我没理睬董强，就像斗鸡一样看着杨涛。

三元的那个哥们儿这个时候好像在给我解围一样，说："你怎么这样呀，谁也不敢说你了？老三，怎么谁说你，你就冲谁上啊？"他边说着话，边帮我把刚推到杨涛面前的钱收回来，说："你怎么像个刺猬似的。老实玩吧，大家玩得好好的，你赌什么底钱啊。"

杨涛开始很兴奋，但是我们几个说话的工夫，他竟然好像有些犹豫了，转脸去看那个小姐。那个小姐很兴奋，看杨涛征求她的意见，激动得脸色都红了，说："赌就赌。和他一把赌了。我支持你，你是最棒的。"说着话，还握着拳头扬了扬，似乎杨涛赌钱她需要下个决心似的。杨涛又看他带着的那个哥们儿。那个哥们儿看杨涛看他，重重点点头，表示同意杨涛和我赌手里的钱。我有点迷糊了，你杨涛和我赌手里的钱，问他俩干吗？

杨涛得到了他俩的首肯，精神大振，赶忙拦住三元那哥们儿，说："别着，我这个人还就怕别人杠我呢，我和他赌手里的钱。你别动。"说着话他要查我那堆钱有多少，表示要和我赌一把。

我心里乐开了花，这小子终于上钩了。看他要查我手里的钱，我摆摆手，意思是让他不必查钱，说："别查了，赌你手里所有的钱。"

杨涛说："你的钱有 7 万到天了，我有 12 万左右，你拿 7 万赌我 12 万？"

我从三元哥们儿面前拽来几捆钱放在我跟前，说："现在可以了吧？不就是一把嘛，利利索索的。"

杨涛表示同意，我就抢先从碗里拿起了色子。

色子拿在手里，正要换色子，忽然想到，这一把该我先丢。脑子里光想着掉包算计人的事，没想到是我先丢，差一点把自己的给掉包了。杨涛也才反应过来是我先丢色子，想说什么，但是最终没说，只是紧张地等着我丢。在他看来，要是他先丢的话，可以直接把我拿下。但是我先丢的话，保不齐能丢个大点来把他直接拿下。我估计他本来是想要求自己先丢，但是色子被我拿在手里，他就没说话。那个小姐也是很紧张，两只手紧紧抓着杨涛的肩膀。杨涛的哥们儿向前探着身子，眼睛一眨不眨地看着我。

杨涛赌手里的钱还要得到他俩的同意，是不是杨涛拿来的钱里有他们两个人的股份？别看他们都盯着我看，我要换个色子完全可以瞒过他们。我右手搓着色子，伸左手把碗给摆正了，然后将右手悬在碗的上空，顿了顿，抬头再看看杨涛。杨涛大为紧张，总想侧头看我手里的色子都什么面朝上，看我准备怎么丢。如果他看到色子是什么组合，就知道我丢出来的结果是啥。我当然不会叫他看到了，晃着手喊了一嗓子："有孩了你给我生在这一把上！"喊完了，我把色子丢到碗里去。结果当然不用说，我不会给杨涛任何机会，直接丢个4、5、6来——这个色子他会用，我也会用，谁叫我是先手呢，准备好的色子没用就拿走他所有的钱。

色子都落稳了，那小姐"啊"的尖叫一声，吓了我们一跳。看她那吃惊的表情，估计她也知道杨涛他们在拿色子骗我，不然不会是这个表情。当她以为杨涛可以稳赢我的时候却被我赢了，才会情不自禁叫出来。杨涛的那个哥们儿估计也知道杨涛和董强的计划，应该是跟着杨涛来发财的。管他们呢，我先把钱划拉回来再说。趁着杨涛愣神的工夫，我把钱都收到自己跟前。

董强故作吃惊地说："我操，你的点也太正了啊，十年九不遇啊，手气也太正点了。"表面上是说我，其实是说给杨涛听的，那意思是我瞎猫撞上死耗子了，丢出的4、5、6属于巧合。把钱都划拉回来，我才去研究他们的表情：杨涛有点沮丧；那小姐嘴张着，还没回过神来，是惊讶的神情；那个哥们儿有点怀疑，也有点不可置信。但是钱都到了我手里是真的。

戏还没完，我得意地对董强说："你也和我赌一下底得了，咱们萝卜地瓜，喊哩喀喳分个输赢得了。"因为不能赢了杨涛马上闪人，那样就有点假了。演戏嘛，一定得有头有尾。

董强头摇得跟拨浪鼓似的，说："老三，我和你不赌那么大的。"

那边杨涛和小姐咬起耳朵来了，不知道他俩嘀咕什么呢。我猜可能是杨涛在给小姐解释什么，那小姐边听边点头，小眼珠子滴溜溜转来转去，停在我面前那堆钱上。

董强拒绝和我赌，我表现出意犹未尽的样子，说："有一个光腔了，咱三个玩没什么意思，还是直接赌一把分个输赢得了。"

董强像是怕我抢他钱，赶紧用手护住自己的钱，说："老三啊，什么都带，就是不带逼人赌钱的啊。我说不赌就不赌。"

我露出失望的表情，问他："那你看，剩咱三个人了，还玩不玩了？"

杨涛和那小姐嘀咕得差不多了，他跟董强说："你把钱拿给我用用，我再和他赌一手。"

44 〉自寻死路

我料想他不甘心输钱，提出跟董强借钱。董强望了望我，征询我的意见，我给了他一个肯定的眼神，让他借钱给杨涛。董强也不着急，没马上把钱给杨涛，还做出犹豫的样子，说："有你这样赌钱的吗？一点根也没有，这个钱我不能借。"明面上好像是说这样赌钱不好，潜台词是埋怨杨涛没把握好机会。

杨涛这个时候已没了理智，早忘了两个人来演局了。看董强磨磨叽叽，脸沉下来，说："你拿 5 万给我用，拿来。"说话的语气是不容置疑的。我听得明白，他在要自己的钱呢，董强的赌本中 5 万是他帮着拿的。人家索债，董强就没法坚持了。董强也真能装，不情不愿地拿出 5 万给杨涛，嘟囔着说："没有你这样赌钱的，喏，给你，你随便吧。"真是精明人，趁机把自己抖落干净，把输钱的责任一下就撇清了。

杨涛拿到钱腰杆又挺了起来，他把 5 万往中间一推，对我说："赌一手，来。"听那口气好像这一把有十足的把握赢我。

他一要钱我就知道他要继续和我赌。我早就把三个准备好的色子卡在手掌里。这之前，他们说话的当口，我一直把玩碗里的色子，在碗里来回丢着。听他叫阵，我心里冷笑着，自寻死路的猪送上门来，这次收获不小，嘴里说："赌就赌，我怕你啊?"说着话，我把拿在手上的色子（碗里原来的色子）丢在碗里，大喊一声"豹子"，结果是个 2、3、6 的面，不算点。杨涛伸手来拿色子，这把应该他先丢。但是我装憨，抢先把碗里的色子拿起来，作势想继续丢。

杨涛看我又拿起来要丢，有点不高兴了，说："你脸怎么那么大呢? 还你先丢? 这一把轮到我先丢了，把色子给我。"

我做出"这才反应过来应该是他先丢"的表情，对他说："光着急了，忘记次序了，给你给你。"说着话，我把色子递给了杨涛。色子已经被我掉包了，他拿的是我们特意为他准备的那一副，碗里的色子则在我手里。

杨涛拿着色子，我的心也跟着悬了起来，心里暗暗祈祷：大哥，你轻点丢，千万别使大劲。如果他用力过猛，色子蹦到碗的外面，这一把就不算了。色子打出 5、5、1 的点，他可能不会察觉色子有问题。再丢一次，还是 5、5、1，那他就会起疑心的。

现在就算正式开始丢了，他不可以溜色子，丢出几是几。杨涛小心翼翼地拿着色子，找那些可以丢出大点组合的面。我特意向前倾倾身体，做出紧张的样子。董强知道我换了色子，努力配合我，也往前探着看。一时间房间里空气紧张起来，大家大气都不敢出，眼巴巴地等杨涛把色子丢出来。

杨涛摆弄了好久，终于把色子丢进了碗里。他色子刚丢出去，我大喊一声："小!"几个人被我的喊声吓了一跳，我就是想让他们都分分神。色子在碗里蹦了几下站住了，是 1 点。这个结果是一定的，就这样的色子，就算丢出花来，也是两个 5 一个 1。杨涛有点蒙了，没搞明白从哪里出来个 1 点。他下意识伸手要拿色子，我怎么能叫他拿去呢?

我哈哈大笑，说："是个 1 点，看我追你。"说着话我抢先把色子从碗里拿起来。杨涛再快，也快不过我这个有心人。我表现得很激动，看起来好像还没反应过来杨涛已经输掉，还要丢色子追他的 1 点。其实这是我换色子的动作，我把杨涛刚打过的色子收起来，把那套一直用的密码色子换上场。董强跟我打着配合，他发现杨涛是个1点，说："怎么回事？"说着话，就要起身去碗里拿色子。而这个时候，我已经把一直用的色子打出去了，这三颗色子还在碗里转呢。董强一欠身，我很不耐烦地拽他坐下，因为他起身就会挡住我的视线，我利用这个机会把换下来的色子放进他的口袋，说："你有病啊？没看我在丢色子吗？"这是我俩提前演习好的，防止别人翻我身。虽说这样的局，那三个傻子未必能想到色子被掉包，不过俗话说得好，小心没有过的，何况做老千，要做好每一个细节。

董强被我一把拽得坐了下来，那色子也停住了，是个1、2、4点，没有点。但是这不影响我赢了，按照游戏规则打出1点直接输，没有点可以再丢。我拿起色子，做出一个恍然大悟的表情，拍拍自己的脑门，好像才反应过来一样，迅速去拿杨涛跟前的5万元钱。杨涛还没反应过来这是怎么回事，眼睁睁看我把5万元拿走。他心思没在钱上面，他琢磨着色子。他抓起碗里的色子，反复往碗里丢。这副色子是原先玩的色子，自然会听他的话，他连续丢了好几下，都是他心里想要的点数。杨涛弄不明白，刚才那个1是怎么出来的，色子没有毛病啊。看他一脸的茫然相，我心里偷着乐。

我把钱都收好，嚣张地说："还有没有赌的？没有和我赌的我要走了啊。"谁都不说话。我看没人说话，就点出5000元来，递给董强的爸爸，刚才董强的父母过来看热闹。我说："大叔，借你家的炕头赢了，拿着，这个是给您的压炕钱。"然后，我把钱往自己口袋里乱塞。杨涛带的那个哥们儿可能觉得有问题，伸手拿过碗和色子，丢了起来，也没问题。他满脸狐疑地看着杨涛，好像杨涛骗了他一样。那个小姐猛和那个哥们儿递着眼神，大概是说杨涛骗了她一样。这些都和我没一毛钱关系，我才懒得管呢，把钱揣进口袋里，我就下炕去找鞋。

杨涛看我把钱都拿走了，有点开窍，但是具体怎么回事，他没搞明白。他拦住我说："哎，等等，不对。"

我心里"咯噔"一下，面上还是很冷静，做出不解的样子，转头看着杨涛，问他："怎么了？还要赌？你有钱吗？"

杨涛说不出哪里不对，我这么一问，把他问住了，他愣在那里，不知所措。我看他不答话，就没再理他。三元那个哥们儿虎着一张脸看着杨涛，杨涛那个哥们儿也虎着一张脸看着杨涛。看我要走，那哥们儿看样子想阻拦一下，钱在我身上嘛。我看着他，没说话，他想想又放弃了，毕竟他不是玩的人，即使觉得有问题也轮不到他。

我和三元的哥们儿顺顺当当出了董强家，没想到能多拿 5 万，过程出乎意料地顺利，最后那一把有点抢钱的意思。三元他们在外面等着呢，我有恃无恐，还会怕他们几个？

设下这个局，杨涛输赢都一样，我们的计划从开始就牵着杨涛的鼻子走。如果他中途想走，赢走的钱也拿不走，我会直接拆穿他知道密码色子的事。后面和他对着赌，是利用他的贪念让他上钩，经过一次次挑逗和刺激，一方面用钱刺激他，一方面我输钱来麻痹他。杨涛这样的精明人，到后来，头脑发热，一点自制力都没了。

随便一个有点道行的老千都可以在人前换色子，生活里，这样的天仙局很多很多。如果你是杨涛，会不会上钩呢？百分百跑不掉，肯定得上钩。写下这个故事是让大家看清楚，那些人是如何被人骗的，也是让大家能理解这些人为什么会被人家骗。不是他们不精明，也不是他们确实猪，是他们的贪念被老千利用，才会被人家骗到。你觉得自己精明吗？但是有董强这样你信得过的亲戚朋友带你玩这样的局，你会拒绝吗？我想大家都有自己的答案。骗子之所以能成功，不是因为他的骗术高超，而是在于他利用了人性的弱点：贪。这个弱点谁都有，还是那句话：你不贪，谁又能骗得到你呢？

后来事情出现戏剧性的结果，杨涛的钱是那个小姐和杨涛的那个哥们儿一起凑的。听董强说，那个阴着脸的小子不是杨涛的哥们儿，而是那个小姐的鸡头。当杨涛告诉那个小姐可以设局来骗我这个所谓有钱傻子的时候，那个小姐以为遇到了什么好事，极力撺掇杨涛带她一个股份。不知道杨涛是怎么想的，会把设局的事情告诉那个小姐。为了显摆，还是没钱找人凑钱？我也不清楚。我们走了以后，那小姐和小姐的鸡头一致认为是杨涛下套骗了他们俩，一直要杨涛还钱。杨涛浑身有嘴也解释不清楚，最后三个人一路争吵离开董强家。

杨涛随后去找董强，想研究一下究竟是哪个环节出了问题。董强还很不高兴，把所有的责任都推到了杨涛的身上。两个人研究了半天，杨涛也没找出证据和破绽，只好自认倒霉。

我们和董强和平解决了我们之间的所有问题。那之后，我和董强又做过一些局骗别人。董强后来做了船员，具体怎么做上的，我就不清楚了。他上了一条跑韩国的船，听说，后来船停靠在韩国一个港口时，董强下船跑掉了。从此，我和董强失去了联系。

大昆呢，结果更糟。他见识了赌博的骗局，依然执迷不悟，仍嗜好赌博，常去赌几手。某次，他去一家赌档玩牌九，输了很多钱，借了很多高利贷，实在无力偿还，只好去给那家赌档当个菜篮子。

菜篮子是指那些确实没有能力还债的赌徒。债主知道他们没有偿还能力，只好让他们天天去赌场或者赌档报道。他们没事帮人家打打杂，做点零活。赌档生意不兴旺的时候当当托儿啥的，遇到赌档生意好了，还能得点喜钱。有些赌徒拿着喜钱，跟着赌几手，幻想能一次翻本。大昆不知道赌博的骗局？经历过这个事情后，他应该是知道的。但是他为什么会沦为赌档的菜篮子，我很不理解。只是他的人生路和我有啥关系呢？事情解决后，大昆逐渐被我淡忘，写这个千局的时候，他扶眼镜的样子再一次出现在我的脑海之中。

45〉叼走鱼饵的肥鱼

抓凯子时必须下够本，让凯子以为我是凯子，以勾起他们的贪欲。做局的时候，我总得下够饵，绝大多数时候，都能成功钓到大鱼。俗话说舍不得孩子套不到狼，下饵的时候不会心疼钱，总会赚回来嘛。记忆里，只有一次，我要钓的鱼叼着我的饵游走了。

不记得是哪一年了，有一阵子小海总到加油站附近的一家家庭麻将馆玩牌看热闹，这家的主人叫刘波。刘波在机关有一份公职，体检时检查出乙肝，办了病休。他闲在家里，就买了两张自动麻将桌，召集熟人来他家玩，他按2%抽水钱。除了小海，常来的还有四个：一个是从机关退休的老头；一个小媳妇——据说是某大款的二奶；一个老太太——据说她前夫是我们那里的包工头，每月都会给她一大笔生活费；再一个，就是我想钓的大鱼。

小海在业余时间跟我差不多是连体婴儿，他玩的地方，总能见到我的影子。他去了几次，就叫我也去看热闹。我是一个闲人，自然一叫就到。我到刘波家，他们正玩得热火朝天。其中一个特别引人注意，又高又壮，粗声粗气，正跟小海他们说自己买黑彩的经验。原来那人经常买一种彩票，每周开一期。那人下注很大，几万几万下，大概是大客户，信誉很好，不用到银行打款，赢了对方送钱来，输了彩票中心的人过来取钱。见我进来，听说我是小海的朋友，那人也不见外，说："小兄弟，今天开彩，你说个数字吧，我他妈最近老押不中。"

我赶紧说："大哥，我是从来也没中过奖什么的，别因为我你买输了。"

那人哈哈大笑起来，说："小兄弟，我可不是你大哥，是你大姐。"满屋人都笑起来。小海跟我说："这是张姐，可别乱叫了。"我当时那个窘呀。张姐一点也不介意，非要我说个数字，我随口说："我看着押3肯定中。"她真听了我的，押了3。别说，还真给押中了。彩票中心的人送来钱，她点出3000，说："借你运气，大姐赢了，这个给你，别嫌少。"我推不过，收下她的3000，心里想：真是邪门，怎么我自己买这些一次都中不了呢？

来了几次，跟他们就混熟了，听他们聊天，才知道这个张姐真是很有钱。她有四辆小轿车，自己开一辆，另外三辆租给别人，买彩票也挣了不少，看来是个精明能干的女人。

刘波很少上桌玩，有几天那个老太太身体不好没来，刘波上去顶了几把，有输有赢，瘾被勾起来了。老太太回来了，他便跟那小媳妇搭伙。他们没搭伙时，小媳妇赢多输少，自从两人搭伙，连连输钱。刘波输得有点扛不住了，小海开玩笑说，你还不如弄个老千麻将，一把捞回来。刘波听了，似乎有点心动。

我和小海看张姐几万几万地买彩票，眼红得不行，这么条肥鱼在眼前，怎么能放过？

我俩合计，要抓这条大鱼，得刘波配合，而当时，他输了快一万了，那小媳妇也输了这个数。小海便开始给刘波做工作，让他跟我们合作，玩诈金花，大干一场。麻将桌上，我曾经试探性地问过张姐和老太太，她们说对扑克类的赌博游戏非常熟悉。说了几次，刘波似乎动了心，恰好那个老头那几天有事，他和小海便鼓动大伙先别玩麻将了，诈金花更刺激。

张姐她们都没意见。我趁机说也想上场玩，张姐不让，她说："我们几个彼此熟识，输赢就是这几家流通，跟小兄弟你不熟，万一你一把赢干我们，明天我们去哪里找你？"别说我，小海都没捞到上桌的机会。

我俩只好看他们斗，个个都是老手。散局后，我、小海和刘波一起商量，小海主意多，他让刘波给小媳妇挂电话（他们的关系似乎不一般），让那小媳妇第二天别来，这样小海就能上桌了。当晚我临时培训他俩，主要是教小海洗牌，教刘波切牌。小海跟我跑了很多局，他演局很厉害，就是手笨，教了多少次，天赋不够，一点办法没有。我教他的是最简单的洗一家牌法，比如想给自己发三个A，收牌时，迅速收三张A，洗三回，每一次在两张之间插进一张其他牌，很多人习惯洗完牌两手向上挤压牌，这样扑克形成一个拱桥的样子，牌与牌之间会有很多小缝，之后一般程序是一手握牌，另一只手抽拉几下。为了不让抽拉时打乱牌序，就得利用这些小缝。我让他在编辑过的牌与其他牌之间始终保持一个小缝，抽拉牌时，手掌和手指可以挡住其他人的视线。放牌时，同样利用小缝（就是桥），让同伙切到编辑到的牌序。小海练了半天，还是没法做到一张摞一张，最后说定，就在桌上捡牌，然后假洗。这样可以保证小海自己洗牌时拿到大牌，至于该跟还是该跑，就看场上的情势决定。

我们商定第一天先不赢钱，下点货进去。该放多大的饵？三个人讨论了半天，都觉得1万块差不多。刘波没什么钱了，本钱只好由我和小海出。第二天一早，我俩各自带5000来找刘波。演局很顺利，别人坐庄时，小海偶尔斗斗，赢赢输输，1万块很快就输光了。当晚结束战斗，几个人意犹未尽，看他们的样子，好像很上瘾似的，约好第二天准时开局。我和小海相视一笑，呵呵，大鱼要上钩了，转天就能赚一笔了。

次日傍晚，我和小海早早过去，摩拳擦掌，准备大干一场，谁知，等了一晚，张姐、老太太都没来，连小媳妇也不见了踪影。小海让刘波给他们挂电话，都说有其他安排，还说改日再来斗。随后几天，依然不见这几个，问刘波，他一推六二五，说不知道。后来再来这里玩牌的，都是一些陌生面孔，这几个人像人间蒸发一样，再没出现过。事后，我和小海分析，可能是刘波走水，诳走我俩1万元。那天那个"张姐"说"小兄弟，你是个外人"的时候，我们就该有所警惕的。

终日打雁，不想被雁啄了眼。为此，我俩着实郁闷了一阵子。

46 〉赌档"开课"

我做老千的时候，除了做局杀猪，就是去地下赌场、赌档捡漏。很少一个人去，常与小海一起四处流窜，到各地去捡漏。我最喜欢去地下赌场捡漏，因为那里捡漏的成功率比较高，而地下赌档去得少一些。可能大家以为我说的各种赌博的场所都是赌场，其实不是这样的。我赌博过的地方，基本可以分成三类。

第一类是山寨版的地下赌场。这类赌场基本都是模仿正规赌场组织起来的，规模稍微小一点，条件也简陋很多，但是赌博游戏多样，大赌场里最受赌徒欢迎的各种赌博游戏，这里都有。

能开这样场子的人一般都是很有势力的人，20 世纪 90 年代这样的场子很多，几乎每个城市都出现过这类赌场，而且是开门营业的，赌徒只要认得门就能进去。后来因为形势变化，越来越少了。地下赌场有专业防范老千的措施，出千很容易被发现。俗话说：行家看行家，门儿清。但如果是地下赌场自己出千骗赌徒钱，则很容易跟着捡漏，只是破解起来不那么容易。只要能破解赌场的出千方式，就能跟着拿点。当然了，也不能太贪，以免被人注意。我一般神不知鬼不觉地拿个三万五万就立刻走人，决不恋战。

第二类是赌档。那些势力不够的，就采取打一枪换个地方的方式组织人来赌钱，随便找个地方就可以开始。人是提前召集的，人够了就集体去某个地方开始。赌档一般都怕警察，所以要安排专业望风的。一般是由几个人牵头，成立所谓的培训公司，每次开赌都叫"开课"，以讲课的名义召集大家聚集在一起赌钱。赌档里设施齐全，服务也算周到，有专门跑腿的，专门维持秩序的，专门放水的。但是赌档开课赌法单一，往往只有一种赌法。在赌档很难捡漏，主要是因为开赌者要出千，很难赢到钱，而且在这样的场子出千也有难度。赌档虽然比较隐秘，不过只要有赌徒互相介绍，就能进去。

第三类是赌局。赌局基本是一些熟人在一起玩，规模比较小。或者玩牌九，或者玩金花，或者玩斗牛，等等。赌局上，不适合捡漏，因为基本无漏可捡。但赌局往往是人傻钱多，所以最适合出千，就像我前面所说的那几个仙人局。只是参与赌局或组织赌局更难一些，必须有凯子们信得过的熟人带领，才可以参与。

忘了是哪一年了，小海的一个哥们儿邀请我们去南京玩了几天。那个哥们儿姓牟，我们叫他小牟，年龄和我差不多。他和小海一样，是专门的牵猪人。职业牵猪人生活里有很多，他们都是门路广、熟人多、脑子活的人，把身边的有钱人牵来给我杀。牵猪人在各个城市都有熟人，彼此之间都有联系。他们自己本身没什么手艺，但是能把猪牵出来玩。当时小牟通过小海带我在南京杀了几头猪，之后我们留下来玩了几天。小牟的一个哥们儿就和我们讲，九江有一个赌档，专门玩色子的，玩得很大，叫我去看看能不能捡点漏。小牟在一旁极力地撺掇，一来二去就把我说心动了。于是，答应去看看热闹，反正闲着也是闲着，就当去看看热闹。

说去就去，我、小海、小牟，还有他那个哥们儿当天就赶到了九江。小牟的那个哥们儿联系到当地的熟人，说好带我们去那个赌档看看。我们几个都装成赌徒，那人见我们都是外地的，更愿意带我们去了。当下，他就挂电话安排赌档"开课"的事情。通完话，他跟我们说那边晚上不玩，因为他们"开课"的地方没有电，白天才有"课"，当天是看不成了，我们只好找个地方住下来。在没有电的地方"开课"？估计很偏僻。

第二天上午9点左右，我还在房间里睡着，正做美梦呢，当地的那个哥们儿来喊我们。他先带我们坐车到了一个县城，等到人差不多来齐了，大伙上了赌档派来的一辆面包车。赌博的人在一起有很多共同的话题，所以不大一会儿全车的人都互相熟悉了。口音南腔北调的，看来哪里人都有。车上的人说，这个赌档非常有名，以公平著称，因此存在很久了，吸引了不少周边城市的赌徒。赌徒们互相交流着经验，都称赞这里比较公平。听着他们的话，我有点想笑了。公平？我倒要去看看有多公平！

车绕着一片湖泊跑了好一阵，远远看到一座小山头，山头上有一幢孤零零的房子，屋顶上挂着一面彩旗。车子转过山头沿着湖边的土路又跑了一公里，终于停下了。司机吆喝着说："到了到了。"我从车上下来，眼前有几间平房，临湖而建，没有围墙，门对着湖面，从屋门到湖面，有一条水泥路。屋后就是我们刚才走的那条土路。赌徒们从车上下来，站在门口。门口地方很大，视野宽阔，一抬眼就能看到山头上的房子和飘扬的彩旗。带我们来的那个哥们儿告诉我们几个说，那是信号旗。如果有不明来路的车子过来，信号旗就降下来，这边望风的看到，马上通知大家，把赌局收拾好，赌徒们就装作来观光的样子。

赌徒们都由"公司"的面包车接送，只要有其他的车过来，那个观察哨就要降旗，看来想得很是周到。聚赌，首先要考虑安全问题。这么做无疑可以解除赌徒们的后顾之忧，让他们放心来玩。近年来很多赌档都采取类似做法与警察周旋。

那天，"公司"接了 5 车人，一共有 50 多人。这些人一到地方，摩拳擦掌，恨不得马上开始。赌档的人还在做着准备工作，简单地打扫一下房间，把画着押注区域的桌布铺到房间里的大桌子上，再把凌乱的椅子扶正。早有等不及的赌徒过去帮忙。他们这不是急着给赌档送钱吗？看他们的猴急样，好像多一分钟都不愿意等了。

趁着他们打扫的时间，我走到湖边，溜达着看看湖。我在海边长大，第一次这么近看湖泊，想对比一下走在湖边和走在海边有什么不同。我注意到房子前面的一个角落里，有一堆瓷碗的碎片。我心里合计：怎么打碎了这么多碗呢？

47〉干净得没有破绽的色子局

我正纳闷呢，小牟喊我，说开始了。我随着大伙涌进房间。房间里有一张硕大的赌台，上面按照正规赌场猜大小点的规格画着各种押注的区域。赌徒们一进门迅速抢占桌子前的位置。来的 50 多个人里，有 40 来个赌徒，其他的都是"公司"的人。40 多人围拢在桌子前，并不怎么拥挤，可见这张赌台超大。

赌徒们拿着钱等待庄家开始。庄家是一个中年人，他看来了不少的新人，就说规矩，并详细讲了玩法。玩法很简单，就是三个色子在碗里摇，要说和赌场玩法的区别，就是赌场里摇色子的用专门的色子盅，而这里则是用两只碗互相扣着摇色子，很像古装电视剧里古代赌场里押大小的摇法，先摇好再下注的。看到碗，我想起外面的瓷碗碎片，原来碎片是摇色子的碗。押法和赌场里的押大小一样，可以押大，可以押小，可以押豹子，也可以押一个具体的数字，也可以押三个色子的组合数字，等等。

这里的规矩很有意思，就是碗随便摔，色子随便砸。一只碗 10 元，三颗色子 50 元，工具都给大家准备好了，一把锤子，一把钳子，一把螺丝刀，放在一个盘子里。如果有玩家觉得碗有问题，可以花 10 元买碗，拿去砸开看；要是觉得色子有问题，就花 50 元买色子，拿去随便撬。也有赌徒输了，便怨碗不好，这时候也可以买去，摔个稀烂来解气。要是怨色子，也可以买色子，然后砸个稀烂。说完庄家还开玩笑说："砸东西啊，随便砸，不带砸摇色子的人的。"听了他的话，周围的人一片哄笑。在哄笑中，那个中年人宣布可以开始了。

这个规矩蛮有意思的嘛，原来外面那些碗的碎片是这样来的啊。看房间的墙角，准备了好多现成的碗，一摞一摞的。我还在想：庄家是不是有亲戚是卖餐具的？准备了这么多碗。看外面那堆瓷碗碎片，想来砸了不少，都堆成堆了。

估计这些赌徒都是常年玩色子的，知道如何杜绝出千。赌档有这样的规矩，意思是让赌徒放心：这里没有怕砸的老千色子。一砸就露馅的老千色子有水银色子、灌油色子，以及装芯片的遥控色子。砸碗则杜绝了在碗里下探头的高科技出千方式。庄家的做法，无非是给赌徒们一个承诺，表示自己的赌局干净，保证不在赌具上出千。

庄家宣布开始的时候，拿出一个很大的密码箱子，我以为他拿钱出来，结果打开一看，全是一个型号的色子，装了满满的一箱子。他随机拿出三颗，丢在桌子上。摇色子的那个小子就先在桌子上胡乱丢点，演示色子。赌徒们早都等不及了，嚷嚷着要求快点开始。演示完了正式开始，赌徒们拿出钱来准备下注了。

我也掏出一把钱，攥在手里，凑在桌子边上押钱。来了不玩玩，实在说不过去。先小滴溜玩玩看，或许能捡点漏。我得研究研究，好好研究研究。

赌局一开始，我就凑在桌子边上玩。小海他们在另一边玩着，我才没心思看他们咋玩呢。我漫不经心地 300 一次 200 一次地押大或者押小，输赢随意，我也不计较。我只看大或者小，其他押钱的格子我都不会放钱。我认为，大小局如果没有病，只猜大小是最合理的，押豹子，押某个组合，或者押某个点数的，都是傻瓜玩法，庄家就是赚这个钱的。还有，很多地方玩色子猜大小，庄家要限制庄闲的差额，即押大或押小，两者有一个最大差额，超过最大差额，庄家也只按最大差额赔。比如差额是 3000，闲家比庄家多押 4000，庄家输了，庄家最多赔3000。这里也有差额限制，是 5000 元。另外，庄家要抽 5% 的水钱。比如，押大的有 1 万，押小的有 5000，开出来结果是大，差额由庄家补齐，扣除 500 元水钱，押大一方实际赢到 9500 元。庄家需要赔付 4500 元。那些押某个数字或者组合的，没押对输的钱，基本也有四五千，用这些足够支付赔付的钱了。这就是庄家的优势。

各地规则不一样，也有玩大小点限制个人的押钱上限，要看庄家如何规定了。有的庄家只是单纯组织局，并不参与赌博，由赌徒对赌，他们提供服务，抽取水钱。这是旱涝保收的买卖，除非确实实力雄厚，可以庇护赌徒的安全，要不赌徒会认为自己吃亏，往往另起炉灶。

我有一搭没一搭地押着钱，并不关心开出来的是什么。我观察周围这些赌徒的表现，想从中找出点线索。远离市区让赌徒们没了忌讳，每次庄家摇完色子，现场就会吵成一片，押大的脸红脖子粗地坚持说肯定是大，押小的也毫不示弱，瞪着眼死认是小。等都押完了，庄家喊买定离手要开的时候，现场就一片喊声，押大的都拼命扯着嗓子喊："大！大！大！大！"押小的赌徒哪里肯输了气势？也都在拼命喊："小！小！小！小！"好像自己喊的声音要是比对方小的话，就可能开出对方要的结果似的。那声音是一浪盖过一浪，没有押大押小的赌徒不甘被"大""小"声淹没，都狂喊："开！开！开！"

庄家揭开碗的瞬间，现场再一次出现声浪高潮，赢了的大叫起来，毫不掩饰自己押中了的兴奋。输的呢，立刻没了动静，把羡慕的目光投向赢家，或者发出惋惜的声音，有的后悔得直拍桌子，有的会检讨自己为什么没押中，也有的琢磨下一把准备押哪里。

赢的都在等着庄家给钱，跟旁边的人自吹自擂，说自己押得如何如何英明。庄家把钱算好给他们，他们都显摆似的把钱拿在手里，等到新一轮下注时，他们会用很夸张的动作把钱放到下注区，好像动作越大，气势越足，赢钱的可能性就越大似的。每一轮游戏开始，都会出现两组临时组合，分别为自己押的那一门呐喊助威。喊多大声都可以，你和我押的不一样，你喊大我喊小，没人会怪罪。上一把是对手，下一把咱俩可能都押在同一门上，就成一条船上的了。当然了，绝没有人押在大上喊开小的。到这里赌钱的来自不同的地方，他们用各自的方言一起喊一个字，听着很有意思。有的喊"大"听着是喊"嗲"的，喊"小"的听着像是喊"脚"。但是没人计较这些，也没有人在意。现场的气氛就是这么热烈，只有我这个三心二意的老千，才会听出不同。

我虽然也跟着大家喊，但是我的心思在别处。我是来捡漏的，不是来和他们赌钱的。我先观察赌具，碗和色子。碗，人家声称可以随便砸。我知道很多种作弊的色子碗，里面可以下探头，庄家在碗底部镶嵌线圈，以达到控制色子的目的。但是这样的碗怕砸啊，看来不是这样的碗。还有扫描碗，扫描碗有两种，一种是碗里有探头，怕砸。一种里面没有东西，不怕砸，但是需要有电脑、扫描设备作为辅助。可是在荒郊野外，我四处留意了，根本不具备这样的条件。会不会是透视碗？那种碗用特殊材质制成（也有做成杯子形状的），配合透视装置，可以透过碗看清楚里面的色子的点数。这里用透视碗？不靠谱，透视碗造价贵，10元钱也买不来一个啊，能让花10元钱随便砸？何况配套的透视装备都是一对一的组合，这个碗砸了，透视设备就不好用了。绝对不会是这样的碗。还有一种不怕砸的碗，叫探知碗。探知碗是用特殊材料做成的，可以用接收器探知碗里东西的形状或者朝向，分辨出色子上镂空的点数。只是探知碗造价高，而且探知碗比常见的碗薄很多，用肉眼很容易分辨出来。但看桌子上的碗，很厚实，探知碗也被我排除掉了。我以前在赌场里接触过的作弊色子盅，除了遥控色子盅以外，还有手控摇盅，通过不起眼的机关改变色子的点数。但是桌子上的碗，绝对不会有这样的功能。

色子和玩扑克不一样，扑克可以通过苦练技巧来出千。也有人专门练丢色子，经过苦练可以丢出自己想要的点数出来，但只限于在桌面上丢色子。这个是举着碗疯狂摇动，没啥技术含量。这个局要出千，肯定是在工具上做文章。我先入为主地认为这个色子局并不像表面看起来那么干净，我就是冲着这个来捡漏的。玩了这么多年，绝对干净的赌局我没见过。这个色子局存在这么久，不可能没人在上面动歪心思，我还得下下工夫。

碗基本可以确定没什么问题，是色子有问题？我知道很多老千色子，像过电影一样，把这些色子在我脑子里一样样过了一遍。是想打几是几的色子吗？三门色子、四门色子和六门色子都是想打几就打几，做工很巧。做成透明的，外行都看不出来里面的机巧，自然不怕砸开看了。但是这种色子只能在平整的表面上才能发挥效力，不适合在碗里摇。密码色子？定点色子？三秒色子？黄金色子？强磁色子？好像都不对，这些色子，要么怕砸，要么不适合在碗里摇。

我百思不得其解，正在出神，庄家摇出一个豹子来，通杀了。屋里一片叫骂声，有一个小子猛地过去，一把把桌上的碗操起来，对着后面的墙狠狠摔过去。他好像押了不少钱，摔碗发泄自己的情绪。碗摔碎成了碎片，声音特别清脆。我有点紧张，担心庄家和这小子争吵起来，说不定会引发斗殴事件。想到这，我下意识攥紧了手里的钱。出乎我的意料，其他人好像都不当回事，大家哈哈哄笑一阵，摇色子的哥们儿笑呵呵的，不以为忤。那小子没摔过瘾，从摇色子的哥们儿手里把另一只碗抢了过来。摇色子的没阻拦，人家来抢，他一句话没说，就递给那小子。那小子大步走到门口，狠狠摔了出去，传来清脆的碗摔碎的声音，众人又哈哈笑起来。庄家站在桌子边，远远地看着，跟着大伙一起笑。边上负责收钱发钱的伙计立刻去墙边拿了两只碗送到了桌子上。新碗上有一层灰，摇色子的哥们儿擦也没擦，把色子扣在碗里使劲摇动，仿佛什么事也没发生。其他赌徒好像也见怪不怪，都专心地等着押钱。

那小子拿出50元丢在桌子上，摆摆手，意思是不用找钱了，还真是个大方的主儿。我心说：靠，原来是这么砸碗啊，还真干净利索！

赌局在哄闹声中继续。不知不觉中，我赢了800多元，怎么赢的还真不知道。反正钱丢上去，人家收去就收去了，人家给我我就拿着，人家说我押的那一门超了，我就换一门。我的心思在色子上，想着我所接触和知道的可以在碗里成活的老千色子。能决定碗里色子的点数，只有装遥控设备。遥控分两种，有板遥控和无板遥控。有板遥控？需要下机关。我观察了一番，桌子上除了押注用的桌布，什么都没有。我假装弯腰擦鞋，蹲下来看桌子下边，桌布没有遮挡下面，很容易看到，什么都没有。桌面是实木木板，大概有两个指头并拢那么厚。在这类桌子上设机关不是不可能的，原理是利用磁场，控制色子的大小。我见过很多此类装置，主要以遥控板居多，也叫有板遥控装置。遥控板可以伪装成各种式样的材质，木质的、塑料的、大理石的、陶瓷的、玻璃的，安装在落色子的地方。庄家要在桌子里面做手脚不是什么难事，但是遥控板要求有配套的色子，而大部分配套的色子怕砸，一砸开，色子里的机关就会露馅。也有的不怕砸的，在色子里添加一些磁化物质，质地和色子的原料一样，像可遥控的六面色子，可以接收有板和无板遥控的指令。这类色子怕磁铁验看，有句话说得好：功夫高也怕菜刀。一个道理。

色子随便砸，碗随便摔，看这架势，用磁铁验，就不用我想了，肯定有人做过了。来的是一群精明的老赌棍，庄家不会傻到这个地步。常年赌的人或多或少都知道点千术，但是知道归知道，该怎么玩还是怎么玩。他们总认为自己开事，见识得多，自己知道赌局里的猫腻，别人想骗他们几乎是不可能的。事实上，老赌棍们不知道的东西多了去了，这就是赌徒的悲哀。这些赌徒基本是劝不回头的，直到输光那一天他才可能醒悟。

说起遥控装置，我还想起一种大型的遥控设备，把线圈埋在炕里或者地板里，需要直流电启动，这套设备一旦使用，自然是杀人于无形。这里没有电源，所以不存在使用的可能性。

无板遥控有点像小孩玩的航模，可以直接操纵色子自由翻转，在碗里使用没问题，但是怕砸。

这些都被我排除掉，还有一种可能性，就是给色子下药。以前在宁波赌场遇到过给色子下药的，下药部位色子触底的声音不同，根据触底声音的差异，便知道是哪一面朝上。但那是在赌场，环境相对安静，可以仔细聆听。可是在赌档里，特别是这里，一浪比一浪高的呼喊，耳朵差不多要被震聋了，还听声？

我边玩边想，脑袋快要想抽筋了，各种可能性都排除掉了。莫非这个赌档真的公平？杀了我我也不信，赌了这么多年，我真的没见过公平的赌档。

我甩甩头，继续想。莫非与以前杨老二用的打火机功能一样，利用打火机透视，再通过电脑分析？也不对，电脑开机也需要用电，这里没有电源设备。这样看来，探测、遥控、透视都不可能。

就剩下一种可能性了，就是感应色子。我知道的感应色子有两种，一种是磁感应，这类色子怕验看，用一块磁铁就能验出来，这个看来不是。另一种是化学感应色子，也称药物感应色子。使用感应色子需要打配合，其中一个在身上安装一个很小的电子感应器，另一个同伙通过隐蔽的监视器获得牌或色子的信息，然后发信息给同伴，即通过刺激同伴皮肤或者震动刺激进行提醒。这类电子感应器在很多赌局上都有应用，押宝、麻将、诈金花，等等。比方诈金花，两个人事先商量好信号，比如振动一下表示对方是大牌，让同伴掂量手里的牌，觉得够大就跟，不够大就跑了；震动两下表示对方是小牌，就和他拼了；震动三下，就是快跑，对方的牌太大了。事先将药物下到色子的特定位置，通过药物感应器可以知道碗里色子的单双、大小。从外表看，很难抓到破绽，因为不知道谁在感应，谁在探测。总不能把别人的衣服扒光了检查吧，这么多人，扒得过来嘛，更何况谁会让扒？

药物具体叫什么名我不知道，但是作为一个老千，这样的探测工具我还是有的。来这个赌档的色子局，我们自然少不了带些装备，都在小牟的包里揣着呢。我们是来捡漏的，事先就盘算好了，万一遇到下药的色子局，可以跟着捡个大便宜。我看看小牟，他离赌台老远，不在探测的距离内，估计他没有启动感应器。

到底是哪里有机关，我有点迷糊了。赌局依旧火爆，不断有赌徒将碗拿出去摔个稀烂，也有把色子拿出去丢到湖里的。有的是输了发泄，这些人纯粹是拉不出屎埋怨地球没有吸引力；有的则是为了装，北方话，意思是穷显摆。为啥这么说呢？因为赢钱以后，庄家会打水。打完水以后，就不都是整钱了。他们似乎觉得手里拿零钱有点丢人。几把没押中，有些人会做出很潇洒的样子，把零钱丢给庄家，买碗来砸着玩或者买色子砸，也有不砸的。

小牟买了三颗，拿在手里把玩着。常年的牵猪经验，使他很懂得利用这样的机会。和小海一样，有些事情根本不用说，他就知道该怎么做。玩了一会儿，小牟假装去解手，出了屋子。我估计他是去验看色子上是否有药了。几分钟后，小牟回来了。我看着他，他脸上什么表情都没有，看我在看他，就摸了一下鼻子。我有点扫兴。根据我们约定好的暗号，摸鼻子是告诉我色子上没有药水。他要是摸耳朵该多好，摸耳朵就是有药水。如果色子上有药水，我们就可以按照之前约定的一套暗号跟着捡漏了。小牟的手在鼻子上摸了一下就走到了桌子的另一侧。难道我们的准备工作都没有用处，甚至连我们约定好的一套暗号，也用不上了？

就当时的情况，所有我知道的色子机关在这个局上都不存在。这个漏捡不到了？我一时间没了主意。我们来的时候合计过，怎么看这都绝对是个千局。我仗着自己对各种色子都有点了解，就拍着胸脯叫哥儿几个等着，我上来拿点钱请大家腐败一下，地点随便他们选，吃啥随便他们点。看来牛皮吹大发了。我有点茫然了，小海这时抬头看我，我有点惭愧，低着头摸了一下鼻子。那意思是告诉他：暂时没看出啥。小海面无表情地低下头，看自己押的钱去了，不再看我。我还在那里摸着自己的鼻子，很烦躁，没地方出气，就在心里骂起了鼻子：他妈的，我怎么长这么个鼻子？怎么摸都不得劲。

48〉被德子的博弈理论忽悠了

到中午 12 点了，一上午不知不觉就过去了，我想了将近两个小时，脑袋都想疼了。这里边有个漫长的观察比对过程。午饭时间到了，赌局还在继续着。"公司"已经把盒饭都准备好了，一份 30 元，一瓶啤酒 10 元，杀人的价，爱买不买。赌钱的人谁会计较这个啊，饿了的纷纷买了盒饭在一边狼吞虎咽起来。看那一个个吃相，生怕吃慢了会因为少玩一把两把错过赢钱的机会。赢了钱的几个小子在那里慢慢地吃着，喝着啤酒。很多人顾不上吃，这些人一看就是输钱的人，输得都忘记饥饿了，还在桌子上奋战。

我盘点了一下，输了将近3000，怎么输的，我也不清楚。早上没吃东西，我真的很饿了，便去买了份盒饭，拿了瓶啤酒，找了个凳子坐着慢慢吃了起来。两荤一素，伙食还不错，可惜没有杯子。我不愿意对着瓶子吹，那样气泡多。我去墙边碗堆里拿了个碗，付了碗钱，仔细擦了擦，把啤酒倒在碗里，边吃盒饭边喝酒，远远地看着赌徒们在那里喝五吆六。小海和小牟也各自买了份盒饭和啤酒，凑过来和我一起吃喝。我们三个在一起闲扯，互相交流谁赢谁输，绝口不谈是否发现什么。可能空肚子喝啤酒，喝了一瓶就有点晕乎。我本来酒量就不大，不喝吧馋得不行，喝吧，两瓶啤酒就倒了。

酒足饭饱，趁着酒劲，学着这里的赌徒，出去把碗摔个响听，然后回来投入战斗。当时，我感觉这个赌局还算干净，我要玩玩。大老远来了，看看自己的手气，很久没有和人家凭运气赌过了。我是个天生的赌徒，虽然做了老千，但是身上还有赌徒的一些东西，只不过我能把握住自己。我拿出1万来，准备输光了就走人，赢1万也走人。我决定挑战自己一下。很久没有这样玩局了，一直都是在算计别人，总是提心吊胆的，处处小心，就怕别人发现。现在好了，没有任何顾忌，我胸中升腾出憋闷许久的豪气，要和庄家比比运气。

下午，我改变策略，不再单押大或者小，单去押大或者押小，很容易被牌路所影响。比如连开三次大，第四手我就不敢下手去跟，也不敢下手去反。所以我选择单个数字押。三颗色子，1到6，6个数字，如果开出的色子有我押的数字，我就赢，有两颗色子打出我押的数字，我赢双倍，要是三颗都是我押的数字，我赢三倍。如果三颗色子没有一个数字与我押的数字吻合，我就输了。这个方法我是跟德子学的。德子曾经和我说过：只要在没有出千的情况下，这样赌是最公平的。一个色子6个面，押一个数字，我能押中的概率是1/6；两颗色子呢，我能押中的概率就是1/3；三颗色子，我能押中的概率是1/2。这样我与庄家之间是一半一半的机会，看谁的运气好了。万一一次开出来有两个甚至三个与我押的一致，那我就赚大发了。

我用递增的方式下注，第一次押500，输了我会押1000，再输了我会押1500，再输了我就停手，继续押500元。就三手递增，决不增加第四手。有多少人都这样输进去了，就是因为他不信。但我信，一切皆有可能，我见过最长的牌路是24把大，但是24把大的牌路里有多少个具体出现的数字，都是随机的。我也不敢保证自己的方法好用，但是我喜欢这样玩。每个人都有自己喜欢的押钱方式。

话是这样说的，但是实际玩的过程中我不能准确判断该押哪个数字。一切跟着感觉走，看哪个顺眼就押哪个。就这样我一直在桌子边上赌着，总是输输赢赢。任别人嘶哑的嗓子喊大喊小，我没得喊，随便你开大开小呢，只要开出我押的数字就好。当时是因为觉得这个局干净，所以玩得很专心，把那些老千色子丢到脑子后边去了。

玩到3点左右，我手里输得就剩2000元了，捏在手里薄薄的。一时不太敢下注了，就凑小海身边，看他的成绩如何。他也是乱押，有时候还拿钱去买豹子。但是他玩的不大，最多一手押 400，其他的时候就 100、200 地玩着，但是竟然叫他赢了。乱押人家都能赢，我还根据博弈理论玩呢，结果还是输了。我心里就骂了起来：什么鸟博弈理论啊？估计写这个东西的人都是纸上谈兵，真那么好用他自己早发了。当时小海看我输了，嘴角全是嘲笑我的意思，搞得我有点脸红。

我站在桌子边上心里数着每次都出什么样的色子，拿着钱看着，不敢下了。当时有一个老板模样的人赢了不少，大概有 8 万多吧。看看人家，再看看自己，简直没法比了。看他点那么正，我不由得注意起来。他押得很有意思，不固定押一门，不追也不跟，看起来全凭感觉。每次庄家色子一摇完，他就将整 1 万元的一叠现金丢在自己想押的地方。他不是押满 1 万，这里最大限注 5000，他有时候押 3000，有时候押 5000，有时候押 1000。比如他押大，他就把 1 万元扔到下注区，说押多少多少钱，押大，他就把钱丢在大上面。他是场上的大户，不但从不和大家争，而且还很好说话。比如他把钱押在大上面，如果叫了 5000，那别人只有等小门有人押了，才可以根据小门增加的钱数押大门。有人跟他商量让一点，他很爽快，500 让，2000 也让。要是押大的人多，小门不够赔，他就干脆去小门，不但全部让出来，还在小门上增加了 5000，这样一来，大门有多少人都够分了。这人赌品不错，被人赶着去了别的门输了也不急，依然 1 万 1 万地扔钱。那架势不像是来赢钱的，倒有点像来学雷锋的。但是，他竟然赢了，很多时候他竟是被人撵赢的。听口音这哥们儿应该是武汉人。我也注意到他，场上的赢家永远是众赌徒的焦点。

摇色子的哥们儿闭着眼睛猛烈地摇着碗，摇了大概七八下，把碗重重放在桌子上，催促大家下注。

我把剩下的 2000 全部押在 5 上，我要赌一把，这次三颗色子里有一个是 5。我没有多大把握，要有把握我怎么能输呢？我要给自己一个痛快，输了走人，赢了更好，磨叽快小一天了。赢点钱真难，还不如找几头猪杀杀来得痛快。我可没时间和他们耗了，既然没有漏可以捡，不如干脆点。

那个武汉的哥们儿下 3000 押小，其他人算计着该押什么，押多少，边上负责把账的哥们儿高声喊着账。等大家都押完了，摇色子的哥们儿喊："买定离手了啊，我要开了。"周围的赌徒马上集体喊起点来，互相较着劲，看哪一门气势足。有的人嗓子都已经嘶哑了，还在喊。我也不例外，大喊："5！5！5！5！"奈何我的声音和喊大喊小的都不重合，早被人家的声浪给淹没了，就我自己知道我喊的是啥，气势上就输了。

开出来1、2、4，小，押小的赌徒爆出一片欢呼。我的钱被人家一把给搂走了，一个毛都没给我留。看来我被德子所谓的理论给忽悠了。我那个沮丧啊，捏了捏手包，有点不甘心。我心里有一个声音说：再拿钱赌一手！但是理智战胜了我那愚蠢的念头。虽然13000元输得有点不甘心，但是我知道自己是来做什么的，我必须马上停手。想到这里，我拿出一根烟，大口大口地抽了起来。不玩了，拿刀架我脖子上我也不玩了。

押小的赌徒们一个个喜笑颜开，我看着憋得慌，妈的，点真背。那个武汉的哥们儿，还是一副沉稳的样子，跟把账的人算钱。我脑子里灵光一现，每把押哪个数字好像都和武汉的哥们儿有一点关联。至于具体什么关系，我也说不好，当时就是一种强烈的直觉，我输钱和他押钱存在着某种关联。我得好好想想，这个该死的关联是什么。我被自己的想法刺激着，只是因为周围太吵，我一时很难集中精神。

庄家赔完了钱，就开始新一轮游戏。赌徒们纷纷押着钱，武汉的哥们儿第一时间把钱押在大上面，押了满注，5000元。很多人想跟他押，押小的不多。小门有人押500，马上有人在大门上押500。有很多人拿着钱准备等小门上钱，再去大门上抢地方；有人干脆和武汉的哥们儿商量，让他让几千。他还是一副好说话的样子，干脆把钱拿起来，说："先紧你们下，你们下完了我再下。"大家急吼吼地把钱押到大门，一会儿大门眼看就押满了。数来数去，就留了300的空。武汉的哥们儿皱皱眉说："300有点瘦，我押小吧，不和你们争了。"说着话把钱丢在小上，冲着把账的喊："押2000。"

这一把开出来1、1、3，小，武汉的哥们儿又赢了。他哈哈笑着，说："看，点好了怎么都赢钱。这个钱赢得爽啊，都是你们逼我赢的，哈哈哈。"说完他自己又大笑起来。看着他志满意得的表情，我终于知道这里面有什么弯弯绕了。

49 › 艰苦的跟风过程

　　每次武汉的哥们儿押大赢钱，三颗色子里必然有一个 5 或 6，如果他押小，三颗色子里必然没有 5 或 6。他押大押空了，也不会有 5 或 6。没错，每次我赢的时候，把账的人总会先赔给武汉的哥们儿，然后再算账给我。对此我印象十分深刻。

　　有人可能会觉得我说了废话，我押某一个大点，人家押大，那如果出，必然有大点开出来。没错，开出来大，必然有大点，最关键的是他押中了，而且他经常押得中。

　　还有一个关节点，我将 4 点排除出去。在猜大小里，三颗色子的点数总和在 10 以下都为小，1 + 4 + 5 是 10 点，有两个大点（大于 3 的点）；开出 9 点，还能出现是 4 + 4 + 1 呢，也有两个大点。所以 4 可能是开出大点，也可能开出小点，5、6 点不同，一般来说，有 5、6 的时候，他押大会赢，我押 5 或 6 往往能押对。我在桌子上玩了 3 个多小时，上面都是我的经验之谈。

　　至于为什么会有这样的结果，我至今也说不清。当时只是隐约察觉到武汉的哥们儿和庄家或色子有某种关联，他赢钱了，我才注意到他。他在这个赌局上是什么样的角色呢？赌客？占空门的？我真没看出来。要说他是占空门的，那他应该有同伙，需要有人跟他打配合，但是我看了半天，他的视线只在桌子上押钱的筹码区和摇色子的碗上转悠，从来不看别的地方。我跟着他的视线走了好几圈，莫非是摇色子人的手？两个人打暗号？我对比过很多次，摇色子的哥们儿手没有特别的动作，如果两个人有关联，必然在出大或出小的时候，摇色子哥们儿的手会有规律性的动作。桌子上其他赌客的手？可就复杂多了，桌上起码有 70 多只手忙活呢，对比得过来吗？而且武汉的哥们儿眼睛从不去别的地方，连扫一眼都不曾有过。直到最后结束，我也没看出他到底是赌客还是托。

当然，我是来捡漏的，我得利用这个捞点回去，只是，我该怎么做呢？假如他是赌客，押的就是好，那我可以跟着他押钱。问题是跟不上啊，有一群人想跟呢。假如他是占空门的人，我可以根据他押钱的方式来知道庄家碗里是大还是小。问题是他经常被大家"逼"着跑到另一门去，经常给大家让地方。这样要跟他押，难保不被他带到沟里。

观察了他一会儿，我虽然没看出他和赌局有什么联系，但是却找到赢钱的门道。他押钱的习惯和我差不多，只是比我多一位数。第一手他押 2000，如果输了，第二手就押 3000 或者 4000，再输了，第三手就押 5000。再输就回到起点，2000 开始押。我统计了一下，第二手他押中的时候最多，大概有 85% 的概率。我决定跟他二手，跟了几把，发现跟风也不容易啊，因为他总是改变下注方向，开始押大，可能因为没人押小，就转去押小。另一方面，他押的那一门基本被人占满了，顶多有个二三百的空。所以，我不能简单地跟着他押，于是，就在他第二手押大的时候，我去押 5 或者 6；他押小的时候，我不押，我不押 4 点；就在他押大的时候，我押 5 或 6 点。他只要押大中了，肯定有个是 5 或 6 点。

理论上是这样，但是做起来又是一码事。有一把我看武汉的哥们儿押大，我来不及拿钱，就一把把小海手里的钱拽过来，直接丢在 5 点上，具体多少钱我没有数，看那厚度，大概有 2000 多。摇色子的小子连连喊着"买定离手了"，庄家马上要开了，再不押没机会了，我没有时间多想，先扔上去再说。

小海已经押了小，下了 200 元，冷不防被人抢了手里的钱，愣了一下，再看是我拿他的钱买固定，就恢复了常态。他以为我稳赢，两眼放光，全神贯注地看着庄家开宝。开出来是个大不假，但是是两个 6 一个 3。我输了，小海转头看我，眼里写着不可置信，也有点恼火，搞不懂为什么我把他辛苦了一天赢的钱一下输光了。我苦笑了一下，有些事情就是这样憋屈，我怎么不押在 6 点上呢？

小海不满地看着我，把手一摊，那意思是不玩了，问我："老三，你自己输就自己输，怎么还要拉我下水？"我有点不好意思，挠挠头。说啥呢，刚才我也太冲动了，现场也没法回答他，反正很尴尬。还好，我俩常常合作，脸皮厚就脸皮厚吧。我从手包里拿出钱来，捏在手里准备要押。我想着趁武汉的哥们儿押大成功率最高的时候，押 5 或 6。小海也在口袋里拿出钱来，而且没少拿。我一看，错了，都错了，他把我挠头当成暗号了，以为我破解出来了呢。我赶紧摸摸鼻子，边摸鼻子边摇头，告诉他我啥也没搞出来。小海冲我翻着白眼，那意思是受不了了。没办法，这时候，我没空解释，随便他用白眼球看去。

之后，我开始跟风，那过程很艰苦。首先，人家并不是每把押大都中，还好我能区分出他啥时候赢的可能性大。其次，就算能区分出来哪把应该跟，还得在5和6之间做出选择。还好，就两个数字让我选择，我把4排除了。可是我总是押这两个数字，就有点显眼了，主要是我这么押赢了很多钱。快到6点的时候，我不但把前面输的钱捞回来，还赢了2万左右。

我押几把停几把。可能是我自己心虚，我是跟着武汉的哥们儿押钱的嘛，他押大的时候，我押5或6的频率太高了，还频频赢钱，总觉得太显眼了。但是那时候只能硬着头皮上了，谁会和钱过不去呢？我不知道场上是否有高人看出我和他之间微妙的关系。当时也管不了那么多了，有漏不捡是王八蛋。

赌局一直持续到快7点，我赢了将近3万元钱。我赢得很艰苦。要知道我可是2000一手2000一手下着注，还输输赢赢的。算起来，跟了这么久，我不过赢了不到15手。天色渐渐暗下来，庄家宣布今天到此为止。众赌徒恋恋不舍地清点着自己的钱，计算着输赢，然后被"公司"的车分批送走。

我们三个人找了家饭店，吃了饭后回到旅店。我跟小海他们简单说了我今天观察到的事情。小海和小牟都很兴奋，表示明天还要去，他俩也要捡，我怎么劝也不听，非要去捡。经不住他俩软磨硬泡，我只好答应第二天去给他们做捡漏的指挥。我们研究了一下，我押大小，不押数字，通过肢体语言指挥他俩押5或6。

我把小牟买的色子要过来，拿在手里研究，怎么也没有研究出个一二三来。我把色子从各个角度丢在碗里，从高处自由落体丢下来，都没有比较出什么差别来。我甚至敲碎一个仔细察看，也没有察看出什么不对劲的地方来，看得我脑袋发胀。真是见他妈的鬼了。

我知道一种不怕砸开验看的色子。这种色子可以通过传感器来感应，色子里放了稀有元素钴，与平时玩的色子质地差不多，砸开并不能检查出里面的猫腻。这种色子可以通过传感器知道哪一面落地，从而推算出开出的是大是小。但是钴元素很贵，怎么会50元卖三个呢？而且钴色子怕磁铁，因为钴本身具有铁的一些属性，就算质地可以做得和色子一样，但是逃不过磁铁的检验。我用磁铁验看了这个色子的碎屑，没有一粒碎屑被磁铁吸引过来。

还有一种可以遥控的色子添加了镍元素。这种色子砸碎后和普通色子没什么两样，通过线圈控制色子的落点。这种色子不怕砸，却一样怕磁铁，镍也有铁的一些属性。我还想起有人无聊的时候，不知道用了什么材料，做成的色子怎么打，在什么地方打，都不会打出 5 点来。这种色子也叫绝自门色子，推牌九知道最上面的牌是瘪十带 2 点，临时换色子打一下，肯定打不到自己家，把小牌发给外面，造成其中一家死门。但是绝自门色子只能在小局上偶尔用一下，绝对不会拿到赌档里玩的。

眼前的色子叫我犯了愁，表面看来确实没有任何毛病，但是武汉的哥们儿为什么总能赢呢？我脑袋都快想破了，也没想出个所以然来，看来只有再去看看了。

次日，我们又去指定的地点集合，被面包车拉去了。本来自信满满地想跟着武汉的哥们儿再捡点漏，或者好好调查下里面究竟有什么问题，谁知那天武汉的哥们儿没来。听大家的议论，他只是临时路过被朋友拉过来玩的，赢了钱就走了，属于见好就收的类型。骗鬼去吧，我可不相信。但是人家确实消失了，我们头天研究的作战计划没了用武之地。

既然大老远来了，不能白来啊。我还得研究研究，搞不好遇到第二个武汉的哥们儿呢，我也可以跟着捡点漏不是？但是看了一上午，也没有找出第二个武汉哥们儿。无论是赢得最多的，还是输得最多的，我一个个看过去，几乎每个人我都详细地观察了一番，可是彻底没了头天的感觉。一上午站在那里呆看也不是个事，总要胡乱押押，以免被人怀疑。这样，我输出去 5000 多，怎么都押不中。看来我不出千怎么赌都会输钱，我只能认命了。

到了中午开饭的时候，正好有人要离开，我们看实在也捡不到什么漏了，便选择了离开。但是我的心里还是有块疙瘩，总也解不开。走的时候我买了 3 颗色子带走了。回去后，我、小海，还有小牟，把盈利的部分分了，从此分道扬镳。这个色子局具体是怎么样的一个局，怎么巧妙地操作的，我就是没搞明白。但是有猫腻是肯定的，如果没有猫腻，我也不可能跟着捡到漏，具体是什么猫腻我还真不知道。

一路上，我手里一直把玩着那三颗色子，回家后，用了无数办法验证，得到的结论都是没有毛病。直到有一天和一个专门经营赌具的哥们儿聊天，又说起这个色子。他见过各类色子，对赌博作弊用具可以说是见多识广，知道如何来验证。他找来一把气焊枪，用气焊枪的小火烧其中的一颗色子，那色子发生了意想不到的变化。当温度达到某个值时，色子的4、5、6三面竟然被化掉了，而1、2、3三面完好无损。如果色子是同一种材质，那么要么全部烧掉，要么全部保留。从检验结果来看，这种色子是用两种不同材质做成的，1、2、3面的材质熔点高，做成一个小四方体；4、5、6面是用另一种材质做成的一个卡槽，小四方体镶在卡槽中，做成一颗不怕砸不怕验的色子。

被烧掉的材质具体是什么，我们没有搞明白，这个色子如何操作我同样没有搞明白，这个色子局怎么出千，我至今一头雾水。我只知道这个色子不一般，不是普通的色子。因为一直想不明白里面的道道，着实郁闷了很久。后来想想，我不知道的东西多了去了！这么一想也就释然了。不知道谁能帮我解开这个谜。如果你知道这色子是什么东西做的、如何操作，就在博客里告诉我一下，以后就是死了，我也能闭着眼睛死掉。要不心里总是别扭着一股劲，让我很难受。

50〉远离街头骗局

生活里，骗子用不着这么复杂的色子，就可以把人哄得团团转。比如街上摆摊的各种局，十个里有十个是骗你钱的，或者说，人家利用游戏规则就能让你输钱。与赌博的道理一样，骗子就是利用人的侥幸心理引你上钩的。

我再来说个街头骗局。这个骗局是这样的，摆摊的小子将红绿蓝三种颜色的棋子，放在袋子里让大家摸。其中红色的棋子有6颗，绿的有7颗，蓝的有8颗。游戏规定一次只可以摸12颗。可以一次抓出12颗，也可以一颗颗地摸出来。那小子在地上铺了张纸，纸上列了表格，表格里是三种棋子可能出现的数字组合，如1、4、7；1、5、6；2、5、5；2、4、6；3、3、6；3、4、5，等等。数字对应三种颜色棋子的数量，并不与具体颜色对应。比如3、4、5这个组合，12

颗棋子里，其中任何一种有 3 颗，另外两种分别是 4 颗和 5 颗，就算赢。如果说押的是除了 3、4、5 的组合，其他组合都算赢，摸到了 3、4、5，按规则就要罚款 10 元。

正好我有个哥们儿也是玩这个的，但是玩法稍微有点变化。他玩的局是这样的：将 8 颗白色的旗子和 8 颗黑色的棋子放在一个口袋里让大家来摸。他也画了一个表格，上面列着两组数字的可能组合数列。凡是来摸的人都要交 10 元手续费，一次只可以摸 5 颗棋子。摸出来的 5 颗全是白色的棋子，摊主就给那人 100 元，其中 4 颗全是白色的就给 50 元，摸到 3 颗白色的就给 5 元。白棋 3 颗以下的，就是白摸，没有奖励。这是一个概率计算的问题，不用出千就是暴利啊。那个三色棋子的局，道理也一样，获得奖金的机会与庄家的获益相差很大。我个人以为，虽然局的算法不一样，道理是相通的，都是利用概率来赢你的。所以以后在街头上遇到这样的局还是离远点好，否则这个东西会搞光你口袋里的钱的。

有句话咋说来着：存在就是合理的。你不要被你的想当然所左右，街头任何骗局都不要沾。没有金刚钻，人家敢去揽瓷器活？所以，凡是敢把局摆到大街公众面前的，奖金肯定不是给你准备的。这个世界有傻子，但是绝对不是这些设局的人，那会是谁呢？你猜。

写到这里，我想起另一个街头骗局，也顺便一起说说这个骗局骗在哪里。

这是跑得快的残局，玩家甲手里剩下 A、A、J、J 四张牌；玩家乙手里有草 2、方 K、草 K、黑 K、草 Q、方 Q、红 Q、草 9、红 9、方 7、红 7、红 6、黑 6、黑 5、方 5、草 4、方 4、草 3。

规则是乙方先出，第一张只能走单，可以出单张、对子，5 张顺，5 张同花，三张，三张带两张。

任意选一门，这个局的问题是，怎么让乙方赢？

记得以前和德子说起来过，必须先打 6。具体是这样的，第一张打出红桃 6，看对方接不接。接有接的打法，不接有不接的打法。单打个红桃 6，手里剩下的牌是 3、4、5、6、7 顺子，4、5、7、Q、K 同花；99、QQ、KK 三对，草花 2。甲方出 A 死输，出 J 的话，用 Q 打死。甲方不接，乙方再打 6 或 3。

第二张继续再打 6，这个时候手里剩：3、4、4、5、5、7、7、9、9、Q、Q、Q、K、K、K、2，牌可以这样组合：同花 34QK2；4、5、5、7、7、9、9、Q、

Q、K、K；如果让，乙方单打3，甲方上任何牌都死输，只能选择过。乙方再打一个红桃9，手里剩的牌是9、4、4、5、5、7、7、Q、Q、Q、K、K、K、2。或者组合成4、5、5、7、7、Q、Q、K、K；49QK2同花。如果甲下J，就用同花34QK2组合打他，如果甲下A就用同花49QK2打他。这个骗局的中心在于2，你如果选了牌多的乙方，他会告诉你花2是特殊的主牌，不可以连在同花里；如果你选了牌少的甲方，他就会说游戏规则里允许出同花。所以你咋玩咋输，选啥输啥！

所以，以后再在大街上遇到此类牌局，你要先问他特殊的主牌2可以不可以在同花里出现，可以的话就选多的，不可以的话你就选少的，赢死他。只不过你要是问了，人家肯定不和你玩，你爱哪里风凉哪里风凉去，别想着赢走人家一毛钱。

与这两种骗局同样常见的，是两种常见的扑克老千伎俩，我在这里一道说说。第一种叫做抹油法。这个油不是真正咱们吃的油或者汽车烧的油，也不是脚底抹油的意思，虽然我经常干脚底抹油溜掉的事，这个抹油我可不干，但是我不干不意味着别人不干，事实上很多人这样干。这里的油指的是肥皂，不是大家经常看的用的肥皂，而是早些年洗衣服用的那种黄色方块的胰子。玩扑克的时候，有的老千会把某张特定扑克的正面用肥皂涂一遍，洗牌的时候再把自己编辑好的牌或者是自己想要的牌放在涂抹了肥皂的牌的下面，切牌时，很容易切到这个牌。

这个有点像老千搭的桥，虽然不是桥，不过和桥有同样的功能，而且更隐蔽。也有用蜡烛来替代肥皂的，只是效果有点差。

如果你感觉扑克有问题，可以用挤压法来识别：使劲压住整副牌，轻轻错着推一下，必然会从某个地方分开，从这里切开，拿出上面一摞最下面的一张。把它插到牌里，重复刚才的过程，连续做几次，如果次次都能把那张牌推出来，那就是了。

老千们不会那么傻，不可能次次千你，关键几把千你几下，所以更具有隐蔽性。

另一种叫做宽边法。同一品种的扑克虽然是一个厂家生产的，但是两副牌还是有很细微的差别。有的老千故意多买几副同样牌子规格的牌，先对比找出两副牌的差别，通常是比对两副牌的宽度。两副牌的宽度差别很微小，但是已经足够搞鬼了。加上市面上有很多假冒的品牌扑克，所以这样出千很容易。比对过宽度后，老千会从相对宽一点的那副扑克里面拿出一张特定的牌放入窄一点的那副里，替换一张同样花色点数的牌。这样在散家切牌的时候，很容易就切到。也有人利用工作方便（比如手里有裁切工具），将一副扑克重新切割一次，留一张不切割，简化了比对的程序。

扑克牌的牌九、瞪眼、三公、斗牛等牌局上容易出现宽边扑克，这些玩法大都是通过切牌来确定从谁家开始发牌。拿扑克牌九来说，扑克牌捡出一副牌九，如果宽一点的那张牌是 5 或者 9，自己在收牌的时候把 K（代表天牌）放在这张宽边牌下面，随便洗牌，这两张不洗开，通过抽拉，把这两张牌洗到中间的位置，这样无论谁切牌，都容易中招，一不留神都会切到这张比较宽的扑克。

不想让人切到的话，就把这张宽边牌放在最下或者最上面，别人就不容易切到了。切牌总是切到同一张，难免会让人怀疑。所以在押得不大或为了迷惑其他玩家的时候，老千会把宽边牌洗在最下面或最上面。

千万别小看这一张牌，无论是抹了油的，还是加宽了的，都是杀人的刀，很锋利的杀人不见血的刀。

51 › 国人为啥如此好赌

街头骗局害人不浅，但如果跟那些有点规模的地下赌场相比，也就只是小打小闹而已。曾经有些年，那种改装版赌档、山寨版赌场一度存在于每个城市，这类地下赌场以各种正当生意做幌子。这些赌场不必为客源发愁，不管赌场多么隐秘，总有赌徒七拐八拐自己送钱上门。而国外的赌博公司也纷纷看好中国巨大的市场，只是国家政策不允许。这些赌博公司挖空心思，变着法子在邻国开设赌场，以吸引中国人去赌钱，比如开在朝鲜的英皇赌场，缅甸边境的云顶赌场，还有越南等国家都相继开设赌场。当地政府严禁本地人进入这些赌场。而这些赌场里的赌客，包括赌场的工作人员，几乎清一色为中国人。

有些国家赌博业是合法的，并不禁止本地人参与。但是进入任何一家，就会发现，大部分赌客都是中国人，世界各地大大小小的赌场，几乎都以中国人为主要客源。

前几年中国出台了很多政策，限制公民以旅游的方式去境外赌博。周边的赌场纷纷倒闭，有80多家赌场关门大吉。大胆假设一下，如果中国人都不赌钱了，那世界上的赌场几乎都是要关门的。中国人好赌是举世公认的。我对于这些好赌的中国人抱着一种怜悯的心态。对于赌，他们了解得太少太少了。在我眼中，他们只不过是老千和赌场经营者眼里的一群凯子和任人宰割的羔羊而已。

在所有的赌场里，中国赌客一掷千金的豪赌场景往往令外国人惊讶，可能很多人都在想这个问题：中国人为什么好赌呢？

首先是社会大环境让国人很容易接触赌博。在中国，麻将已经走进了千家万户，而中国人的娱乐、交往、日常的应酬、节假日走亲访友，往往无麻不欢。打麻将的时候如果不带点彩头，总是觉得少点什么。从小耳濡目染，长大后便继承和发扬"麻风"。尤其是工作后，要交际应酬，不会打麻将怎么可以？

打麻将的人都会这样安慰自己：娱乐一下而已。但是很多打麻将输了的人往往都会心有不甘，毕竟输掉的是自己辛苦赚来的钱。于是，输的想翻本，赢的还想赢。几乎每一个好赌的人，都是从打麻将开始，逐渐沉迷赌博的。

其次是一夜暴富的心理在作怪。一夜暴富的神话最为人所津津乐道，是很多人所神往的事情。这些年来，太多一夜暴富的神话被媒体所宣扬，每个人都幻想自己是奇迹的主人公。而他们往往忘记了，奇迹之为奇迹，就是出现概率几乎为零。而赌，会让人以为是一夜暴富的最佳途径。

就拿彩票来说，彩票成就了多少人一夜暴富的梦想，媒体常常卖力报道这些幸运儿：今天这个中了500万，明天那个中了2000万。这些无时无刻不刺激着人们的神经。而那些投入巨资买彩票的人，那些每次花几百块累积买了几十万几百万彩票连个小奖都没有中的人，就成了灯下黑，没有人看得到。大家只看到了几亿中的那一两个幸运儿。榜样的力量是无穷的，时刻鼓舞着每一个买彩票的人，让他们误以为自己有朝一日也能中一次大奖。

基于这样的心理，很多人都期望通过赌博来达到一夜暴富的目的。因为在他们看来，赌博是一种很公平的博彩游戏。然而，赌场的游戏规则决定了你不会成为一夜暴富的幸运儿，因为赌场里所有的赌博游戏都是经过反复论证，这些游戏规则决定赢家只有一个，那就是赌场。

接触不到正规赌场的人怀抱一夜暴富的梦想投身地下赌博。而国内地下赌场缺少监管，充斥着各种各样的欺诈、骗局、老千，所有这些，注定了一夜暴富不过是一个梦幻泡影，这个梦幻泡影中，隐藏着各种严重的后果，可能是巨额债务、妻离子散，甚至连小命也得搭进去。

再次，幻想可以不劳而获。大多数赌徒都不愿通过辛苦工作获得劳动报酬，他们或者怕辛苦，或者不能认清现实，看到了或者听到有人通过赌博赢了钱，又或者是自己偶然或多或少赢过一点小钱，就以为找到了一条发财的康庄大道，于是一个猛子扎了进去。但是他们可能永远不会知晓别人是如何赢钱的，他们可能永远不会明白自己赢的那点钱不过是人家的诱饵而已。赌博中的千术和猫腻，可能他们赌一辈子也无法知晓，抑或是不能面对。

人，往往就是这么悲哀。

最后，也有人因为精神空虚或寻求刺激而掉入赌博泥潭。现在人们生活水平高了，收入也丰厚了，但是精神却空虚了。手里有了闲钱，总想找点刺激。赌博就成了这些人寻求刺激的最好方式，这样的人属于典型吃饱了撑着了。农村的一些家庭妇女，农闲的时候买点六合彩，打发一下无聊的时光。三五次以后，就着了迷，从此掉了进去无法自拔。以前在农村，人们见面打招呼的口头语是："你吃了吗?"而现在呢? 人们见面的招呼则成为："有特码吗?"沉迷于这些赌博方式的人们，都是精神空虚的人。六合彩让他们觉得生活有了光彩，但也让他们的口袋日渐干瘪。

在寻求刺激的赌徒中，腐败分子占据很大比例。看看这几年去澳门赌博的那些官员，动辄输个几千万，连眼睛都不眨巴一下。他们就是吃得饱了，穿得豪华了，该玩过的都玩过了，就去赌场里寻求刺激，拿着国家的钱或者别人送的钱一掷千金地豪赌。

老千绝对不会一掷千金地豪赌，我，或者像德子这样段位的老千，断然不会做这种蠢事。身边有人提醒赌博有危险，仍有人铤而走险，可见赌博可以吞噬人的理智。德子一个曾经位高权重的亲戚，便是一例。

52 〉德子杀猪记

在说这个前官员前，说说德子的糗事。德子那嘴，忒厉害，常常损得我一句话说不出来，所以他这两件糗事，我每次和朋友一起吃饭都要讲出来给大家听，到现在，一想起来依然觉得可乐。

和德子混熟了以后，他极力撺掇我去他家那边玩。他说他承包了很大一片山，山上要啥有啥。我合计着去打个猎啥的肯定很有意思。那年从开春就一直筹划着要去，结果因为赶局一直拖到冬天。德子说冬季去了很好玩，可以滑雪，吃杀猪菜。而且那里的人一到冬季就全部猫冬，赌局不少。他这么一说，我就活了心思。那次他到我住的城市找我，一通忽悠后，我就买了火车票跟着他上他家去玩。

我俩是早上6点上火车，德子上车就睡，一直睡到下车。这一路给我闷得啊！我心里合计，好好一个人，哪里有大早上就睡觉的啊？我只好一路上看窗外风景来打发时间。德子下了火车才说还要倒大客，上了贼船，只好一路走下去。上了大客才知道啥叫超载，这一路折腾，车上挤得满满当当，孩子哭老婆叫，大包小卷的，想睡觉那是万万不可能的。看着德子满脸坏笑，我就来气，问他："你倒是早说啊，我好歹在火车上睡一觉。"

德子还不乐意了，说我："我说你能听？我德子说的话在你老三那里就是放屁，你什么时候听过我的建议？"呛得我一句话也接不上来。这一路走走停停，大概颠簸了5个多小时，我都快给颠簸散架了，德子说："到了。"

我精神一振，下了车我们来到一个繁华的乡镇。嗬，德子的家乡真不赖啊！我向远处望去，看哪座山头高，研究着哪座山是德子承包的。德子看我伸完了懒腰松完了筋骨，问我："怎么样，老三，累坏了吧？"说话的语气带着轻蔑我体格不禁折腾的意思。

我哪能让他轻看，逞能说："这才哪儿到哪儿啊，小菜一碟！"

德子冲我伸出了大拇指，说："老三就是老三，体格罡罡的。走，跟我走。"

这时天快黑了，我跟在德子屁股后面七拐八拐来到一家宾馆，心里直犯嘀咕：你小子不是说带我去你家玩吗？怎么带我住起宾馆来了？不过我没好意思问。

德子没到前台登记，而是带我熟门熟路从宾馆后门出来了，走进一个大院中。他边走边翻着手包，好像在找什么东西，敢情不是住宾馆呀。德子从手包里拿出车钥匙，指着远处一辆高级车说："老三，这是我的车。"

原来他是来显摆他的车。我有点生气，说："知道你有车，你也不用故意带我来看你的破车吧？"德子说："你说什么话呢老三？我是显摆的人吗？咱们得开车回家。车是我寄存在这里的，还没到家呢。"说着话把车钥匙丢给我，说："你来开开，看看我这车性能怎么样。"说完不等我说话，从车里找出抹布，把所有玻璃和后视镜都擦了一番。

我心里这个火呀，说："德子啊，你叫我开，我不认识路啊。"

德子笑了，说："我认识啊，我告诉你怎么走，一会儿就到了，屁远一点道。"说着话自己坐到副驾驶的座位上。

我说："屁远的道你自己咋不开呢？"

德子坏笑着说："你老三不是自称人车合一了嘛？你开我放心，我的手不咋地。"这个死德子，竟拿我吹嘘自己开车技术的话顶我。他这样说，我没办法，只好上车。

趁着热车的工夫，我问德子："你小子不是抓我来当司机的吧？"

德子马上给我点了支烟，满脸坏笑，说："你老三把我德子想成什么人了？刚才问你，你还说小菜一碟呢，我刚才在车上都挤散架了，你就包涵兄弟一下吧。"我没话接了，能不包涵嘛？认了，谁叫我遇到这样一个哥们儿呢。我心里盘算着，一会儿我飙车，看你心疼不？

顺着德子的指引，我开车东拐西拐的，出了乡镇，跑到一条公路上。德子说："老三，你就顺着这条道开吧。"我彻底无语，只好闷头开，不停地问他还有多远，他总说："快了，快了。"结果开出去200多公里，还没到。我倒是想飙车，一路上总有牛车马车，车子跑不起来。最后我懒得和他说话了，专心开车，他老人家竟然闭目养起神来了。看着他那享受的样子，我牙根就不由自主地痒痒起来，恨不得一脚把他踢出车去。

又开了一会儿，德子指示我开下公路，顺着一条乡村小路拐来拐去开进一处大院。终于到家了。

德子家有他媳妇、他爸爸妈妈，以及两个雇来看山的，就叫长工吧。那两个长工拖家带口，和德子家住在一起。一伙儿人都等着我俩呢，饭菜早就收拾利索了，随时可以开饭。德子把我介绍给他家人，就把我让到了炕上。那炕烧得，都坐不下去腚，我只好找了条小板凳坐上，脚下垫本书，开始吃饭，一直闹哄到半夜。晚上睡觉才叫折磨，热得出了一身汗，但脸是凉的。就这样，算是住下了。忘记说了，德子那小媳妇真漂亮，可惜咋嫁了这么个鸟人？

因为是冬季，农村有杀猪的习惯，德子说专门等我来了才杀猪，表示对我到来的欢迎。第二天，大家伙儿就开始忙活杀猪。猪不是赌局上的猪，就是肉猪。从一大早，德子就忙活起来了。磨刀，准备盆（接猪血），烧开水（准备褪猪毛）。我看帮不上什么忙，就去看猪圈里那口大肥猪，起码200斤重。头天没喂它东西吃，正在那里哼哼着拱东西吃呢。

一切准备就绪，两个长工进猪圈把猪捆了起来，拖进院子里。院子里早用砖头垫了个简易台子，上面放着一条门板，就是要在这里宰杀这头猪。由于人手不够，我也参战了。我帮着拖住猪的一条后腿，德子的爸爸负责另一条后腿。两个长工就负责前腿。德子负责按猪头并下刀子，德子媳妇拿着盆负责接血，盆里面撒了些葱花进去。

分工完毕，大家各就各位把猪按在台子上。猪不肯就范，拼命挣扎，架不住我们五个人。德子大叫一声，叫他媳妇把刀递给他。他用膝盖压住猪头，一手拽着猪的耳朵，一手拍着猪的喉咙，估计在找下刀的地方。

德子媳妇把刀递给德子后，德子拍了几次猪的喉咙，还是没找到血管，就把刀叼在嘴里，含混地骂着猪。因为猪不停挣扎，动来动去，他找不到下刀的地方。本来听说应该是他爸爸动刀，但是德子非抢这个差事做。

德子的爸爸还在劝："小德啊，你要不行换我来吧？"

德子白了他爸爸一眼，把刀从嘴里拿在手上说："谁说我不行？媳妇，你准备好了没有？"他媳妇就在边上，一听他这样问，马上把盆放到了猪脖子下边。

德子要下刀了。

德子用手摸了又摸，好像找到猪的大动脉，一刀扎了下去。猪"嗷嗷"叫着，拼命挣扎，蹄子猛烈地蹬着，我们几个用尽全身力气把住猪不让它动。但是德子这一刀下去竟然没有出现鲜血狂喷的场景，血是流了一些，和流鼻血差不多。前边一个长工说："德子哥，你没捅对地方吧?"

德子点点头，把刀拔了出来，用力又捅了下去，这一刀还是没捅到血管上。德子急了，把刀拔出来，在这个位置偏一点的地方又捅了下去。三刀下去，依然没出现血哗哗流的场景。德子媳妇把着盆有点不耐烦，说德子："你到底会不会杀? 叫你别逞能。"

折腾快5分钟了，猪疼啊，挣扎得更厉害了，我们把着猪腿累啊，开始还有点劲，后来猪挣扎得越来越猛烈，都快把不住了。德子有点恼了，换了个角度捅下去，他爸爸急了，对着德子大喊："顺着捅，顺着捅。"后来吃饭的时候讲起来，敢情德子不会杀猪，杀猪都是捅下去后，刀要顺着猪的喉咙管划向心脏，一气呵成。可是德子是直着下刀，一扎一个窟窿，哪能出血?

德子听他爸爸一喊，知道自己前面几刀不对，调整了刀的位置，顺着心脏部位捅了下去。这一刀捅对了，随着德子刀的来回搅动，猪血哗哗流了出来。德子媳妇急忙接猪血。

猪做着垂死挣扎，德子把刀抽了出来，猪血马上就不流了，德子一看急了，顺着刚才的位置又是一刀，刀进去在猪身上乱绞。

我当时已经累得筋疲力尽了，拼命咬牙坚持着。德子下最后一刀的时候，那猪大小便失禁了，猪粪飞溅。我呢，正对着猪屁股，下意识躲避飞溅出来的猪粪，手劲就有点松。猪忽然死命一蹬后蹄，我直接松了手，猪那一蹄子劲真大，我一屁股坐到地上了。

德子爸爸看我松手了，急忙腾出一个手去按我松开的猪蹄子，那猪疯狂地挥舞着后蹄子，他没法抓。本来两只手把着一个蹄子就非常吃力，一只手更把不住，另一只后蹄也给挣脱了。猪的后蹄没了束缚，力气立刻大了起来。把前腿的两个长工看后腿松了，也想分手过来帮忙，但这个时候已经按不住了，猪一骨碌爬了起来。这个过程连两秒都不到，德子和他媳妇都没反应过来。德子看把不住了，马上放开刀，两只手抓着猪耳朵，想凭自己的力气把猪按住，四个人都把不住，他一个人怎么能按得住？那猪爬起来，前蹄踩到了德子媳妇接猪血的盆里，直接把盆踩翻了，猪血洒得满地都是，德子媳妇一屁股坐到了地上。

猪爬起来就跑，德子拽着猪耳朵就是不撒手，他向后使劲拉扯着猪耳朵。猪被他拽得改变了方向，掉头直接冲向德子，德子一下子被猪拱倒在地，仰面朝天躺在那里，满身都是猪血。

那猪"嗷嗷"叫着，肚子上还带了一把刀，满院子跑了起来，我坐在地上乐起来。德子不服气，爬起来就去追那猪，追上了还不知道从哪里下手，就和猪跑在平行线上，手在猪后背上比划着，找不到可以抓的地方。想去抓猪耳朵吧，但是那猪知道躲德子，看德子奔过来了，就换个方向跑。德子只得放弃抓猪耳朵，改在猪身上猛抓，可能想抓住猪毛，但是那猪毛太稀疏了，他抓了半天，啥也没抓住。

德子家的院子大门关着，猪跑不出去。只是这个院子很大，大概有300多平方米，猪就绕着院子跑，德子跟在旁边跑。

德子媳妇坐在地上笑得快不行了，我更夸张，几乎爬不起来了。德子他妈妈还在喊德子："小德啊，别追了。"德子根本不听，他不知道怎么抓住了猪尾巴，他想拖住猪，奈何他一个人根本拖不住，反被猪带着满院子跑，跑了半圈看拖不住，无奈地松了手。这时全院子的人都乐得快不行了，只剩德子一人茫然地站在那里，眼睛随着猪在满院子移动，他貌似还没想明白猪是怎么跑了的。德子看实在是抓不住了，只好放弃了追赶，站在那里对着猪狠狠地说："妈的，叫你跑，越跑死得越快。"他脸上因为追赶猪有汗水，他下意识用手擦了一下，结果把手上的猪血全抹到脸上，整个一京剧里的大花脸。我们笑得更欢了。

德子看我们大家都坐在地上笑话他，恨恨地说："你们就知道笑？怎么不来帮忙啊？没看到猪跑了啊？"我也想帮来着，可是哪有力气去帮啊，已经笑得浑身都软了。

德子看我们都不去帮他，而猪好像故意要气他，跑得特别欢，气得他满地找石头。他看脚边有块小石头，俯身捡起来，又觉得太小了，就是打猪身上也起不了什么作用，把石头狠狠地丢在地上。跑了几步，抓起地上那块大石头，计算着猪跑的方位，嘴里"啊啊啊"叫着，做出一个推铅球的动作，想用石头砸那头猪。但是因为那石头实在太重，他扔不起来。何况，他离猪老远，根本打不到那头猪。他无可奈何地看着猪满院子跑。看他这样，我笑得脸都抽筋了。他看我们没人去帮他，还在那里嘲笑他，火更大了，大叫一声："今天晚上谁敢吃一口猪肉，我把他的牙齿给敲掉了。"听着这个话，我们又是一阵狂笑，没人顾上搭他的话，已经乐得说不出话了。

最后那头猪跑了几圈就拱到草垛里，血流干了一动不动，我们过去七手八脚把猪给抬了回来，却发现猪身上的刀不见了，猪逃跑的时候跑掉了。我们在院里找了半天才找到，德子找到刀后指着猪狠狠地说："小样，你不是能跑吗？你跑啊？"说着话还不解气，上去对着猪踢了一脚。猪早就咽气了，听不见德子的怨恨了，踢它也不能作出任何反应了。德子媳妇就损他说："都已经死了，你还咋呼什么？它活着的时候你咋不这么能了？"德子不满地看着他媳妇，没敢接话。

晚上吃猪肉的时候，德子还在愤愤不平，说："血肠最好吃，可惜没了，你老三没有口福了。还有酸菜炖猪血，那可是美味，可惜都被糟蹋了。"

我说："没事啊，是我的错，就应该罚我吃不到。"

这个时候德子终于反应过来是我先松的手，说："老三，下次杀猪我不带你玩，你爱找谁找谁去，把个猪腿你都把不住，你说你还能干点什么？"

他爸爸不愿意听了，说德子："还下次？你趁早拉倒吧，能叫你杀死的猪，这个世界上根本没有。"结果又笑倒了一炕人。

以后没事的时候开玩笑，我拿德子取乐的时候，就学他妈妈的语气和腔调："小德啊，别追了。"周围的朋友就会问我："什么小德别追了？"

德子马上板起脸，对我说："老三，好话说三遍，猫狗都懒得听，你知道不？你真是能烦死个苍蝇。"每次看他严肃的表情，我都能笑上半天。

53 › 再精明的人也会掉沟里

我在他家住了几天，上山去溜达了几圈，连个兔子都没看到，最后实在懒得上山了，累得慌。德子看我住得无聊想回家，他还想多留我住几天，怕我寂寞，就开车拉我去镇子上玩。他在镇子上的朋友不少，那些人一听他带朋友来玩了，纷纷要求请客。当天下午 3 点我俩从他家出来，5 点左右到了镇上，马上就有人张罗着吃饭的事。德子很久没有和他这些朋友相聚了，酒桌上大家互相说着近况，他成了焦点人物，谁都要和他喝酒。德子是来者不拒，但是他心里明白，晚上得回去，所以特意嘱咐大家不要灌我喝酒，我一会儿还要给他当司机呢。饶是这样，我也被人家灌了 5 瓶啤酒，喝得我晕乎乎的。一群人一直从 5 点喝到 8 点，德子的舌头都打卷了，他那些朋友还不放过他，拉着他去一个歌房又开始喝，一直喝到夜里 11 点，彻底把德子喝躺下来才算完事。

散的时候，大家七手八脚把德子抬上了车，放在后座上，并把他身上的手机交给我，交代我几句，就各自回家了。还好那个镇子往德子家的路并不复杂，我就凭着感觉拉着一个醉鬼摸索着往回开。我知道我自己喝酒了，德子的车高级，有定速巡航的功能，上了公路正好一辆车也没有，我就把车速定到 75，慢慢晃去，我不着急。

走了不到一半，德子的电话响了，是他媳妇打来的，不放心我们，问怎么这个钟点还不回去。她知道德子去镇上准得喝多了，怕他开车出事。我告诉她说德子确实喝多了，但是是我开车，让她放心。她就问我走到哪里了，我说不出来是哪里，只能在电话里给她描述周围的地理状况。我正跟他媳妇说话，德子在后座叫我说："快，老三，快停车，我要尿尿，憋不住了。"我一听，马上就取消了巡航，把车靠路边停了下来，然后接着跟他媳妇讲电话。

德子媳妇又嘱咐了几句就挂断了。我转头一看，后门开着，德子下车了。我心里想：下车好快啊，也真是把孩子给憋急了。我探身过去把车门关了。大冬天的，车里好容易攒了点热乎气，别都晾没了。我点上一支烟抽了起来，耐心等着德子放水。

可是等我把烟都抽完了，德子还是没回来。我合计再等等，催啥别催撒尿的人。但是又等了一会儿还是没动静，我有点不耐烦，就按了几下喇叭，意思是催他快点。但是喇叭响完了好久也没有回应，我想：坏了，是不是撒尿撒睡着了？我急忙下了车。那天晚上月亮很亮，我看看车后面，也没有人啊，躺在地上了？我又去车后看了看，我怕他看不清楚，打着紧急信号灯呢，地上也没有人啊。他哪儿去了？

　　仔细一看，我才明白：原来我停得太靠路边了，路边是一条大沟，大概3米多深，沟下边应该是一片玉米地，早收割完了，光秃秃的。我平时在城市里开车，经常在路边停车，早就练出来靠道牙子停车的水平。结果在农村的公路上不自觉也溜边停车，根本就没想到路边会有沟。德子刚才不是下车快，而是下车一脚踩空，掉沟里去了。

　　我赶紧对着沟下边喊德子，下边传来微弱的回应。我急忙到沟里找德子。德子躺在那里，喃喃说："救命——救命——"把我吓得不轻。我心说，别把人摔坏了，急忙把他搀扶起来。搀着德子走了几步，看着不像是摔坏了，我才放下心来。

　　德子喝醉，却没完全糊涂，知道我下来找他了，嘴里还嘟嘟囔囔说："老三，快救命，摔死我了，摔死我了，摔死我了……"我连忙检查德子身上，发现他没有什么受伤的地方：这小子真是抗摔啊！

　　可是要从3米的沟里爬上来难住我了，我自己上去都费事，还要搀扶一个醉鬼上去。四处看看，没有什么平坦的路可以走，只好咬牙搀着他一起上去了。大概折腾了两个多小时，我好不容易把德子扶到车边上，累得几乎散架了。这个过程中，德子虽然没有全醒，大概知道发生了什么事，不停地骂我。骂些啥，我一句也没听明白。我说他："再骂我就把你扔这里不管了。"这句话很好用，他立马不出声了。随便我拽、拖、拉、推。把德子拉上来以后，他躺在路边，我累得躺在那里大口喘着气。好一会儿才恢复过来，把德子塞进车里，准备继续上路。可这倒霉的德子又喊了起来："我要撒尿。"没办法，我又把他搀出来，扶着他站路边，等他撒尿。他却嘟囔着说我看他，他尿不出来。我让他自己扶着车尿，他又没尿了，吵着要回家。

　　等把他折腾到了家，都下半夜3点了，简直把我累坏了。安顿好了他以后我倒头就睡着了。第二天，天刚亮德子就来找我算账，他说裤子破了，还说那条裤子800元买的；他上衣也被树枝挂出口子了，还说那件上衣是3000元买的，还是绝版，他心疼坏了。我被他啰唆坏了。按照常理来说，醉酒的人一般不太容易记得自己喝醉的时候都发生了什么事，可是他记得。

　　后来他一欺负我，我只要说起他掉沟里的事，他马上停止。有时候，我看他有要欺负我的苗头，就说："那天和德子去喝酒……"他就马上拉着我的手说："对啊，我和老三去喝酒，那酒叫我们喝的，真是过瘾。"一个劲暗示我，叫我别说了，随便我指使他干什么，他马上去办。这就成了我治他的灵丹妙药了，要不我和他在一起，总被他欺负。德子说我是农民翻身了比地主还狠，这个地主当得，我舒服啊！

54〉刚愎自用的万叶

在德子家玩得很开心。本来我以为德子叫我来就是玩玩的，后来才知道不是这么回事。原来这小子藏着心眼儿，他是为他表哥万叶的事要有求于我。德子和我一样，是个会开事的老千。他偶尔去澳门赌钱，输的时候多，但他很懂得节制，输就输了，决不恋战。他喝多了会掉到沟里，但轻易不会掉到赌博的坑里，因为他很明白自己的分量，知道赌博里面水深。德子的拐了八道弯的表哥万叶，可不是这样，他跟我住在同一个城市，德子求我帮他看局，我去了差点没被他给气死。这个人是大多数赌徒的代表，刚愎自用，谁说都不管用。

听德子说，万叶以前当过兵，复员以后来到了这座城市，在这里安家落户。德子是吉林人，也是到这个城市以后才和他取得了联系。他们之间具体是什么亲戚关系我听德子说过，是他什么远房叔叔家的儿子，不知为什么，他和德子不是一个姓，德子叫他表哥，嘴上叫着亲热，他们之间能有多亲？以前竟然没有任何联系！

万叶好玩几把，只要玩钱，就眼冒绿光。德子劝过他多少次，但是没起一点作用。德子曾试图把自己会的千术演练给他看，意思是让他知道凡是赌都有诈，哪知道他看完了以后，居然对德子的手艺嗤之以鼻，说德子杞人忧天，还说哪里有那么多老千？而且他只和朋友一起玩，不存在这样的事。

万叶是一头典型的猪，要是德子有心杀他，可比家里那头好对付。他不知道十赌九骗吗？德子可是什么都跟他说过，他应该知道的，但是万叶有自己的说法，他坚持认为：和我一起玩的都是战友或者朋友，他们怎么可能出千？就是图个大家在一起乐和乐和，赢了钱大家一起下馆子洗桑拿，所以不存在德子说的那些出千的把戏。德子劝了几次，最终放弃。

万叶在一个部门混上了个小头头的职位，很有实权，输的那几个钱，在他眼里是小毛毛雨。

开始德子并没有说万叶好赌的事，只是说自己的表兄在这座城市里混得很好，他很是崇拜，因为在他们农村那里，出来这样一位大人物很了不得。周围十里八村的都能来攀上点关系，都托万叶安排自己家的儿子啊女儿啊在大城市里工作，进工厂做工人。这在他们老家那边来说是非常荣耀的事情。万叶也确实能办事，安排了不少老家那边的七大姑八大姨在这座城市里上班。

有一阵子，德子对万叶的社会地位特别崇拜，开口必说："老三，你要是有什么事尽管开口，找我大表哥绝对好使。"闭口也是这样的话："你以后要是在××局有事你就说，我找我大表哥，就一句话的事。"

于是，我对万叶有了模糊的印象，也知道德子有个厉害表哥。想想自己就是一介小民，所以从没有想着认识一下或者高攀一下。但是德子时不时在我耳边吹牛，可惜我没有这样的亲戚，不然我就能和他对着吹了。所以我只能听德子吹，每次都看他唾沫星子直蹦，我想：那小子可够倒霉的，天天有人念叨他，在家里耳朵不知道有多热了。

总听德子吹，有时候我和朋友在一起的时候，每当话题说到某一些难办的事，我也吹几句："那个什么什么部门我有熟人，我铁哥们儿他哥在那里，找他绝对好用，有事你说话。"不过我说这话，都会挑人家没什么事的时候说说，闲谈吹牛而已，用人家的名字给自己长长脸，万叶长啥样我都不知道呢。

后来有一天，德子到了这个城市，说要请他表哥吃饭，顺便叫上我一起去认识一下。有这样攀龙附凤的机会，我哪能不去？多认识个人多条路，何况德子付账，那饭怎么吃怎么香。德子约我在一家宾馆房间里见面，我当时脑子里还纳闷了一下，怎么是在宾馆房间里啊，他在这座城市里有住的地方呀？

去了才知道，他那表哥正打麻将呢，德子坐在一边看热闹，等他麻将结束了一起走。我到的时候是下午4点半，正值冬季，天基本都黑了。德子身边还带着个小伙子，后来才知道，那小伙的父母和德子一个村，和万叶有点亲戚关系。不知道那小伙子的父母如何联系上了万叶，就托万叶帮这个小伙子找份工作。正好德子来给店里送货，他父母就叫德子顺便给带了过来。这个小伙子好像是第一次出远门，一个人走他父母不放心。

55 〉官架十足

房间很大，屋里烟雾缭绕，那小伙子局促地坐在床边，他们在房间中央摆了张麻将桌玩。德子急忙拉着我走到桌子前，指着万叶对我说："这个就是我常跟你提起的我的表哥，万叶。"说着话，又对他表哥说："这个是我的铁子，老三。"人家在玩麻将，我只能是象征性对着万叶点着头，说："你好，表哥。"万叶头也没有抬，"唔"地答应了一声，看都没看我一眼。他当时抓了张好牌，高兴坏了，拿起那张牌亲吻了起来，连说："绝张，绝张！哈哈哈哈！"我一看，得了，人家正在玩，别去败兴了，看会儿热闹等着散局吃饭。万叶光顾着亲那张牌，下家有些不耐烦了，催他打一张出来。

我呢，站在一旁，仔细端详着德子天天挂在嘴上的表哥。万叶长得蛮精神的，稍微有点富态，眉眼间盛气凌人，就拿派头，走大街上，一眼就看出不是普通人。只可惜他牌品不太好，抓张好牌就拿在嘴巴上又亲又吻的。开始我还以为他真抓了一张多么了不得的牌，看了一会儿我才知道，他只要是抓了好牌都会亲。事后想起来挺搞笑的。

桌上每个玩家面前都堆着一大堆 100 元的钞票，乍一见这些钞票，我吓了一跳，他们玩得可真不小呢，和一把牌是 1000 元，谁点炮谁给钱，自摸三家都要给，清一色和 7 小对，碰碰和都带，都要翻番。难怪他们不在麻将室里玩，特意跑到宾馆玩，这里安全还没有人打扰。

德子大口喝着矿泉水，不时发出一阵阵响动，我看了他一眼，什么毛病啊，喝水怎么这么大动静？他看我注意到他，立刻做了个动作：用左手摸着脸。外人看来好像要找哪根没刮下来的长胡子，我当时还没在意，转脸又去看他们打麻将。德子又在那边出声音，我又看了他一眼，他又做了一遍左手摸脸的动作，我心里一动，这是以前我俩用过的暗号，他是问我：感觉安全吗？他怎么在这里用上了？那是我俩在赌场里用的，互相询问对方有没有什么发现时用的暗语。如果是安全的，我用左手摸一下脸回应他，如果不安全，我就用右手摸脸。问题是，这里怎么有安全不安全的？我俩又不是来出千的。

我不能确认自己是不是多疑了，就用眼神问他，德子点了下头，那意思是，他确实问我这里是否安全。我用右手放在脸颊上摸了一下，那意思是安全啊。我还没搞明白，这里有什么安全不安全的啊，来这里演习肢体语言对话来了？不能吧，有的是时间和地方让我俩去演习啊，再说了，在这里没啥用处呀。

德子看我没明白他的意思，就把眉毛一挑，那意思让我看他们打麻将。哦，原来他是想让我看他们玩的麻将有没有问题呢。我趁着往嘴巴里递烟的工夫，用指头摸了一下自己的鼻子，告诉他我知道了。他抽了下鼻子回应我，表示他看到了（这套暗号最早在澳门时用过，互相询问自己所处的位置是不是没有人盯，是否安全，我摸鼻子是表示我看到他的暗语了，他抽鼻子也是代表他看到我的暗语了）。

桌子上麻将局还在继续着。想一下叫我看出啥来，我还真看不出来，我又不是神仙。我就右手摸了一下耳朵，这个动作是询问他那个表哥赢了还是输了。德子用左手摸了下自己的左耳朵，嗯，那意思是万叶输了。如果用右手摸右耳朵，就表示赢了。

我用左手摸着脸，问他，你觉得安全吗？他用右手摸脸，那意思是他觉得不安全，也就是说他认为这个麻将局有鬼。我可算搞明白了，他哪里是叫我吃饭啊？分明叫我来帮忙看局。妈的，什么人啊，看局就明说嘛，非要找个喝酒的理由。我用左手理了下自己的头发，表示要撤退，如果是在赌场里，我俩谁要是用左手去理头发，就是告诉对方马上走人。德子一看我想走，眼睛立刻就瞪圆了，我不服，回瞪着他。比谁凶啊？我才不怕呢。德子马上变得嬉皮笑脸，拿出烟盒来，顺手把烟拿出一根来，自己点着了，故意把烟盒亮给我看。好烟啊，我眼睛当时就放了光，德子看眼馋到我了，就丢过来一根说："老三啊，尝尝。"我没客气，点上品尝起来。

但是我左手还是理了理头发，那意思是不管了，俺得走了。德子脸上堆着讨好的笑，手上拿着烟盒看着我，又露出手来，用自己的大拇指捏其他手指的指关节。这也是我们俩以前的暗号，就是最多人用的打麻将的9节鞭的对暗号的方式，即大拇指分别捏食指三个关节要1、4、7；分别捏中指三个关节是要2、5、8；分别捏无名指的三个关节要3、6、9。他那意思是问我想要多少。我摸了摸自己的鼻子，告诉他我看到了，你想给多少。他想了一下，最后把大拇指尖放在了小指上，不用前面的指头代表，那肯定比9大了，应该是买一条烟给我抽。这样的好买卖，不干是傻瓜，我又摸了一下鼻子，表示我知道了。

德子看我同意了，就说："老三啊，你在这里坐一会儿，看来一时半会儿完不了，我带我小兄弟下去买点东西。"说着话，他拽起那个小伙子和大家打个招呼就走了。德子是给我创造机会呢，他站在那里能看到两家牌。看眼的能看到牌，就是想出千，也不好拆牌什么的。我选了里面那张床，坐下，那里只能看到万叶自己家的牌，看不到其他三家。如果这个麻将局有鬼的话，总得给人家提供机会，我才能发现毛病在哪里。

麻将暗号说起来容易，破解起来很难了，除非他们用大家常用的一些招数，或者是在常用招数上加一些变化。我来以前，德子应该看了很久了，如果他们会偷会换的话，那是瞒不过德子的。就当时的状况看，如果牌局有鬼，应该是暗号一类的东西。但是像一些偏光麻将之类的老千麻将也应该考虑进去，但是我手里没有检验的工具啊。

我挨个端详着四家的眼神，在抓牌或者取舍张的时候都在哪里：看牌垛？看别人门前的牌面？还是看别人的面部表情？要是专心看别人的牌面或者里面的牌垛，那应该在麻将上找原因，要是看别人的表情和身体部位，那应该从暗号上找原因。但是这个东西说起来轻巧得要命，做起来可就难了。

桌子上每个人的表情，说的话语，手上的各种动作，我都迅速在脑子里进行归纳整理，这些东西好归纳，但是要和哪张牌对上又是那么难。真是愁人，他们是玩点炮上钱的，假设有鬼的话，而鬼又在暗号里，那只能是送牌给人家吃，以加快对方上听的速度。身后有人，他们不会去这样做，身边没人，单凭人家打哪张牌判断，又很麻烦。

看了三圈左右，我勉强摸出一点头绪来。万叶对家的哥们儿是赢家，总是他最先上听，我就专心看他玩。他总习惯把手放在桌子上，虚握着拳头等着别人打牌或者抓牌。这样的动作很正常，麻将桌子上很多人的手都这样放。但是我发现他的手有点问题，和他要吃的一些牌有着某种特定的关系。他握拳大拇指突出的时候表示他要一张筒子牌；握拳的时候大拇指与拳头平行，那是要一张万字牌；握拳时大拇指缩进拳头内说明他要一张条子。我正好坐在万叶的身后，可以清楚地看到他手上的一些动作。而这些动作所对应的吃张基本 90% 吻合，只是我搞不清楚他们怎么区分 1 至 9 点？

这个更难发现规律，比方说他要个 3 万，但是和他配合的人手里不一定立刻就能给他 3 万，如果次次都要啥给啥的话，我估计能找出规律来。但是没有这样的好事，只有连续几次要同一张牌，我才能抓出一些规律来。

三圈一过，马上有人提议说再玩一圈就散伙，天色好晚了，到了吃饭的时间。我那个急啊，给我的时间太短了，直到人家散局的时候也只敢认定这个局确实有鬼，也只敢认定人家是如何要万筒条的。但是 1 到 9 如何对应，如何告诉同伴，我实在没看出啥门道来。这套暗号可能是人家自己设计的东西，这个就好像我藏东西一样，让别人找确实太难了。但是我要告诉你东西藏在哪里，那又是太简单的事情。两个人约定暗号也是如此。

我从来没觉得四圈麻将这么快结束，可能是我太专注了。他们四个人各自清点着自己的战果，互相打着招呼，说了些客套话，就分手了。我赶紧给德子挂电话，告诉他战斗结束了。离开房间的时候，我顺手带走桌子上一张 6 筒。

德子在楼下等我们，我们找了一家饭店吃晚饭。德子总是带着疑惑看着我，那意思是问我有什么发现没有。我轻轻摇了摇头，德子显得有点失望。

吃饭的时候，德子又郑重地给我俩互相介绍了一番。我拿了一张小邢公司的名片毕恭毕敬地双手递了过去，那张名片上好歹印了个经理的名头，起码能拿得出手。和人家这样的实权人物接触，咱也不太显寒酸。万叶接过名片随手放在自己的手边，和德子说着那小伙找工作的事。他很利索，说办就办，在这小伙来之前他们就通过话，他拿起电话给一个什么人挂了起来。啰唆了半天，那边问那小伙什么学历，小伙拘谨回答说是初中。万叶在电话里又和人家好顿啰唆。挂了电话以后，对小伙说："工作给你安排好了，你明天到××地找某某，我这里有他一张名片。你直接去找他就行了，实习三个月，干得好就转正式工。"听那话好像是进一个什么工厂做啥工作的，但是必须要高中文凭，他还叮嘱德子去给办理一个高中的假文凭。工资 1500 元，转正后是 1900 元，厂子提供宿舍和食堂。那小伙一个劲说谢谢。吃饭喝酒的时候，万叶啰唆着叫那小伙好好干，要给他长脸之类。我是一句话也插不上。整个一个哑巴坐陪，搞得我很郁闷。

一直到吃完饭，我和他也没交流几句，在万叶眼里，我就是个不存在的人。我不以为忤，脸上始终挂着讨好的微笑。心里安慰自己说，人家大人物能和我一起吃饭，对我来说已经是天大的荣耀了，怎么好计较太多呢。多少人排队请他吃饭，多少人以能和他一起吃饭为荣呢。

吃饭时德子随口问他打麻将的战果，他轻描淡写地说输了 5 万多。那点钱在他看来是毛毛雨，是啊，多少人排队送钱给他花都找不到门呢。快吃完的时候，他随手拿起我给他的名片抠起牙来，我更尴尬了，没好意思看他，跟德子找着话说。眼角余光看到我名片的四个角被他蹂躏得不成了样子，我心里开始骂起娘来，就算你不拿我当盘菜，也不能拿我的名片抠牙啊。我那名片轻易不发的，再说了，我印名片是给你抠牙用的啊？但是我当时什么也没有说，脸上一直挂着谦和的微笑。我又能怎么样呢？人家和我一起吃饭，认识一下，已经很抬举我了，我就别那么不识抬举了。

吃得差不多了，德子喊服务员结账，可是服务员说已经有人买单了。德子有点急，好像他没请到客有点掉面子，但是万叶好像很习惯了。我还到处瞅：哪个天杀的买了单呢？我咋没看到呢？

吃完饭万叶说是要回家，单独出了饭店的门，已经有车在门口等候了，不知道又去哪里鬼混，肯定不是回家。但是这些和我有关系吗？没有，所以我不想理会。走的时候，我还仔细看了看桌子上我的名片。那张名片就那样静静躺在餐桌上，上边压着一个烟灰缸，四个角全是万叶牙缝里的残留物。

那一刻，我心里充满自卑。

56 〉碍于面子无法宰的猪

德子把那个小伙安顿好后拖我去喝咖啡。我想回家，德子死活不让。我当时正和螃蟹谈恋爱，螃蟹有时候也去我那里住。德子以为我着急回家是去找螃蟹呢，其实是那个万叶严重伤害了我的自尊。他被谁千了，和我没有一毛钱关系。他就是懒得和我交往，不屑认识我老三，也不能在我面前用我的名片抠牙吧？

德子看我要走，以为我破解出来了故意拿乔，死活不让我走。德子发挥他软磨硬泡的功夫，说："老三啊，你别逼我急眼了啊。"

我说："小样，你急一下给我看看。"

他马上赖皮似的揽着我的肩膀，半拉半拖给我拽到一家咖啡厅里。我实在犟不过德子，只得跟着进去。虽然我不喜欢万叶，但是德子关心他，我得给德子一个交代。

我俩找好座位，点了喝的东西。我告诉德子说这个麻将局确实有问题，但是我笨蛋，只看得出万、筒、条如何区分，没看得出来 1 到 9 具体如何区分的。时间太短了是一方面，另一方面，我觉得他们的暗号应该是自己发明的，所以不好掌握。德子听了一脸茫然，他很替他万叶表哥着急，拉着我说："那他们下次玩，我再找机会去，把你也叫上啊，你再去帮着好好看看。"

我跟德子说："他们关起门玩麻将，想找看热闹的机会都很难的，我看还是算了吧。你就告诉你表哥别玩了，折腾个什么劲啊？"

德子想了想，点点头。他自己都不能确定万叶什么时候再去打麻将，更不能确定万叶是否同意他看热闹。那天是为了带同村小伙见他的，才看到他们的麻将。平时没事的话，他想去看个热闹都很难，何况还要带我看热闹。人家什么时候在哪里玩都不确定，德子要上赶着追着看，好像也不是个事儿。

正事交代明白了，我就和德子讨债。德子抽的烟好像叫苏烟，一盒 68 元。

223

他的烟丢在桌子上，还有多半盒，我点了一根抽了起来。好烟味道就是不一样，我忽然想起德子答应给我买一条烟的事情来，就问德子："哎，德子，赶紧给我买烟去，我可是给你看过了啊。"

谁知道德子想赖账了，说："什么烟？给你买烟？凭什么给你买烟？"

我一听就来气了，说："你不是答应我了吗？怎么不算事了？"

德子眼睛一翻，说："我什么时候答应给你买烟了？你别没事念秧啊。没有的事。"我一听就急了，就说他在房间的时候捏指头给我看，这会儿怎么开始抵赖了？德子冷笑着说："你说什么呢，老三？你想象力也太丰富了吧？我那不是给你买烟，你误会我了。我那意思是告诉你这个麻将局肯定有鬼，但是我没看出来，根据我的判断那应该是暗号一类的东西。当时捏指头给你看是让你注意暗号，捏在小指头上的意思是暗号我没搞明白，给你指个观察的路子，怎么和烟扯上了关系？"

我乍一听，他说得有理，难道我理解错了？可是不对啊，他明明用烟诱惑我了。我不依不饶，接着问："那你德子拿烟盒故意眼馋我是怎么回事？就拿烟盒这样比量。"说着话我就把桌子上的烟盒拿起来，晃了几下。当时我心里还忿忿地想：一条要不来，半盒我不嫌弃，先拿在手里再说。

可是德子说："老三啊，你怎么成天想着搜刮我呢？我就是拿烟出来抽，你都能想出那么多花样，你是不是太自作多情了？"看着他板着老脸的样子，我恨不得踢他一脚。这小子一推六二五，推得干干净净，看来继续和他争下去没什么好处，干脆不说了。我对德子说："那这个没收了。"说着话我扬了扬手里的半盒烟，就要揣兜里。

德子表现出不愿意听的样子，撇撇嘴说："什么叫没收啊？你要抽就拿去抽啊，我德子什么时候和你计较这个了。拿去，拿去。"貌似大方摆着手。说着话，他自己又从口袋里拿出一盒没开封的，就在手里握着。估计他知道烟放桌子上，我会给拿走。

我一看，妈的，还挺有货啊。我把手里的烟揣兜里去，一下摸到我偷的那张麻将。灵机一动，我可以用这张麻将和德子换烟抽了。我随手把麻将拿在手里把玩起来，漫不经心地说："虽然什么东西也没看出来，但是我偷来一张麻将。好东西啊，搞不好是偏光或者三维的呢。你说我现在手头也没有东西验看一下，真是愁人。"德子立马来了精神，伸手跟我索要，说想看看。我不好意思直接说用这个换他手里的烟，我装作没看到他伸过来的手，专注地看着这张牌。德子的手此时伸到我鼻子下边了，我打开他的手，另一只手将麻将拿到桌子下面（桌子是茶色玻璃的）看麻将的背面，说："你着什么急，我先看看。"

德子急着看麻将，他放下手里的香烟，两只手伸来抢麻将牌。我等的就是这个机会，飞快收起桌上的香烟，同时将麻将牌轻轻放在茶几上。

德子拿起麻将研究起来，我拿了他的烟，他倒没废话。我看天好晚了，该回家了，说："我该走了，你自己研究吧。"

德子一听就不乐意了，说："你看你急的，能稳点不？你回去晚点螃蟹还能吃了你不成？"我反复和他解释说螃蟹晚上不在我那里，他就是不信。不知道怎么说的，扯到螃蟹如何看中我的话题上去了，说："我就不明白，你看你丑得啊，螃蟹怎么会看中你了呢？"

我瞪着德子说："看你漂亮得，浓眉大眼的，人家就是看不中你，怎么了？你妒忌啊？"

德子理着自己的眉毛，说："就我这个眉毛，给我一幢大厦我也不换，你有本事你也长一个啊。"

这时，服务员过来结账，听到德子的话，就掩嘴笑了起来。德子可算是找到听众了，他指着我问服务员说："小妹妹，你看他丑不，你见过这样丑的人吗？"那服务员哪里能接他的话啊，就偷偷笑着。德子非要人家说见没见过比我还丑的人，把服务员搞得说见过也不是，没见过也不是，只好尴尬地笑着。

我赶紧叫德子把账结了，没事和服务员较什么劲啊？出了门，德子还想拖我去洗澡，我那几天熬夜了，就想早早回家睡觉。奈何怎么解释，他都不信螃蟹不在我家，啰唆了半天才放我回家。

后来德子告诉我那张麻将是普通麻将，没有任何问题。他几次跟万叶提想去看他们打麻将，奈何万叶根本不理他。德子看帮不上忙，很着急，总在我耳边穷念叨，念得我耳朵起茧了。只是他的话，我都当成耳边风，和我有什么关系呢？别说没机会去看，就是有机会去的话，我也不会去看，谁愿意拿热脸去贴人家的冷屁股呢？我又不求他办什么事，万叶爱输多少输多少去。

我有时候想：这样的肥猪我怎么杀不到呢？念及此，就觉得特别遗憾。话说回来，我想想而已，万叶再讨厌，也是德子的表哥，就算有机会杀，也没法下手。

57 〉走火入魔的赌徒

见过万叶以后，我不再吹牛了，不再宣称自己认识某单位的某某人。但是德子还是走哪里都和朋友继续吹他那个表哥，如何如何官大，如何如何罩住他，如何如何吃得开。那以后，我没捞到机会再去攀龙附凤，偶尔看到万叶出现在报纸上，偶尔路过某栋大楼，知道德子的表哥在里面掌权。

过了一年多，德子又来这座城市送货，照例挂电话给我，电话里说起他的表哥，说："出大事了。"我合计能有什么大事呢，德子非要和我当面说，我急忙赶去和他会合。见了德子才知道，万叶出事了。原来万叶不但打麻将，后来发展到利用出差的机会到澳门赌博，竟然输掉公款 800 万。我一听就傻了，800 万，我的天啊，怎么输出去的啊？那钱要是放家里摆起来，那得有多大的一堆啊！当时万叶亏空巨额公款的事只有小范围的亲友知道，单位并不清楚。

万叶先后四次去澳门，第一次是下边几个老板请他去的，输了 200 多万，都是那些老板买的单，他一下就上瘾了。第二次是他主动叫其他几个老板一起去澳门，输进去 300 多万，那些老板给他买了单。第三次是自己去的，输了 500 多万，第四次也是自己去的，输了 300 多万。就这样，他赌得上瘾了，没机会去澳门，便成了周边一些赌场的常客，先后输了不少钱进去，当时被债主催得焦头烂额，便到处找人借钱堵公款的窟窿。

万叶找德子借钱，德子找我诉苦。德子着急也没办法，那可不是小数目，10 万 20 万的，我或许可以帮忙，800 万，把我杀了卖肉，就算一斤卖 1000 元，也不够。再说，就算我有 800 万，借给他，他拿了马上就会去最近的赌场，把这些钱也输光。输钱的人都这样，我见得太多了，无一例外。德子明白这个道理，何况他手里那几个钱离 800 万距离实在有点遥远。

德子找我来并不是要找我借钱，也不是要我帮着出千捞回来。我俩自己多大的道行心里有数，要有那本事一下赢800万，我早上月球上去住了，谁稀罕住地球上啊？我的能力最多在小局上骗点钱花花，那些大赌局想都不要去想。他只是把我当成一个朋友，讲给我听听，他太需要一个听众了，别人他还不敢讲，只能和我说了。毕竟万叶是他表哥，而且是他一直引以为豪的表哥，面临事情败露丢官的危险，他着急啊。德子说晚上他约了万叶见面，希望我陪他一起过去。德子相信他表哥可以利用自己的职权迅速把这些钱凑到，希望带我去现身说法，让他表哥知道赌钱中的黑幕，希望他表哥看了以后会醒悟，别再陷下去，把钱还上以后继续安安稳稳做官。

德子和他表哥约在晚上9点见面，我俩6点多吃完晚饭，就等着万叶的电话。等人的滋味可真不好受，看在德子面上，我忍着。9点多，万叶终于打来电话，让我们到一家酒店见他。

别看人家输了那么多钱，排场还是有的，在五星酒店订了长包房作为休息场所，人比人真能气死人。我俩到长包房里，万叶已经等在那里了。他见我跟在德子身后，脸上的笑容不见了，用质疑的神情看着德子，那意思再明白不过了：你竟然带了个外人！我真想马上离开，但是看在德子的面上，我跟他打了招呼，走进房间。

德子怕我受委屈，反复强调我俩的关系，跟万叶说："别把老三当外人。"万叶的脸色稍微缓和了一些，我尴尬地坐在沙发上，听他哥俩说话，一句也插不上。德子埋怨万叶不该赌钱，万叶呢，一副满不在乎的表情，他眼睛有点红，应该喝了不少酒，话里也明显带着酒气。他俩啰唆了一会儿，德子又把话题给引到赌钱上来。万叶一听到赌钱，容光焕发，不再哼哼哈哈打官腔，话多了起来，我趁机跟着聊了起来。

万叶对百家乐有浓厚的兴趣，竟然和德子说起玩百家乐的经验来了，什么追反手、连跟、跳一路……说得头头是道。看来他是玩理论的行家，我心想，在赌场上，理论要那么好用，你就不能输那么多了。这个话在我肚子里转了几圈，又咽了下去，始终没好意思说，只能顺着德子的话题走。

德子说："表哥，别再玩了，赌钱能有几个赢钱的啊？我知道你去玩不是为了赢钱，你也不缺钱，但是赌钱这个东西，里面很多说道。"

万叶追问道："什么说道？"

德子说："凡是赌都有鬼你知道吗？赌钱出千你知道吗？"万叶好像没听明白，德子打点起精神，拿出他准备好的扑克，拆了封，他手里忙活着，嘴也没闲着，说："今天我带老三来，是让他给你演示一下赌钱如何出千的，让你知道你的钱是如何输出去的。"

万叶立刻表现出很有兴趣的样子。得，该我上场表演了。我没客气，把扑克拿起来，详细给他讲解起来，讲得面面俱到，边讲解边演示，正常速度做是什么效果，怕他看不明白，再分解成慢动作做给他看。万叶好像看魔术表演一样，连说："神奇，真是神奇。"观众如此夸奖，我演示就更加卖力了。就这样，我把常见的老千伎俩一一做给他看，全部表演完，都过了一个多小时。

我收起扑克，以为万叶会有所觉悟，没承想万叶随后的话差点让我吐血，他竟然说："你这些好像都是上不了台面的东西吧？你要说澳门的赌场这样做，那我不信。你这些都是魔术，大赌场是不会和我们玩这些上不了台面的下三烂的手段的。"这句话当场把我戗住了，我有点恼火：合着我辛苦为你做演示，没讨到好也就罢了，竟然成下三烂的东西了。我不满地看了德子一眼，随手把扑克扔到桌上：老子不玩了，爱谁演示谁演示去。我没接万叶的话，坐到一旁，抽烟去了。我承认我这些东西是下三烂的手段，的确拿不到台面上，但就是这些下三烂的手段让多少人倾家荡产、妻离子散、背井离乡！别看你万叶平时牛皮哄哄是个官，到了赌场上，就是头猪！

德子看我的现场讲解没有效果，就急了，德子也说不出澳门赌场的不是之处来。他就给万叶分析赌场的游戏规则，因为规则是经过无数次验算出来的，无论散家如何赌，优势永远在赌场一方，游戏规则决定了赌场永远是赢家。德子一再强调，一直以来都是赌客们出钱建设澳门。但是万叶根本听不进去，他只对百家乐什么时候抓连庄连闲，什么时候抓跳有兴趣。只要说到百家乐，他就好像回到了赌场，马上豪气万丈。

他神采飞扬地说起他在澳门赌场拼杀的过程，讲他那一把如何神勇，押了100万上去；那一把如何经过艰苦补牌赢了100万；讲他如何英明，如何连赢四手……说得唾沫星子飞溅，讲到兴头上，手舞足蹈，连烟灰都跟着飞扬起来了。看他那指点江山的样子，我心里想：那么厉害怎么输了这么多钱？看把你给能的。

我看看德子，德子也是一副无奈又有点不屑的表情。我俩强打精神做出很感兴趣的表情，估计德子比我压抑，比我还难受。到后来，我真想夺门而逃了，但是碍于德子的面子，没好意思走。要没有德子，我早走人了，去哪里也比和一个神经病说话强。万叶还在滔滔不绝地讲述自己的"风光"，我等着看德子如何劝了。

　　德子几次想打断他，都没有成功，后来，德子忍无可忍，脱口说出我的心里话，他说："别说了，你那么厉害怎么都输了？"万叶这才想起来自己是从澳门赌输了回来的，露出懊悔的神情。他连连拍打沙发，说："哎，别提了，开始赢了不少，没守住胜利的成果，教训啊，教训啊，下一次要是再赢了，我一定能守住了。"我不由翻起白眼。

　　德子一听就急了，问他："下一次？你还想去玩啊？"

　　万叶连忙摆摆手说："我就是说说，再不玩了，打死也不玩了。"

　　德子跟万叶说起跟他一起玩麻将的人在打配合，奈何我们没有抓到直接的有说服力的证据，说服力不大，不论德子怎么说，万叶坚信他们都是有身份的人，不可能有鬼。德子退而求其次，就提出他们再玩麻将的时候，让我去看个热闹。但是无论他怎么说，万叶不答应，说："我们就是小范围玩玩，叫一些社会上的人去，好像不好看。"原来万叶还是把我看做社会上的人，没把我当朋友。我继续忍，装哑巴不说话。

　　德子不甘心，想到万叶偶尔去周边地下赌场玩，便极力撺掇他带着我俩去。我了解德子的苦心：我俩可以帮他揭穿赌场里的猫腻，让他知道深浅，以后不再赌钱。可是万叶把这话听拧了，他以为德子是叫他带着我进去，出千帮他赢钱。他看了我一眼，那眼神很反感我似的，说德子："你没事别咋咋呼呼的，成天想什么呢？我们去玩的地方哪能随便带社会上一些不三不四的人？你把我当什么了？我怎么发现你小德最近有点外路呀，我带他去出千儿？那叫人发现了，我还做不做人了？你能帮我合计点正经事不？"

　　我一听，当下就恼了：什么，把我当成不三不四的人了，我他妈的自己拿热脸贴人家凉屁股有啥意思啊。我卖力地演示了近一个小时呢，没功劳也有苦劳，当魔术看了，也没问题，人家看魔术表演还得买票呢。

　　我可不忍了：你不就是个官吗，我认你你是个官，我不认你，你就一个神经病。有啥了不得的啊，管你输多少钱呢，管你被谁宰了呢。活该！倒霉！你看不起我？我还看不起你呢！想到这里。我站起来，说："德子，我有事先走了，你们哥俩唠着。"说完我起身就走。

德子当然知道我为什么要走，他过来拉我，那意思是再坐一会儿，我用力掰开德子把着我的手，狠狠瞪了他一眼。他看我脸色不好，就松了手，拍了拍我的肩膀，小声安慰我说："老三，你别和他一般见识啊。"把我送到门口。万叶呢，坐着一动不动，连个招呼也没，好像我本该早早离开，省得在这里碍着他哥俩说话。

出了酒店，我感觉不那么压抑了，他挪多少公款、输了几百万，和我一毛钱的关系也没有。他有钱他愿意去输，他是猪愿意被宰，一切都是他自己找的。想到这里，我心情忽然好了起来，我和一头猪生什么气呢？

第二天德子专门来找我请罪来了，这小子蛮讲究的，给我买了一条苏烟。如我所料，德子那天算是白去了，万叶压根不听他的劝。后来听说万叶把公款给堵上了，把这件事压了下去。半年后，我偶尔在报纸上看到万叶被撤了职，双规了，街上的小道消息说他在澳门输了个精光，欠下 1700 万的赌债；也有小道消息说他挪了单位很多钱，实在堵不上了；也有小道消息说……反正版本很多，但是都和赌沾边。

等德子回到这座城市，我俩见面才知道，原来小道消息大都是真的，具体输了多少钱不知道了，反正是很多很多。而和万叶一起去的一个大老板，竟然输了 4000 多万，直接被赌场给扣押了，才引起了一连串的地震。听起来吓死人啊，那赌法是我没见过的，据说一次押 500 万。当然，一切都是据说，只是据说。

从那以后，德子失去了吹牛的资本。

后来偶尔和德子一起说起来，我啧啧赞叹：他们竟然一把押上 500 万！那气魄让我羡慕不已，让我一次押这么多，我无论如何也做不到的。不出千的情况下，我很少押大钱，因为我不敢把自己的钱押到一张未知的牌上去。这时，德子满脸鄙视，教训我说："你不是局中人，你体会不到那个心情的。并不是他们豪爽，并不是他们特别有钱。开始的时候都是小玩，后来那是输进去太多了，要想翻本，就得押那么多钱。押那么大才有可能捞本，这个时候不是在赌钱，是在赌自己的小命。赌回来了命就还在，输出去了就把身家性命赌出去了，他们都是在赌自己的命，和豪爽有个毛关系？和有钱有个毛关系？和赌博的刺激乐趣有个毛关系？"想想德子的话，再回忆回忆赌场里的大赌客的各种表情，确实有赌命的味道。他的话确实有十二分的道理，可能他是能从亲人的角度看问题，才说得出其中的奥秘。想想自己当年输得倾家荡产，那时候的疯狂，何尝不是在赌命呢？

可悲的是，很多赌徒即使相信赌场上有老千，依然心存侥幸。万叶在很大程度上代表了大多数赌徒，他们认为这些是下三烂的把戏，拿不到台面上的。更多的人则认为自己玩的赌局上根本不可能存在这样的事情。绝大多数赌徒陷得实在太深，就像有人酗酒，不愿意让自己醒过来而已。我不指望能挽救那些已经深陷赌博旋涡里的赌徒，我只希望能给那些刚沾赌和以后可能沾赌的朋友们敲敲警钟：千万别沾赌，赌是让你倾家荡产的无底深渊。我能力有限，德子的亲戚，我都挽救不了。也许我能帮他把钱赢回来，不过，这个世界上没有那么高尚的人，能赢的话我早揣自己腰包里去了。

58 〉自动杀猪机

很多朋友看了我写的东西表示不赌钱了，我感到八分的高兴。有两分不高兴，主要是因为还有很多网友说他们相信赌博都有出千的，但是他们玩的一种带保单的机器百家乐，说那种玩法没人出千作弊。就看给我留言的，很多人玩这个，有的还十分痴迷。听我说一句：别玩了，骗死你不偿命。

带保单的百家乐，是先把每一盘牌的顺序打印出来，然后封闭保存在大家可以看到的地方，然后再开局，与保单上的结果对比确定输赢。这很容易给赌徒造成一个错觉：结果已经出来了，所以押钱就很公平。本来是闲赢，而我押了闲，那是一定会赢的。庄家不敢出千让闲变成和或者是让庄赢。只要感觉有问题，玩家是可以检查保单的。如果哪局开出的结果与保单不相符，老板要赔偿的。几乎所有赌徒都这样想，于是一些伟大的凯子诞生了，成天到晚就想着如何去赢了，睡觉都会满脑子的庄、和、闲，其他事情都不想。这样的傻子无数，每天兴冲冲去了，懊恼地回来。这些专职送钱给人家的赌徒，赌场里的人背地里亲切地称他们为"小送同志"。

我以前帮忙过的一家赌场有这种游戏，我虽然不很明白里面的设计和原理，但是我知道作弊的方式。

为了方便讲述，我把带保单的百家乐按照打印方式分成四种：针式有声打印，激光打印，喷墨打印，热敏打印。

先说针式有声打印。这种作弊方式是最原始的了，最早的作弊方式是用录音笔。在打印机打印保单的时候，对打印机的声音进行同步录音。然后根据前几手的牌路进行电脑分析，很容易知道是庄是闲还是和。如果你是老板，肯定也知道如何掏光来玩的赌徒口袋里的钱。一般老板在传真机前工作的时候，都不让人靠近传真机。

第二种是喷墨打印。使用喷墨打印机打单子，录音笔就会完全失去功能，但是可以安装数据线，打单子的时候利用蓝牙发送功能。接一根具有蓝牙发送功能的数据线就可以提前知道保单的内容。玩这个谁会去检查打印机呢？喷墨打印机里面有各种线路和出墨的管路，非常复杂。别人没有这样的机会在喷墨打印机上安装机关，只有开局的人能做到。如果你是开局的人，知道了牌路，其他人还赢得了钱吗？那时保单百家乐限注最大 3000 一门，空门一般由自己人押，那些去押钱的，有多少赢的机会呢？

以上两种打印机还可以装同步共享器，装了同步共享器，单子是共享的，50米以内的同伙都可以接收。也有安装木马程序，把打印的信息回放。现代科技，只有你想不到的，没有别人做不到的。

再说说热敏打印，也叫无声打印。打印机工作的时候，所有人都以为已经打印出单子了，其实就是一张白纸，上面没有任何东西。带保单的百家乐一般可以打到 66 盘，当最后一盘打完时，前面出现的结果会迅速被汇总，按照已经开出来的庄、闲、和的结果进行热敏扫描，直接扫描在白纸上。结束后，玩家验看单子，信息就打上去了，就是说，先开出结果，后打出单子。不到 66 盘，中途叫停，也查不出来。比方说，玩到 35 手，某个玩家要求查验，设局的人马上开启打印机，前面 35 手立刻扫描到白纸上去，随时可以拿出来给人验看。可能很多玩保单百家乐的赌徒看到这里会有疑问：我们看到单子放在透明的盒子里去了，也有送到保险柜里的，而且我们检查过盒子与保险柜，这些设施与外界并无电线的连接啊，老三你是不是搞错了？不问我还可怜你，问了我就不可怜你了，该杀。

那只是表面文章，只要手机发送一个信号给主机就可以了。有一个方法来甄别：首先看保单的纸张，用验钞笔照射一下保单，看看是不是热敏纸。如果是热敏纸，就能发现保单上出现很多东西。记得以前念高中的时候有一种玩具叫激光束，照射出去，会留下一个小红点，像电影里狙击枪上的瞄准点。验钞笔照热敏纸也能看到类似红点。不过验看保单是不是热敏纸，必须近距离照射。如果没有验钞笔，可以用打火机替代。将打火机打着，轻轻在保单下边烘烤，也会出现红点，要注意，千万别烤过了，温度太高，整张白纸会全部变成黑色。

开出结果，玩家在对保单的时候，你是不是还龇牙咧嘴地和人讨论前面的战况，为输了多少多少钱而懊恼，是不是说如果重来一遍，你会把押在闲家的钱放在庄家或者放在和上，那样一次就能得八倍？就算时光真能倒流，让你重新选择，你还是得输！原理我说明白了，可以操控的机器，庄家想开 66 个和，不是没有可能。只不过，这个世界上脑子没坏掉的老千，他们只会一点点把你脖子上的绳索收紧，决不会一下把你勒死的，养肥了再杀，是老千职业守则上第一条原则。

话又说回来，并不是所有热敏打印机都是利用热敏原理作弊，还可以利用声音作弊。热敏打印机和激光打印机是无声打印机，激光打印机应用率最高，现在市面上流行的保单百家乐都是激光打印的。说是无声，只是人听不到而已，其实是有声的，好像叫超低频（编者注：应该是次声波。人类能听到的声波频率为 20～20000 赫兹，频率小于 20 赫兹的叫次声波，大于 20000 赫兹的叫超声波。地震、火山爆发、风暴、海浪冲击、枪炮发射、热核爆炸等都会产生次声波，借助仪器可以"听到"它）。如果给激光打印机装上配套扩音器，还是可以听到声音的。热敏打印机在打印的时候发出电磁波，因为打印的碳粉通电后温度升高，产生的电磁波，频率是固定的。于是有心人专门利用电磁波的接收原理制作出专门的探测仪。探测仪捕捉到的频率只是一段段曲线，这些就够了，探测仪配有还原仪器，具体如何做到的，我不懂了。这种探测仪与探测地震的仪器原理一样。

激光打印机同样利用了电磁原理。打印的时候，打印机发出的超低频声音有波段和频率，每个字的波段都不一样，所以有人发明了射频分析系统。利用射频分析系统，可以根据分析声波的频率和波段，然后完整地还原出打印保单上的具体内容。这种仪器的设计非常人性化，本身带有自动翻译的功能。可以把庄、和、闲三种结果翻译成1、2、3，发送到一个小接收器上去，1代表庄，2代表和，3代表闲。启动按钮，老千接收分析的结果，只要考虑该如何杀猪了。

　　但是无声打印机也有缺点，就是不能离得太远，有效距离是5米，一般老板会以打印机为中心，把半径5米内的一个圆形场地清理出来，不是怕人看，是怕有同行拿来砸场子，也怕老千用这类仪器把他当猪杀，而他自己呢，早安排自己人在5米内进行隐蔽的探测。

　　也有人可能会问，现场那么嘈杂，怎么捕捉声音啊？这就是高科技的厉害之处了，仪器本身配备了特殊电波过滤器，仪器本身的芯片就是专门针对这个激光打印机的频率和短波设计的。别以为我说的都是天方夜谭，在巨大利益的推动下，什么事情都有可能发生。射频分析系统同样适用于针式打印机。

　　这种仪器配有接收的小装置，可以做成手机的样子，随时随地拿出来看，不会被人怀疑。这台接收器有个致命的缺点，就是会干扰百家乐，即靠近主机的时候，屏幕的画面会有抖动，类似于把手机放在电脑显示器旁边，来电话或来短信时，显示器上发生的变化。对此，有几个赌徒会在意呢？他们的心思都在如何下注上呢。如果现场有音响，也会对音频效果产生很大影响。接收器也有做成小盒子大小的，更加隐蔽，可以放在贴肉的地方，通过对皮肤的刺激或者震动得到分析数据，比如出庄震动一次，闲两次，不震就是和。

　　啰唆了这么多，不知道是否会让正痴迷于保单式百家乐的朋友有所警醒，如果你依然相信所谓的先出结果再赌钱是公平的，当我啥也没说。我只能送你一句话：输钱，活该！

　　有人说保单式百家乐是自动杀猪机，真的很贴切。

59 〉警惕"老千速成"的骗局

现在网上、报纸上、电视里，常见这个千王那个千王的，又是开公司，又是做反赌宣传，都说为大家揭开千术，但是绝大多数是用魔术忽悠人。很简单的技巧，被他们搞得神乎其神。为什么？出名敛财而已。有多少人看了电视上的宣传上门送钱学艺的？具体有多少幻想一夜暴富的赌徒主动上门送钱的我不知道了，但肯定不在少数。天下没有免费的午餐。不要轻信报纸或者网络上"教你包赢不输的扑克绝技"，没有人能在几个小时甚至几天内学会"包赢不输"的绝技，他如果真有这绝技，早去赌了。

现在网上有很多号称传授千术的学校或机构，大街上也有很多卖魔术道具的，这些牌技培训班和魔术道具，都在简便易学上做文章，他们的广告宣扬自己的千术一学就会，或者是在一个很短的时间内就能掌握云云。当然，他们都宣称自己的千术在实战中如何如何好用，学会了就可以上赌桌大杀八方。网上各种千术教学视频，都是打着千术的幌子，利用魔术伎俩，加以广告的渲染，画出一张可能害惨你的大饼。看过的朋友觉得神奇吧，想学吗？那么好，付给对方学费，天下没有免费的午餐。你真去学了，你就是一个凯子，他们抓的就是你这样好奇的凯子。

太多的人发了一些所谓的千术视频给我看，我看了一些，无一例外，都是用低级的魔术手法来骗外行人的，在实战中没有任何价值，学来了唬小孩玩还行，上了赌桌一点用处都没有。反过来想想，那些办老千培训班的，如果自己真会千术，他早出去杀猪了，还有工夫在网上授课？那些人都说自己教的东西最好用，好用的话他自己干吗不用？在这里我要谴责这些无良的骗子，不要拿魔术的东西去赚黑心钱。遇上执意要学的人，也没有办法，谁叫他是猪呢，主动送上门去叫人宰，活该。想学千术去杀别人，注定了自己先被人家杀的命运。

真正的千术是不会到处售卖的，比如你掌握了一种千术，你会到处宣扬还教会别人吗？还是就自己悄悄知道，关键时刻大捞一笔呢？一个老千吃饭的手艺，是不会拿出来显摆的。教会了别人，就会给自己带来威胁，没有这样傻的老千。

现在还在赌钱的人，有一半是职业的赌徒，职业的赌徒之所以称之为职业的，就是因为他们对很多东西都开事，都懂一些。那些"速成"的"老千"，手法在别人眼里，不过是三脚猫的功夫，在专业人士跟前出千不被发现，那是不可能的，一旦被揭穿，会被他们打个半死。

退一步说，就算你真的能学到一两种千术，能过心理关吗？周围有无数输红眼的赌徒，你的手不打哆嗦吗？你说话的时候还跟平时一样吗？何况，出千方式千变万化，还有很多你所不知道的手法，你能宰别人，也随时可能挨宰。

很多人建议我也拍一些视频，我拒绝了。一是我不会摆弄视频，二是别叫一些人拿去当赌博教材。大家别着急，我的书如果有机会改编为影视作品，我愿意去做技术替身。因为我有个想法，出千过程不希望导演利用镜头或剪辑完成。我要用我的手完成一些高难度的手法。我想，这一天会来到的，我很是期待。

〉尾声　天下没有免费的午餐

我新浪博客的纸条箱里有1000多条要拜师的留言，其他地方也有，我都不看。我上网写东西是揭穿千术的，永远不会教任何人，何况我在拜师敬酒磕头的时候，已经向我师傅保证手艺决不传人（我说的是文事的出千手法，武事谁都能搞）。传出去是一大害，会害了很多人。再说，我就是有心想教别人，也得看学的人有没有天赋。学千术是要天赋的，还要经过刻苦的训练。练习过程的辛苦我记忆犹新。曾几何时，我拿着扑克走道在练，吃饭在练，看电视在练，坐在马桶上也在练，手掌上全是被扑克割的小口子，睡觉的时候都是握着扑克睡。真的教会人文事的出千手法，干吗用？去骗人？骗成功了，我不是助纣为虐吗？和我写帖子的初衷背道而驰。所以恳请各位，别再找我学千术，因为做老千不是什么光荣的事儿。

什么叫老千？老千是不会让人知道自己的身份的，更不会在公众场合宣称自己是老千。老千学的第一件事就是如何隐藏自己的身份，如果轻易被人家认出是个老千，能千谁呀？若是凭运气在赌桌上赢钱了，就凭人家认定你是老千，非但拿不走赢的钱，还会被人打得满头包。一旦别人知道你的老千身份，你就失去做老千的资格。真正的老千是永远隐藏在人群中，时不时通过自己的千术，把其他赌徒口袋里的钱拿过来用用的人。

所以，老千只能生活在灰色地带，时刻算计周围的人，没有真正的朋友。有时候看着别人呼朋引伴，我就眼红，那孤独的滋味就像蚂蚁啃咬我的心。奉劝大家千万不要走这条路，我走过来了，那是碌碌无为的 20 多年。回想起来，我得到了什么？金钱？我承认我千过很多人，赚了很多钱，但是这些钱早被我挥霍掉了，一分也没留住，赢来的钱花起来不心疼。友情？我现在想找朋友出去玩，都不知道该找谁玩。事业？地位？什么都没有，还见不得人。

当我第一次听到我写的东西可以出版，我不敢相信。后来又听说我写的东西出版后会给我酬劳，我是那么兴奋。我付出了劳动，我写得很辛苦，很累。后来干脆把电脑搬到床边上，我坐在床上一个字一个字敲，一坐几个小时，起来时，身下全是汗。当我拿到第一笔稿费的时候，我是那么自豪，我敢和任何人拍桌子，那钱是我老三赚的，辛苦赚来的。

赌博确实是叫人疯狂的游戏，主要是钱来得太快了。当一个赌徒玩上瘾的时候，没有心思工作。这个是心瘾，越输越不甘心，总在幻想有朝一日咸鱼翻身把钱捞回来。可是赌局上有这么多陷阱，能留多少胜算呢？

看客们有很多也赌过钱的，回忆一下，赌钱的时候人们通常是赢了钱就走呢？还是输了钱就走呢？还是赢了也不走，输了也不走，输光了才走呢？最后一种人比例最大，十个有九个赌徒都是这样的。那些输掉钱不甘心的人，我劝你悬崖勒马吧，就当输过的钱被一场地震给震没了，或者放在中央电视台大楼里被一把大火给烧没了。忘记输钱的事情，一切从头开始吧，一切都来得及。一般人是玩不过赌场里那些老千的，无论你有多少钱，上了赌桌，都得被那些老千给骗光。比钱更重要的亲情、友情，以及做人的自尊，都会输掉的。趁现在好好珍惜美好时光，珍爱生命，远离赌博吧。

　　最后，借用博友的一句评语来作本书的结束：世界上的事，根本就没有绝对的公平。为什么还要在牌桌上寻找公平呢？所有正在赌桌上的、可能走到赌桌上的朋友，希望你们能铭记：这个世界上，根本没有公平的赌局。